МАСТЕРА
ФАНТАСТИКИ

МАСТОДОНИЯ

ПРОЕКТ «ВАТИКАН»

ЭКСМО, МОСКВА
ВАЛЕРИ СПД, САНКТ-ПЕТЕРБУРГ
2002

УДК 820(73)
ББК 84(7 США)
С 12

Составитель *А. Жикаренцев*

Серийное оформление художника *Е. Савченко*

Серия основана в 2001 году

Художник *Jim Burns*

Оформление шмуцтитулов *И. Жмайлова*

Саймак К.

С 12 Мастодония: Фантастические романы / Пер. с англ. — М.: Изд-во Эксмо, СПб.: Валери СПД, 2002. — 688 с. (Серия «Мастера фантастики»).

ISBN 5-699-00401-7

Попытки постичь непознаваемое иногда приводят к самым неожиданным открытиям. Но до каких пределов простирается право исследователя на вмешательство в прошлое? Что важнее — знание или вера? Этот вопрос волновал человечество во все времена. Оказывается, ответ на него не в силах дать не только жители Земли, но и обитатели других планет.

УДК 820(73)
ББК 84(7 США)

ISBN 5-699-00401-7

МАСТОДОНИЯ

Глава 1

ПРОНЗИТЕЛЬНЫЙ ВОЙ СОБАКИ поднял меня с постели полусонного. Я вскочил, ничего не соображая. Первые лучи рассвета проникли в комнату, высветив призрачные очертания обшарпанного комода, стенного шкафа с приоткрытой створкой, потертого ковра.

— Что случилось, Эйза?

Я повернул голову, увидел Райлу, привставшую в кровати, и удивился, каким образом, о Господи, после стольких лет Райла могла оказаться здесь? Но тут у меня в голове прояснилось и я все вспомнил.

Собака снова завизжала, звук раздался уже совсем близко и выражал страдание и испуг.

Я выбрался из-под одеяла, схватил брюки и зашарил ногами по полу в поисках шлепанцев.

— Это Баузер,— объяснил я Райле.— Подлая тварь где-то шлялась всю ночь. Наверное, опять гонялся за сурком.

Баузер был одержим сурками. Учуяв зверька, он никак не мог остановиться. Пес, должно быть, прокопал уже полпути до Китая, охотясь за ними. Обычно, чтобы привести его в чувство, я всегда прослеживаю эти вылазки и приволакиваю его обратно. Но в эту ночь, рядом с Райлой, мне было не до Баузера.

Когда я добрался до кухни, Баузер уже вопил на крыльце. Я открыл дверь, и он, конечно, торчал там, а из него самого торчала деревянная стрела. Я ступил на крыльцо и, обхватив Баузера рукой, положил на бок, чтобы разобраться, в чем дело. Я увидел, что в ляжку моего пса вонзился дротик с каменным наконечником. Баузер жалобно заскулил, глядя на меня с тоской.

— Ну что там, Эйза? — снова спросила Райла, появляясь в дверях.

— Кто-то метнул в Баузера дротик,— ответил я.— И он застрял в его ляжке.

Она спустилась по ступенькам, быстро обошла крыльцо и склонилась над собакой.

— Наконечник вошел лишь наполовину,— заметила она.— Смотри, как провисло древко.

Райла протянула руку, схватила наконечник, резко повернула его и рывком выдернула из раны.

Баузер отчаянно взвизгнул и снова жалобно заскулил. Он мелко дрожал. Я взял его на руки и внес в кухню.

— В спальне на тахте лежит плед,— сказал я Райле.— Принеси его, пожалуйста, устроим ему здесь постель в углу.

— Эйза!

— Да, Райла?

— Но это же фолсомский наконечник! — Она подняла дротик, чтобы я смог его разглядеть.— Кто же мог выстрелить в собаку фолсомским дротиком?

— Да какой-нибудь мальчишка,— предположил я.— Они же просто маленькие чудовища!

Она с сомнением покачала головой:

— Да ты только посмотри, как наконечник прилажен к древку. Откуда мальчишке знать, как это делается?

Я не стал это обсуждать и повторил свою просьбу:

— Пожалуйста, принеси плед!

Она оставила стрелу на столе и пошла в спальню. Вернувшись, Райла сложила покрывало и опустилась на колени, чтобы положить эту подстилку на пол в углу кухни.

Я устроил Баузера на пледе.

— Не горюй, старина, мы тебя вылечим! Не думаю, что рана так уж серьезна.

— Эйза, ведь ты меня не понял? Или не услышал, что я тебе сказала?

— Да услышал, услышал,— пробормотал я.— Фолсомский наконечник. Они делались десять веков назад древними предками индейцев. Их находили в костях доисторических бизонов...

— Но ведь дело не просто в этом,— никак не могла успокоиться Райла.— Он же насажен на древко так, как умели только те первобытные люди!

— Понимаю,— откликнулся я.— Не хотел тебе говорить, да, видно, придется. Судя по всему, мой Баузер — это собака, путешествующая во времени. Он однажды приволок сюда кость динозавра.

— А зачем собаке понадобилась эта окаменелость?

— Ты не поняла меня. Это была не древняя кость. Не ископаемая. Она была свеженькая, с клочками плоти, свисающими с нее. И принадлежала не взрослому динозавру, а детенышу. Размером с собаку или чуть побольше.

Райла и бровью не повела.

— Возьми-ка ножницы и обстриги шерсть вокруг раны. Я обмою ее теплой водой и смажу чем-нибудь. Где у тебя аптечка?

— В ванной. Справа от зеркала.

Когда она повернулась, чтобы выйти, я окликнул ее:

— Райла!

— Чего тебе?

— Как я рад, что ты здесь,— ответил я.

Глава 2

ОНА И САМА ВЕРНУЛАСЬ из прошлого, по меньшей мере двадцатилетней давности. И всего лишь накануне вечером. Я сидел в шезлонге под большим кленом, когда с магистрали в сторону моего дома свернула большая черная машина. Я лениво удивился, кто бы это мог быть?

Честно говоря, я вовсе не жаждал увидеть кого бы то ни было, тем более что за последние несколько месяцев я наконец вкусил прелесть одиночества. И уже начинал испытывать легкую досаду при любой попытке вторжения на мою территорию.

Машина подрулила к воротам и остановилась. Женщина вышла из автомобиля, миновала ворота и направилась ко мне. Я встал с кресла и неторопливо двинулся ей навстречу. Она прошла большую часть пути, прежде чем я распознал в этой стройной элегантной особе девушку из своего прошлого. Из юности.

Я остановился, немного ошарашенный.

— Райла...— произнес я не вполне уверенно.— Вы Райла Эллиот?

Она тоже остановилась и вгляделась в меня через двенадцать футов, разделяющих нас. Казалось, она не вполне верила, что видит перед собой Эйзу Стила.

— Эйза,— наконец произнесла она.— Так это же и вправду вы! Теперь я вижу, это вы! Я недавно узнала, что вы обитаете в здешних краях... А мне казалось, вы еще прозябаете в том маленьком колледже где-то на Западе. Я так часто думала о вас...

Она еще и еще что-то говорила, будто стремилась словами замаскировать неуверенность и даже некоторую нервозность...

Я пересек наконец разделяющее нас расстояние, и мы теперь стояли совсем рядом.

— Эйза,— проговорила она.— Мы не виделись чертовски давно!

Она оказалась в моих объятиях, и у меня возникло странное ощущение, что я обнимаю женщину, вышедшую из длинного черного лимузина, как из машины времени, в этот висконсинский вечер. Вышедшую из прошлого, удаленного на добрых два десятка лет.

И все же было не так уж легко отождествить ее со смешливой жизнерадостной девушкой, которая так безропотно вкалывала вместе со мной на тех раскопках в Малой Азии. Мы пытались постичь тайны древних курганов, но то, что нам попадалось, никак нельзя было назвать хоть сколько-нибудь значительным. Я копал, просеивал землю, расчищал найденные предметы, а она снабжала их ярлычками, пытаясь распознать назначение черепков и прочего древнего хлама, разложенного вокруг.

Тот жаркий пыльный сезон пролетел слишком быстро. Работая вместе в течение дня, мы и спали вместе в те ночи, когда удавалось улизнуть от остальных участников экспедиции. Впрочем, припоминаю, что в конце она уже перестала осторожничать, тем более что окружающим, как оказалось, было до нас мало дела.

— Даже не надеялся увидеть вас когда-нибудь еще! — воскликнул я.— Думать-то о вас, конечно, думал, но не рассчитывал, что сумею к вам подступиться. Говорил себе, что вы все забыли и наша встреча вряд ли доставит вам радость. А если она и состоится, вы, разумеется, будете любезны и мы обменяемся какими-нибудь расхожими пустяковыми репликами. Мне вовсе не хотелось лишиться своих воспоминаний из-за такой финальной точки... Лет десять назад я услышал, что вы подвизаетесь на ниве экспортно-импортного бизнеса, а потом для меня ваши следы как-то затерялись.

Она плотнее прижалась ко мне, подняв лицо как бы в ожидании поцелуя. И я поцеловал ее. Возможно, без того трепета, который испытывал когда-то, но с глубочайшей радостью, что вновь вижу ее.

— Я и теперь занимаюсь бизнесом,— проговорила она.— Экспортно-импортным, как вы его назвали. Но уже подумываю о выходе из него.

— Да что же мы стоим тут? — спохватился я.— Пойдемте к шезлонгам, под дерево. Там так приятно сидеть по вечерам. Что я и делаю всегда. Если не возражаете, я организую нам какую-нибудь выпивку.

— Чуть попозже,— ответила Райла.— Здесь так славно, так покойно!

— Именно покойно,— согласился я.— Даже, сказал бы, отдохновенно. Правда, в университетском кампусе тоже вполне спокойно, но качественно это совсем другое. Здешним покоем я наслаждаюсь почти уже год.

— Вы что же, оставили свою должность в университете?

— Нет, у меня творческий отпуск, предоставляемый преподавателям каждый седьмой год. Предполагается, что я должен работать над книгой, но я и строчки не написал, да вовсе и не помышлял ни о какой книге. Когда отпуск закончится, я, может быть, подам в отставку.

— И останетесь здесь... Это местечко называется Виллоу Бенд*?

— Сам Виллоу Бенд — маленький городишко невдалеке от того шоссе, по которому вы ехали сюда. Я там жил когда-то. Мой отец на окраине содержал лавку сельскохозяйственного инвентаря. А эта вот ферма в сорок акров принадлежала семейству неких Стритеров. Я мальчишкой частенько слонялся здесь со сверстниками, мы охотились, удили рыбу, обследовали окрестности. Сам

---

* «Ивовая излучина». *(Здесь и далее примеч. переводчика.)*

Стритер никогда этому не препятствовал. Его сын Хьюг — кажется, так его звали,— тоже состоял в нашей компании.

— А где теперь ваши родители?

— Мой отец уехал отсюда давно. Подался к брату в Калифорнию. Да и у матери две сестры обитали на побережье. Они и сейчас там. А я около пяти лет назад вернулся сюда и, узнав, что ферма продается, купил ее. Нельзя сказать, что меня тянуло «к своим корням» или каким-нибудь очень уж приятным воспоминаниям...

— Но если не к корням или воспоминаниям, то почему же вас все же потянуло именно в Виллоу Бенд и именно на эту ферму?

— Да было, было кое-что, заставившее меня вернуться... А давайте-ка лучше поговорим о вас и вашем бизнесе, ладно?

— О, вас мои дела, наверное, позабавят,— сказала она.— Я ведь занялась продажей древних изделий и окаменелостей. Начала с пустяков, потом дело разрослось. Сперва продавала всякую архаику, но иногда мне попадались геммы и другие более поздние античные поделки. Хоть я и не сумела стать археологом или палеонтологом, но все же нашла применение своим небольшим познаниям. В моем бизнесе наибольшим спросом стали пользоваться маленькие черепа динозавров, трилобиты в хорошей сохранности и каменные пластины с отпечатками рыб или растений. Вы не поверите, сколько усилий требовали поиски по-настоящему приличного товара, впрочем и не вполне приличного тоже! А пару лет назад одна компания по производству консервированных завтраков решила поощрять своих наиболее постоянных покупателей маленькими сувенирами, избрав в этом качестве брелоки-кубики из костей динозавров! Компания обратилась ко мне. И знаете, где я стала добывать эти кости? В Аризоне. Там оказалось большое их кладбище, и его стали раскапывать бульдозерами, сваливая добычу в грузовики-откатчики. Мы распилили сотни тонн костей и изготовили из них эти дурацкие брелоки. И представьте, я бы не сказала, что мне было хоть чуточку стыдно. Этот бизнес не был нелегальным. Я откупила этот участок и никаких законов не нарушила. Но никто и вообразить не может, сколько бесценных окаменелостей мы там погубили!

— Да уж, воображаю,— согласился я.— Сдается мне, что вы не очень-то печетесь об археологии или палеонтологии, да и не слишком жалуете специалистов этого дела?

— Напротив,— ответила она.— Я очень уважаю настоящих специалистов. Мне ведь и самой когда-то страшно хотелось войти в эту среду, но у меня не оказалось шансов. Я и на тех унылых раскопках в Турции появилась именно из желания приобщиться к археологии. Конечно, можно было бы и дальше посвящать этому каждое лето, что-то раскапывать, классифицировать, заносить в каталоги, а по окончании сезона корпеть над систематизацией чужих находок. В промежутках можно было бы обучать каких-нибудь студентов-второкурсников, большей частью безмозглых кретинов. И что же дальше? Все мои усилия шли бы в актив боссов науки, а мне и не светило быть упомянутой в какой-нибудь самой скромной публикации. Для того чтобы вписаться в этот научный рэкет, вы должны состоять в штате Йейла, Гарварда или Чикаго, да и там, пожалуй, утечет много воды, пока за вас кто-нибудь замолвит словечко! Там, наверху, засело несколько жирных котов, снимающих пенки с ваших трудов, и никому нет дела до того, с какими усилиями вы пытаетесь сами вскарабкаться наверх.

— Я, пожалуй, могу сказать то же и о себе,— ответил я.— Преподавая в маленьком университете, я не имею ни малейших надежд на выполнение настоящих научных исследований. И никаких возможностей и средств для организации серьезных, пусть и краткосрочных, раскопок. А тем более для крупных, если даже имеются интересные идеи и ты готов сам трудиться как осел над их разработкой... И к тому же я всегда привык довольствоваться малым. Мой университетский городок был вполне комфортабелен, и уже ничего другого не хотелось. Но тут Элис меня оставила и я... Вы ведь слышали о нашем разводе?

— Да,— сказала она.— Я слышала.

— Не скажу, что это причинило мне настоящее горе,— заметил я.— И все же моему самолюбию был нанесен удар. И я стал искать, куда бы мне спрятаться от окружения. Потом мне подвернулась эта ферма. А те невзгоды я давно уже преодолел.

— У вас ведь есть сын?

— Да, Роберт. Он с матерью в Вене, кажется. Во всяком случае, где-то в Европе. Человек, ради которого она меня бросила, дипломат. Профессиональный дипломат, а не политик...

— А мальчик, Роберт?

— Поначалу он оставался со мной. Но, наверное, ему стало скучно, и он пожелал уехать к матери. Вот я и отпустил его.

— А я так и не вышла замуж,— заметила Райла.— Сперва была слишком увлечена делами, а потом эта проблема как-то потеряла актуальность.

Мы посидели молча, пока вокруг расползались сумерки. Пахло сиренью от лохматых, разросшихся во все стороны кустов.

Знакомая нахальная синичка невозмутимо прыгала с ветки на ветку, время от времени останавливаясь, чтобы поглазеть на нас глазом-бусинкой.

Не знаю, почему я сказал ей то, о чем вроде и думать забыл. Но слова вырвались сами собой.

— Райла,— произнес я,— мы тогда сваляли с вами дурака. У нас же все было не просто так, а мы и не понимали этого! Ведь было же, не так ли?

— Вот потому-то я и здесь,— откликнулась она.

— Ну так вы сможете побыть в Виллоу Бенде хоть какое-то время? Нам ведь есть о чем потолковать. Я могу позвонить в мотель. Он, правда, не ахти какой, но...

— Нет,— возразила она решительно.— Если вы не против, я бы предпочла остаться здесь, у вас. С вами.

— Вот и чудесно,— обрадовался я.— Я вполне могу устроиться на тахте, перетащу ее на кухню.

— Эйза,— сказала она.— Хватит изображать джентльмена! Мне не нужно твое дурацкое джентльменство. Я же сказала, что хочу *быть с тобой*, ты понял?

Глава 3

БАУЗЕР ЛЕЖАЛ В СВОЕМ УГЛУ, взирая на нас глазами, в которых застыла мировая скорбь. Мы завтракали на кухне.

— Интересно, как он себя чувствует? — спросила Райла.

— Не волнуйся, он скоро будет в полном порядке,— ответил я.— Он оправляется очень быстро.

— Как давно он у тебя?

— Да уже несколько лет. Он был вначале вполне благонравным городским песиком, весьма корректным и послушным. Лишь позволял себе иногда бросаться во время прогулок на птичек. Но стоило нам переехать сюда, его словно подменили. Теперь это большой любитель раскопок, да еще фанатик погони за сурками. У него к суркам какое-то особое пристрастие. Прямо мания. Почти каждый вечер я сам гоняюсь за ним и буквально вытягиваю его из раскопанных нор, в которых трясутся от ужаса и верещат загнанные им зверьки.

— И вот что случилось, как только ты предоставил его самому себе!

— Но ведь у меня наклевывались гораздо более интересные дела, да мне и подумалось, что в кои-то веки я могу оказать ему услугу, отпустив на всю ночь.

— Эйза, сурки сурками, но ведь он принес нам фолсомский наконечник! Не могу же я ошибиться! Слишком много мне таких пришлось повидать, они же ни на что другое не похожи! И ни один мальчишка не сумел бы насадить такой наконечник на древко. К тому же оно ведь не окаменелое, а вполне свежее... Постой, ты ведь что-то обронил о свежей кости динозавра?

— И еще я сказал тебе, что эта собака, по-видимому, совершает прогулки во времени.

— Эйза Стил, не морочь мне голову. Что ты такое несешь? Собака, путешествующая во времени!

— Ну ладно, перестаю. Но попробуй объяснить мне, где он взял косточку динозавра?

— Но, может быть, это вовсе и не была кость динозавра?

— Леди, поверьте, я уж знаю, какими бывают эти кости! Я же перечитал все публикации о них, преподавая палеонтологию в колледже. Динозавры стали моим любимым хобби. А однажды мы разжились скелетом динозавра для музея. Я сам его монтировал, потратив на это целую зиму. Ухлопал уйму времени, подбирая и подгоняя кости друг к другу, да еще изготовляя недостающие детали, пока весь скелет не был собран, выкрашен белой краской и стал выглядеть так, что никому не пришло бы и в голову упрекнуть нас в недостоверности или подделке!

— Ну хорошо. Но откуда Баузер мог взять новую, свежую кость динозавра?

— На ней оставались хрящи, сухожилия и мясо! Кость дико воняла, и Баузер тоже не благоухал. Видимо, он нашел труп детеныша и отхватил от него кусок. Я три дня эту кость вываривал, чтобы избавиться от зловония...

— Но как же ты мог бы это объяснить?

— Никак. Даже не пытался это сделать. Правда, была у меня мыслишка о том, что, может, и в наше время где-то водятся единичные экземпляры малых динозавров и Баузер наткнулся на труп одного из них. Но эта идея не менее завиральная, чем предположение о «собаке, путешествующей во времени»!

В дверь постучали.

— Кто там? — крикнул я.

— Это Хайрам, мистер Стил. Я пришел в гости к Баузеру.

— Заходи, Хайрам,— сказал я.— Баузер здесь, на кухне. Он попал в переделку.

Хайрам шагнул вперед, но, увидев Райлу, смущенно отступил.

— Зайду попозже, мистер Стил,— пробормотал он.— Я постучался только потому, что не увидел Баузера во дворе.

— Не стесняйся, Хайрам,— успокоил я его.— Вот познакомься, эту леди звать мисс Эллиот. Она мой друг. Мы не виделись много времени.

Он робко приблизился, сдернул с головы шапку и прижал ее обеими руками к груди.

— Рад вас видеть, мисс,— пробормотал он.— Это ваше авто там, снаружи?

— Да, мое,— ответила Райла.

— Большое,— заметил Хайрам.— И так славно блестит, что в него смотреться можно!

Он бросил взгляд на Баузера и торопливо обошел стол, чтобы присесть на корточки около собаки.

— Что это с ним случилось? — с беспокойством спросил он.— У него же на ляжке совсем нет шерсти!

— Это я выстриг,— объяснил я ему.— Так было надо, потому что кто-то ранил его стрелой из лука.

Конечно, мое объяснение грешило некоторой неточностью, но зато было достаточно простым для Хайрама и исключало дополнительные вопросы. Он же наверняка слыхал о луках и стрелах: большинство мальчишек городка и сейчас ими балуется!

— Он что, опасно ранен?

— Да нет, не думаю, просто ему больно.

Хайрам обвил рукой шею Баузера.

— Это нехорошо,— расстроенно объявил он.— Шляться вокруг без дела и подстреливать собак. Никто не имеет права стрелять в собаку!

Баузер, великолепно уловив сочувствие, слабо застучал по полу хвостом и лизнул Хайрама в лицо.

— Особенно в Баузера,— не унимался Хайрам.— Нет лучше собаки, чем Баузер!

— Не выпьешь ли кофе, Хайрам?

— Нет, нет, вы продолжайте завтракать. Я только посижу здесь с Баузером.

— Может, зажарить тебе яичницу?

— Нет, мистер Стил, благодарю вас. Я уже поел. Побывал у преподобного Джекобсона, он накормил меня булочками и колбасой.

— Ну, как знаешь,— сказал я.— Ты оставайся с Баузером, а мы с мисс Эллиот прогуляемся. Покажу ей окрестности.

Когда мы удалились от дома на расстояние ярда и он уже не мог нас услышать, я сказал:

— Хайрам совершенно безобиден, чуточку не в себе, но это ничего. Город его опекает. Куда ни заглянет, везде его прикармливают. Ему живется не так уж и плохо, поверь!

— А жилье у него есть?

— А как же, хижина внизу, у реки. Но он редко там бывает, все больше шатается вокруг, навещает друзей. Например, Баузера. Он с ним в великой дружбе.

— Да уж, это заметно,— ввернула Райла.

— Он уверяет, что они с Баузером «беседуют». Хайрам что-то рассказывает псу, а тот — ему. Но он беседует не только с Баузером. Ведет дружбу со всеми животными и птицами. Хайрам может, сидя во дворе, разговаривать с глупенькой, косящей глазом синичкой, и та никогда не улетает, а словно слушает его, склонив головку набок. Ей-богу, мне иногда верится, что она его понимает! Он еще наведывается в лес к кроликам, белкам, наносит визиты суркам и бурундукам. Он ходатайствует о сурках перед Баузером, убеждает того оставить их в покое. Говорит, что если Баузер не будет их пугать, они вылезут наружу и начнут с ним играть...

— Он немножко с придурью, правда?

— Вне всякого сомнения. Но ведь в мире масса людей, подобных ему. И не только в глухомани...

— Это прозвучало так, словно ты совсем не прочь к ним присоединиться?

— Да нет, просто я их не чураюсь. От них не исходит никакого зла, а скорее наоборот. Это простые души.

— Ты знаешь, Баузер чем-то похож на него.

— Не знаю, похож ли, но Баузер его просто обожает!

— Так ты сказал,— переменила тему Райла,— что у тебя здесь сорок акров? И на что человеку с твоим характером сорок акров?

— О Господи, да ты только погляди вокруг! — ответил я.— И ты поймешь. Послушай птиц. Полюбуйся на тот яблоневый сад наверху. Деревья сплошь усыпаны цветами. Правда, надо бы их привить или опылить, а то плоды стали маленькими и кисловатыми. И родится их совсем немного. Следовало бы этим заняться. Ведь у меня тут есть редкие сорта. Одна старая яблоня из породы «снежных», парочка «коричных»... Если ты не попробуешь коричного яблока, ты не будешь знать, что такое вкус яблок вообще!

Она рассмеялась.

— Ну, Эйза, ты меня дурачишь, как всегда это делал раньше. Разыгрываешь в твоей особой, прелестной манере. Неужели ты думаешь, что я поверю: ты окопался здесь из-за пения птиц или забытых сортов яблок, которые тебе и привить-то неохота? Может, эти чудеса и играют свою роль, но тебя сюда привело совсем-совсем другое! Вчера вечером ты мне намекнул на какую-то гораздо более глубокую причину, и я была бы совсем не прочь ее узнать!

Я взял ее за руку.

— Пойдем,— сказал я.— Я покажу тебе кое-что.

Дорога вела мимо обветшавшего сарая с покоробленной провисшей дверью, пересекала угол фруктового сада с тощими деревьями и шла дальше, вдоль давно не возделывавшегося поля, сплошь заросшего сорняками и окаймленного лесом. Она обрывалась у самого края поля довольно крутым уклоном.

— Вот,— сказал я.— Воронка. Или что-то очень похожее.

— Ты, кажется, производил здесь раскопки? — спросила она, разглядывая траншеи, из которых я выгреб грунт.

— Именно,— кивнул я.— Местные жители даже считают меня из-за этого чуть чокнутым. Раньше они думали, что я ищу клад, и это их вполне устраивало, но когда никакого клада не оказалось, а я все продолжал копать, то иначе как дуростью они это объяснить не могут.

— Да ну, вряд ли их это особенно могло занять,— отмахнулась Райла.— Да и вряд ли это воронка. А ну выкладывай, что это такое?

Я вздохнул:

— Ну, слушай. Мне кажется, что это кратер, возникший на месте аварии звездолета, произошедшей Бог знает когда. Здесь попадаются кусочки металла, к сожалению, не такие уж крупные, чтобы внятно поведать о чем-нибудь, но все же расплавленные и спекшиеся. Этот корабль, или аппарат, как хочешь его назови, врезался в землю не как метеорит и не на слишком большой скорости, а, скорее всего, при посадке. Следов плазменной реакции здесь нет, но он был достаточно крупным, чтобы взрыть такую яму и уйти глубоко под землю. Я уверен, что его основная масса лежит на приличной глубине...

— А когда ты бывал здесь раньше, в детстве, эта яма уже существовала?

— В том-то и дело, что да. Правда, здесь кругом все изрыто минеральными карьерами, поскольку больше ста лет назад повсюду шныряли старатели и изыскатели в надежде на какие-то полезные ископаемые. Везде тогда бурились отверстия для определения возможных залежей. А потом все это было заброшено, но любая яма могла сойти за минеральный карьер. Мои приятели и я сам тоже считали эту воронку бывшим карьером и сами из любопытства тут копались. Старый хозяин фермы забавлялся этим и прозвал нас «рудокопами». Вот тогда-то мы и наткнулись на кусочки металла, но поскольку ничего ценного в них не обнаружили, то в конце концов потеряли к этой яме интерес. Зато впоследствии, мысленно возвращаясь к нашим находкам, я пришел к выводу, что это могли быть осколки космического аппарата. Ну вот, так я сгоряча и купил эту ферму. Но, по правде, нисколько об этом не жалею. Мне понравилось торчать здесь целыми месяцами...

— По-моему, это прекрасно! — сказала Райла.

Я удивленно уставился на нее.

— Неужели ты это всерьез?

— Да, всерьез. Мне понравилась твоя идея о звездолете.

— Но ведь ничего категорически утверждать нельзя!

Она встала на цыпочки и поцеловала меня в щеку.

— А это и не важно,— ответила она.— Мне нравится, что ты еще способен мечтать и даже уверить себя в такой возможности!

— А ты-то сама, трезвомыслящая деловая женщина, что об этом можешь сказать?

— Быть деловой женщиной значит суметь выжить, только и всего! В глубине души я остаюсь археологом, а стало быть, таким же романтиком, как ты!

— А знаешь,— сообщил я,— ведь мне очень хотелось поделиться с тобой этим, но я колебался, боясь, что ты в глубине души посчитаешь меня легковесным прожектером...

— Ну а какие у тебя все же аргументы в пользу этой версии?

— Да все те же спекшиеся кусочки металла. Они из какого-то неведомого сплава, я отсылал их в университет на экспертизу. Правда, сказал им, что нашел где-то случайно, и изобразил крайнее удивление, когда они проявили интерес. Мне совершенно не хотелось, чтобы они начали трубить об этой находке. Она пока что только моя. И так как никакой информации они не получили, то и толков никаких не возникло. Так вот, эти кусочки все же свидетельствуют о том, что они когда-то принадлежали некоей конструкции. Это тяжелый и исключительно твердый сплав с ужасающей прочностью на растяжение. Никакого следа ржавчины или царапин. И все же мне необходимы еще какие-то доказательства, иначе меня может занести в заоблачные дали... Я ведь иногда этим грешу.

— Эйза, перестань, никуда тебя не занесет. Твою гипотезу трудно переварить, хотя кое-что и говорит в ее пользу!

— Ну, тогда,— продолжал я,— послушай-ка еще кое о чем. Правда, тут уж вовсе нет научных свидетельств. Если не считать таковыми свидетельство моих собственных глаз и мои ощущения... Я обнаружил здесь некое странное соседство. Лучше было бы его тебе описать, но по существу ничего реального я ведь и не видел! Хотя я несомненно ощущал на себе чей-то взгляд, замечал какие-то промельки, иногда достаточно выраженные очертания, ясно осознавал чье-то присутствие. И хотя никаких научно обоснованных реалий я привести не могу, я уверен, что оно существует! Иногда нависает над садом, но не остается там подолгу. И похоже, что само за чем-то наблюдает!

— А кто-нибудь еще видел это явление?

— Как будто бы да. Здешние жители периодически говорят о какой-то «пуме», боятся ее, хотя откуда здесь пума, ума не приложу! В здешних сельских общинах всегда излюбленными были байки о медведе и пуме. В них есть что-то атавистическое, но ведь они продолжают занимать людей, эти страхи!

— Но... может, тут и вправду есть какие-либо крупные кошки, рыси например?

— Сомневаюсь. Их уже с полвека никто здесь в лесах не замечал. Но я полагаю, что то существо иногда может принимать очертания крупной кошки. И есть один человек, который знает об этом больше других. Он являет собой нечто среднее между Дэйвидом Торо и Дэниелом Буном*. Живет большую часть своих дней в лесу.

— И что же он говорит по этому поводу?

— Мы с ним толковали. Он, как и я, не сомневается в наличии такого существа, но тоже не ведает, что же это такое...

— Но ты полагаешь, что между твоим звездолетом и тем существом имеется связь?

— Искушение так думать очень велико, хотя и может показаться, что версия чуточку притянута за уши. А заключается она в том, что речь идет о внеземном существе, спасшемся при аварии звездолета. Стало быть, оно живет немыслимо долго. Но с другой стороны, если это была авария, то кто смог бы уцелеть?..

— Мне захотелось взглянуть на те металлические кусочки.

— Нет проблем. Они в сарае. Посмотришь, когда вернемся домой.

---

* Генри Дэйвид Торо — американский писатель и философ XIX века, проповедовавший идеи единения человека с природой. Бун — легендарный отшельник, персонаж преданий.

Глава 4

ХАЙРАМ УСТРОИЛСЯ на одном из шезлонгов во дворе, а Баузер растянулся возле него. Знакомая синичка все так же независимо скакала в нескольких шагах, весело и даже вызывающе оглядывая нас, непрошеных гостей, вторгшихся на ее территорию.

Хайрам доложил:

— Баузер сказал, что не хочет оставаться в доме, вот я его и вывел сюда.

— Небось использовал тебя в качестве носильщика? Сам-то он вряд ли доковылял бы! — сказал я, глядя на собаку.

Баузер виновато забил хвостом.

— Синичка ему тоже посочувствовала,— сообщил Хайрам.— Вы можете идти по своим делам, мистер Стил. Я присмотрю за Баузером, пока он не выздоровеет. Буду при нем и день и ночь, если понадобится. А если он сам чего захочет, то и скажет мне.

— Ну и прекрасно, выхаживай его,— согласился я.— А у нас есть чем заняться!

...Я не без труда открыл провисшую дверь сарая. Не раз обещал сам себе ее починить, это потребовало бы пары часов работы, но было все как-то недосуг, а вернее всего, лень.

Сарай изнутри весь пропах конским навозом, давним, слежавшимся. В углу был свален всякий случайный хлам, но основное пространство занимали два длинных стола, которые соорудил я сам из досок и козел. На них были разложены все кусочки металла, выуженные мной из той ямы, а еще две полые яркие полусферы из какого-то неведомого металла. Я их нашел в сарае, когда прибирал хлам, брошенный бывшими владельцами фермы.

Райла подошла к одному из столов и взяла в руки зазубренный кусок металла. Она разглядывала его так и эдак, поворачивая в ладонях.

— Да, в точности как ты сказал. Совсем нет ржавчины. Лишь небольшая побежалость и изменение цвета. Но ведь в нем, по-видимому, содержится и железо, не так ли?

— И достаточно много,— ответил я.— По крайней мере, так утверждали сотрудники университета...

— Не всякий железистый сплав должен ржаветь,— задумчиво проговорила она.— Некоторые из них выдерживают довольно долго, но в конце концов хоть немного ржавчины на них появляется, когда с ними соприкасается кислород.

— А ведь прошло более ста лет,— согласился я.— Возможно даже, и намного больше. Виллоу Бенд отметил свое столетие всего несколько лет назад, а воронка существовала наверняка еще до основания города. Она намного старше его. Ведь на дне ямы лежит слой грунта глубиной в несколько футов. Для образования такого слоя требуется изрядное время. Много лет должно пройти, пока опавшие листья станут перегноем толщиной хотя бы в один фут!

— А ты не пытался приладить эти кусочки друг к другу?

— Ну как же, пытался, только из этого мало что вышло. Друг к другу более или менее подходят очень немногие из них.

— Так что же ты собираешься предпринять дальше?

— А не знаю, возможно, что и ничего! Знаю лишь, что буду пока держать факт этих раскопок в тайне. Ты единственная душа, которой я поведал обо всем. Скажи я такое кому-нибудь еще, меня бы подняли на смех. Или нашлись бы эксперты, которые всему придумывают весьма прозаическое объяснение...

— Я тоже так считаю,— согласилась Райла.— Но поскольку у тебя появилась такая необыкновенная возможность убедиться в наличии разумной жизни в космосе и в том, что Землю посетили инопланетяне, можно было бы и не обращать внимания на насмешки или превратные толкования!

— Но разве ты не понимаешь,— возразил я,— что любые торопливые умозаключения могут ужасно навредить, если вовсе не погубят дело? У человеческой расы ведь имеется странное инстинктивное предубеждение против идеи, что она не одинока во Вселенной. И вероятно, это прямое следствие нашей боязни заглянуть в глубь собственной сущности. А может, мы боимся, что иной инопланетный разум способен заставить нас почувствовать свою второсортность, неполноценность? Мы частенько сетуем на то, что одиноки в космосе, но это не более чем поза, риторическая фигура...

— И тем не менее,— философски заметила Райла,— рано или поздно люди с этим столкнутся. Так не лучше ли поразмыслить над имеющимися фактами пораньше? Ведь это позволило бы освоиться с мыслью об инопланетном разуме к тому времени, когда встреча станет реальностью...

— Многие с тобой согласились бы,— ответил я,— но только не безликая толпа, именуемая «публикой». Мы поодиночке можем быть мыслящими существами, способными к абстрагированию, но стоит нам оказаться частицею «массы», как мы становимся безмозглыми животными!

Райла прошла вдоль стола и остановилась около ярко блестевших двух полусфер. Она коснулась пальцем одной из них.

— А эти что же, тоже из раскопок?

— Нет, не оттуда. Не знаю, откуда они и взялись. Вместе они составляют совершенный шар. Толщина оболочки — один дюйм. Металл тоже исключительно тверд. Я хотел было отослать одну из них вместе с кусочками металла в университет, но передумал. Я ведь не уверен, что они имеют отношение к моей тайне, ибо нашел их здесь, в сарае, когда расчищал место для установки столов. Они лежали под здоровой кучей мусора, рваными сбруями, деревяшками, тряпьем и прочим хламом...

Райла приложила полусферы друг к другу и провела ладонью по линии их соприкосновения.

— Полностью совпадают,— отметила она,— но странно, нет ни скреп, ни даже следов от крепления. Полый шар, аккуратно разъятый на две половинки... У тебя-то есть на этот счет соображения?

— Вот уж ни малейших!

— А ведь объяснение может быть совершенно простым и вполне земным!

Я посмотрел на часы.

— В самом деле, давай вернемся к земным проблемам. Не пора ли подумать о ленче? — спросил я.— В двадцати милях отсюда вверх по дороге есть не такое уж плохое местечко.

— Но мы могли бы поесть и дома. Я бы приготовила что-нибудь!

— Ни в коем случае,— отрезал я.— Я хочу повести тебя куда-нибудь. Ты отдаешь себе отчет в том, что я никогда не водил тебя ни в один ресторан?

Глава 5

«МАНХЭТТЕН» БЫЛ СОВСЕМ НЕДУРЕН. Я подумал, что это первый цивилизованный напиток, который я употреблял за несколько последних месяцев. Я ведь стал уже совсем забывать, каков вкус у приличных коктейлей. Я поведал об этом Райле.

— Дома я пробавляюсь пивом или тяну помои вроде скотча с двумя кубиками льда.

— Ты и впрямь совсем врос в свою ферму,— заметила она.

— Ты права. Но я совсем об этом не жалею. Должно быть, за всю жизнь я впервые удачно вложил деньги, купив ее. Ферма дала мне год интересных размышлений и ощущение полного покоя. У меня ни того, ни другого не было раньше никогда. Да и Баузеру это место полюбилось.

— Господи, как трогательно ты заботишься о духовной жизни Баузера!

— Мы же с ним большие друзья. И оба терпеть не можем возвращаться к старой рутине...

— Но, по-моему, ты сказал, что и не вернешься? Что по окончании отпуска подашь в отставку?

— Говорил, говорил... Я ведь всегда жажду подать в отставку. Но, увы, это всего лишь мечты... У меня же нет особого выбора. И как бы мне ни претила мысль о возвращении в университет, я все равно буду вынужден это сделать. Я, конечно, не нищий, но и не настолько обеспечен, чтобы бросаться постоянным гарантированным заработком...

— Ох, но как же ты должен ненавидеть эту работу во имя куска хлеба насущного,— сказала она.— И особенно из-за невозможности продолжить твои раскопки!

— Раскопки могут и подождать. Им ведь не остается ничего другого!..

— Но, Эйза, это же недостойно тебя! Ты не должен так говорить...

— Может, и недостойно, но ведь ждали же они столько веков, могут еще малость потерпеть. И я ведь каждое лето буду сюда приезжать!

— Поразительно,— резюмировала Райла,— каким терпением обладают археологи! Должно быть, это профессиональная особенность. Они имеют дело со столь древними событиями, что время для них теряет всякий смысл.

— Говоришь так, словно сама никогда не была археологом!

— Да ну, я-то, конечно, и не была по-настоящему. Что у меня на счету? То лето с тобой в Турции, потом еще парочка никому не нужных раскопок в Огайо на летней стоянке индейцев. И потом около года в университете Чикаго, целиком убитого на составление каталогов. После такой практики не составило труда прийти к заключению, что это занятие не по мне!

— Вот тогда ты и переключилась на свою торговлю антиквариатом?

— Вначале завела небольшой магазинчик в верхней части Нью-Йорка,— кивнула она.— Но мне повезло, я попала в струю. Как раз в это время очень оживились коллекционеры, и дело начало крепнуть. Но в связи с ростом интереса к антикварным изделиям такие лавчонки стали появляться как грибы. И тут я сообразила, что гораздо выгоднее быть поставщиком. Пришлось пустить в ход все мои сбережения, влезть в долги, но новое дело запустить все же удалось. Поработать пришлось засучив рукава, зато и удовольствие я от своих трудов получала немалое. Ассортимент моих покупок и продаж заметно расширился, это, наверное, с точки зрения моих бывших коллег, нарушало «чистоту жанра», но было вполне результативным, тем более что мне не терпелось поскорее добиться приличных прибылей!

— А ведь ты вчера тоже мне сказала, что хочешь выйти из бизнеса? Вроде бы продать дело?

— Да, хочу. У меня есть партнер, который мечтает откупить мою долю и готов заплатить за нее больше, чем она даже стоит. Он питает иллюзии насчет перспектив, но я-то знаю, что дело продержится не более трех лет...

— Насколько я понимаю, тебе все же будет остро недоставать активности, ты же так любишь бизнес!

Она пожала плечами.

— Ты прав. В бизнесе есть жестокость и атмосфера игры. Вот что меня в нем привлекает!

— Ну, ну, ну! Уж и жестокость! Это ты, что ли, жестокая?

— Это касается только бизнеса. Он выявляет мои худшие черты...

Мы разделались с напитками, и официант принес нам закуски.

— Еще по одному коктейлю? — спросил я.

Она покачала головой.

— Я себя ограничиваю. За ленчем — только одну порцию спиртного. Установила для себя такое правило много лет назад. На деловых ленчах и разных приемах обычно пьют так много, что невольно можешь и перебрать. Но я-то знаю, что может сделать с человеком лишний коктейль. Ну а ты, если хочешь, возьми себе еще!

— Ну нет, я как ты. А когда мы закончим наш ленч, если не возражаешь, поедем повидать местного Дэниела Буна.

— Что ж, чудесно! Но вдруг мы там задержимся? Как же быть тогда с Баузером?

— О, Хайрам ведь сказал, что позаботится о нем! Ты же сама слышала. Он побудет с Баузером, пока мы вернемся. В холодильнике есть мясо, в курятнике яйца. Он поделит мясо с Баузером, а потом посоветуется с ним, не пора ли идти в курятник за яйцами. Баузер спросит, который час, Хайрам ответит. Баузер заявит, что пора, и Хайрам пойдет собирать яйца...

— О Господи, ну и фантазии же насчет этих разговоров с Баузером! Может, ты и сам полагаешь, что они беседуют, или вы оба валяете дурака? Интересно, Хайрам искренне думает, что может разговаривать с животными?

— А кто его знает,— ответил я.— Скорее всего, он именно так и думает. Впрочем, какая разница? Ведь никогда не можешь точно сказать, что понимают животные. Нельзя же отрицать, что они наделены индивидуальностями? И что с ними можно строить отношения? Вот когда Баузер раскапывает сурочьи норки, а я выхожу и вытягиваю его оттуда, облепленного грязью, он ни за что не желает идти домой. Он же совершенно бывает заворожен этим сурком! И тут я хватаю его за хвост и говорю: «ПШЛИ ДОМОЙ, БАУЗЕР». Ты не поверишь: он после этого покорно плетется за мной! Но делает это только тогда, когда я его хватаю за хвост и говорю именно эти слова. Иначе он ни за что не пойдет! Ну и суди сама, что же это такое?

Райла расхохоталась:

— Боже! И Хайрам, и твой Баузер, и ты сам — все чокнутые!

— Разумеется, чокнутые! К тому же если годами общаешься с собакой...

— А про кур ты забыл? Я их приметила. А может, у тебя есть и свинки, и лошадки, а еще... и пумы?

— Чего нет, того нет! Только куры. Из-за яиц и иногда гриля. Подумывал о покупке коровы, но слишком много возни...

— Эйза, мне хочется поговорить с тобой о деле. Ты сказал, что не желаешь вмешательства университетской публики в твои раскопки. По-моему, ты вполне этого добился. Ну а что, если в это вмешаюсь я?..

Я как раз собирался поднести ко рту вилку с салатом, но мне пришлось вернуть ее на тарелку. В словах Райлы мне почудилась какая-то угроза. Они меня насторожили.

— Вмешаешься? — повторил я.— Что ты подразумеваешь под этим?

— Позволь мне принять участие в твоей работе.

— Стоит ли спрашивать об этом? — ответил я.— Разумеется, ты можешь участвовать. Раз я тебе рассказал, значит, ты уже причастна к моим делам!

— Я говорю не только о твоей тайне и не прошу разделить со мной это открытие в качестве подарка. Я говорю о партнерстве. Тебе нельзя прерывать свои исследования, и я хочу помочь тебе тем, что нужно для их продолжения...

Я довольно резко прервал ее:

— Нет! Не продолжай. Я не могу этого принять! Ты предлагаешь мне финансирование, но я не желаю его!

— Ты говоришь это так, словно я предложила тебе нечто постыдное! — обиженно сказала она.— Не беспокойся, я не посягаю на твою независимость, не мечтаю тебя поработить... Просто я в тебя верю, и мне больно, что ты вынужден...

— Большой бизнес предлагает взять шефство над несостоятельным,— огрызнулся я.— К черту все это, Райла. Я не хочу никакого спонсорства.

— Очень жаль, что ты так это воспринял. А я надеялась на понимание!

— Да Господь с ним, этим пониманием. Тебе надо бы знать меня получше. А ведь до сих пор все шло так прекрасно...

— Эйза, ты тоже должен был бы меня знать. Вспомни, как мы расстались. Какую ужасную размолвку перенесли! Она отняла у нас двадцать лет жизни. Не сделай так, чтобы она повторилась...

— Размолвку? Что-то не припоминаю никакой размолвки...

— Ну так, значит, я одна и пережила все, что тогда произошло. Ты смылся с двумя типами на попойку, начисто забыв обо мне. Потом пытался что-то объяснить, попросить прощения, говорил, что сожалеешь. Но я не захотела тебя слушать. Это случилось в день окончания раскопок, и у меня не оставалось времени, чтобы остыть и простить тебе обиду. Но мы не можем себе позволить поссориться сейчас. По крайней мере, я этого не хочу. А ты?

— Нет,— отозвался я.— Совсем не хочу. Но я не могу взять у тебя деньги. Мне совершенно не важно, насколько ты состоятельна и как малы будут твои расходы...

— Вовсе не так уж я состоятельна,— отмахнулась она.— Ну хорошо. Давай забудем об этом разговоре, ладно? Я жалею, что завела его. И можно ли мне после этого еще немного побыть у тебя?

— Так долго, как только пожелаешь,— ответил я.— И навсегда, если тебе захочется.

— А как же твои друзья и соседи, что они скажут?

— Боюсь, ты права, здесь начнутся пересуды. В местечке, подобном Виллоу Бенду, такая тема будет лакомой. Ну и что?

— Не вижу, чтобы тебя это особенно волновало.

— А почему это должно меня волновать? Я для них все тот же подросток-сорвиголова Стил, который вернулся в родной городишко неизвестно зачем. Они совсем не в восторге от меня и судачат даже вовсе без повода. Просто остро ощущают свою провинциальность, вот и все! А уж забивать себе голову их мнением было бы непростительной роскошью...

— Ну уж я-то и не собираюсь ничем таким забивать себе голову. Просто мне подумалось, а вдруг тебе понадобилось бы представлять меня им? Достаточно ли респектабельной я им покажусь?

— Ну вот уж проблема, которая меня никогда не займет! — ответил я.

Глава 6

— ТАК ВЫ ХОТИТЕ ЗНАТЬ ПРО ЕНОТА, который вовсе не енот? — спросил Райлу Эзра Хопкинс.— Я потратил Бог знает сколько времени, чтобы догадаться, что это вовсе не енот!

— Вы уверены, что это не енот?

— Мисс, я уверен в этом. Но беда в том, что я не знаю, что же это такое? Если бы старина Рэнджер только мог говорить, он, наверное, рассказал бы вам побольше моего.

Он потянул за ухо поджарого охотничьего пса, лежащего возле его стула. Рэнджер лениво мигнул. Ему явно нравилось, когда его трепали за уши.

— Мы бы могли как-нибудь зазвать сюда Хайрама,— сказал я.— Он бы поговорил с Рэнджером. Хайрам уверяет, что может толковать с Баузером. Он с ним все время беседует.

— Ну ладно,— отмахнулся Эзра.— Мне неохота спорить об этом. Когда-то я это делал, но перестал.

— Давайте оставим в покое Хайрама и Баузера,— попросила Райла.— Пожалуйста, продолжим разговор о еноте.

— Я обошел эти горы вдоль и поперек и когда был мальчишкой, и когда повзрослел,— сказал Эзра.— Больше пятидесяти лет я тут брожу. Кое-что изменилось, но не так чтобы очень. Эта местность не слишком подходит для фермерского дела. Она вся в рытвинах и обрывах. Когда-то здесь пасли скот, но и он не очень-то любит забредать сюда. Время от времени здесь пытались заняться лесозаготовками, но и это не получалось, так как на вывоз древесины приходилось выбрасывать уйму денег. Прекратился и этот промысел. Поэтому здешние горы остались моими владениями. Со всем, чем они богаты. По закону мне принадлежат лишь несколько акров бросовой земли, на которой стоит моя лачуга, но, по сути дела, я владею всем, что имеется окрест.

— Вы любите горы,— отметила Райла.

— Ну да, это так. Любовь приходит через знание, а я эти горы знаю. Я мог бы показать вам вещи, о которых вы и не помышляли. Я знаю место, где еще есть розовые «дамские башмачки», дикорастущие цветы. Вот желтые — это уже выведенные специально, но розовые в неволе никогда не растут. Попробуйте пустить стадо коров туда, где растут розовые, и через два сезона они исчезнут совсем. Попробуйте нарвать охапку розовых «башмачков», и они больше не вырастут! Люди думают: их больше не найти в горах, но я знаю местечки, мисс, где они еще попадаются. Я никому их не показываю и сам никогда не рву. Я не хожу через эти полянки, а просто останавливаюсь в сторонке, гляжу на цветы, жалею. В общем, даю им жить.

А еще я знаю, где логово самки-лисы. Оно в укромном месте. Она вырастила уже шесть выводков. Когда лисята подрастают, они вылезают наружу и резвятся возле норы: играют, борются, валятся наземь, покусывают друг друга. Забавные неуклюжие малыши.

У меня есть место, откуда я их могу наблюдать. Я думаю, старая лисица чует, что я там сижу, но не подает вида. За все эти годы она убедилась, что от меня ей вреда не бывает.

Хижина прилепилась к подножию горы прямо над потоком, который несся, рокоча в своем жестком ложе. Деревья теснились вокруг домика, а выше виднелась обнаженная каменистая земля горного склона. У стульев, на которых мы сидели перед хижиной, были подпилены задние ножки. Это позволяло выровнять их сиденья, скомпенсировав покатость почвы. На скамейке возле открытой двери стояли бадья с водой и умывальный таз. У одной из стен высилась поленница. Из трубы домика неторопливо вился дымок.

— Мне удобно здесь жить,— сказал Эзра.— Когда не хочешь многого, жить становится легко. Люди там, в городе, скажут вам, что я мало на что гожусь, да и сам я так думаю, но вопрос в том, чем измерить эту «пригодность»? Они говорят, что я попиваю, и это тоже истинная правда. Раза два в году я напиваюсь, но никогда не причиняю вреда никому. Да вряд ли кому-то пришло бы в голову, что я на это способен. Я ни разу никому не солгал. У меня есть один большой недостаток: я слишком много говорю. Но это потому, что я редко с кем вижусь. Вот людям и кажется, что я не могу молчать. Но довольно об этом. Вы же хотите услышать о дружке Рэнджера?

— Эйза не сказал мне, что это существо — приятель Рэнджера!

— О, они в самом деле приятели.

— Но вы же с Рэнджером охотились за ним?

— Да, когда-то, может, и охотились, но ничего из этого не получилось. Я смолоду был рьяным охотником, да и силки ставил. А теперь уже много лет ничего такого не делаю. Повесил на стену свои ловушки и устыдился, что когда-то их использовал. Иногда еще бью белок, кроликов или тетеревов для еды. Если и охочусь, то только как индеец: чтобы наполнить мясом котелок. Но бывают моменты, когда я даже этого не делаю. Рука не поднимается. Думаю, что как существо плотоядное имею право на охоту. По крайней мере, сам себе так говорю. Но у меня нет права на убийство просто так, без разумного основания. На убийство моих лесных братьев. Из всех видов охоты мне больше всего нравится охота на енота. Вы когда-нибудь испытали это?

— Нет, никогда,— ответила Райла.— Я вообще никогда не охотилась.

— Охотиться на енота надо осенью. Собака травит его до тех пор, пока енот не взберется на дерево, а уж тогда вы можете его подстрелить. Убивают в основном из-за меха, но бывает — из спортивного интереса. Конечно, если называть убийство спортом! Хотя когда мне удавалось подстрелить енота, то я использовал не только шкуру, но и мясо. Некоторые полагают, что мясо енота не годится в пищу, но я вам скажу — они не правы.

Да дело не только в самой охоте. Это еще шорохи осенней ночи, острая свежесть воздуха, запах палой листвы, ощущение единения с природой... Да еще и азарт охоты! Если только такую дрожь можно назвать азартом охоты.— Он помолчал.— Прошло довольно много времени с той ночи, когда я в последний раз убил енота. Рэнджер тогда был еще щенком. Но я бросил не охоту, я бросил убийство. Рэнджер выходил ночью, поднимал енота и загонял его на дерево. И я, охотник, наводил на него ружье, но никогда не нажимал на курок. Это была охота без единого выстрела. Вначале Рэнджер меня не понимал. Я было думал, что нарушу его психику, если не буду стрелять. Но он все понял. Собаки многое могут понять, если вы с ними терпеливы.

Так мы и охотились не убивая, Рэнджер и я. Но однажды я вдруг заприметил одного енота, который сам вовлекал нас в погоню, не так, как другие. Он знал все охотничьи уловки, и много ночей Рэнджеру не удавалось загнать его на дерево. Сколько же мы за ним гонялись! Мне уже стало казаться, что погоня нравится еноту так же, как и нам. Этот старый самец был не глупее нас, а может, даже умнее. Он играл с нами так же, как мы с ним, и все время смеялся над нами. Вы не можете не оценить достойного соперника, не так ли? Но в то же время я стал немного злиться на него. Он был слишком хорош и дурачил нас вовсю. Поэтому, не в силу какого-то обдуманного решения, а шаг за шагом я вдруг стал ощущать, что в отношении именно этого енота я больше не желаю придерживаться своего правила не убивать. Если бы Рэнджер смог загнать его на дерево, я бы убил его и тем разрешил проблему: кто же умнее, он или мы?.. Понимаете ли, охота на енотов — дело осеннее, но на этого енота правила уже не распространялись. Мы гоняли его по многу раз и в другие месяцы года. Рэнджер носился за ним и один. Эта игра становилась бесконечной. Игра между Рэнджером и енотом, да и мною тоже, когда я включался в погоню, невзирая на сезон.

— Но как вы могли знать, не видя его, что это енот? — спросила Райла.— Рэнджер ведь мог гоняться за кем угодно: за лисой, за волком...

Эзра твердо возразил:

— Рэнджер никогда ни за кем, кроме енота, не гонится. Он — охотник на енотов и происходит из династии таких собак.

Я сказал Райле:

— Эзра прав. Собака для енотов — это собака для енотов. И если она погонится за кроликом или лисой, она потеряет свою выучку.

— Итак, вы никогда не видели того енота,— сказала Райла,— и так и не смогли его убить?

— Да нет же, мне удалось! Я имею в виду — удалось его увидеть. Это случилось однажды ночью несколько лет назад. Рэнджер поднял его до рассвета, часа в четыре или около того, и я наконец различил его очертания на фоне неба. Он распластался на ветке у вершины дерева, стараясь выглядеть плоским и рассчитывая, что я его не замечу. Я поднял ружье, но так запыхался от погони, что не мог толком прицелиться. Дуло ружья все описывало и описывало круги. Тогда я опустил его и подождал, пока дыхание мое выровняется, а он все лежал, распластавшись вдоль ветки. Он должен был меня чуять, хотя я не шевелился. Затем наконец я поднял ружье и точно прицелился. Я положил палец на спусковой крючок, но так и не выстрелил. Прошла, должно быть, минута, пока я держал енота на прицеле. И я готов был нажать на курок, но все не решался. Не знаю, что на меня нашло. Глядя из сегодняшнего дня, я думаю, что вспомнил тогда ночные погони и понял, что они не повторятся никогда, если я сейчас выстрелю. И вместо достойного соперника я получу лишь покрытое мехом тело, и никто из нас более не насладится игрой. Не гарантирую, что именно так подумал, но я бросил свое ружье наземь. И в этот миг енот на дереве повернул голову и посмотрел мне в глаза...— Снова наступила пауза. Эзра продолжил: — И вот что интересно. Дерево-то было высокое, а енот находился у самой вершины. Близился восход, небо начало светлеть. Но енот был достаточно далеко от меня, и все же была еще ночь. Вряд ли я смог бы четко различить морду любого другого енота. Но когда этот повернулся ко мне, я увидел, что у него вовсе не морда енота! Это была скорее кошачья морда. У него были усы, как у кота, и даже на таком расстоянии я сумел ясно разглядеть эти усы. Морда была крупной, круглой и абсолютно спокойной. Трудно подобрать подходящее определение. Глаза у него были большие, немигающие, похожие на совиные. Я, наверное, должен был со страху выпрыгнуть из собственных штанов. Но я остался стоять на месте, прикованный к этому «кошачьему лику», конечно, пораженный. Я понял наконец, не называя это словами и не додумывая до конца, что тварь, которую мы гоняли, вовсе не была енотом! И когда я это понял, он вдруг усмехнулся. Не спрашивайте меня, как он усмехнулся. Я не увидел его зубов, это точно, но я знал, что он улыбается. У меня просто возникло ощущение этой улыбки. И это была не усмешка торжества надо мной и Рэнджером, нет, это была дружеская улыбка. Он как бы говорил: «Не правда ли, мы так долго и так чудесно развлекались?» Тогда я поднял с земли свое ружье и пошел домой, а Рэнджер потопал за мной.

— Кое-что здесь не совпадает,— сказала Райла.— Ведь, по вашим словам, Рэнджер — охотник на енотов и ни на кого больше, так ведь?

— Это и меня озадачило,— согласился Эзра.— Было время, когда я об этом много размышлял и сомневался. Но после этой самой ночи Рэнджер еще много раз гонялся за ним, и я ради забавы присоединялся к нему.

Я еще не раз видел лик старого кота, этот лик, глядящий на меня из кустов или ветвей деревьев. И когда он понимал, что я его вижу, он всегда мне улыбался. Улыбкой доброго друга... Вы ведь встречали его, Эйза?

— Несколько раз,— ответил я.— Он иногда зависает в моем фруктовом саду.

— И всегда это всего лишь лик,— подхватил Эзра.— Улыбающийся лик. Если там и есть туловище, то его невозможно различить. А иногда бывает и так, что это существо смотрит из куста на Рэнджера, а тот как сообщник стоит перед ним. Вы знаете, что я думаю?

— Что вы думаете? — спросила Райла.

— Я думаю, что Кошачий Лик предлагает Рэнджеру побегать. Он говорит: «Как насчет гонок сегодня ночью?» А Рэнджер отвечает: «О'кей!» Тогда Кошачий Лик спрашивает, как Рэнджер думает, пойдет ли Эзра с ними, а тот говорит: «Я с ним потолкую об этом!»

Райла весело рассмеялась.

— Как же это мило! — воскликнула она.— Как это мило и забавно!

Эзра кисло возразил:

— Для вас, может, и забавно. Но мне совсем не смешно. Для меня это реальность. И она кажется вполне логичной.

— Но что же это за явление? Есть ли у вас какие-либо мысли на этот счет?

— Конечно, я думал об этом. Но не знаю. Я говорил себе: может, это нечто, уцелевшее от доисторического прошлого? Или привидение? Из тех же времен? Хотя оно не очень-то похоже на привидение. А вы об этом что скажете, Эйза?

— Иногда он еле виден,— сказал я.— И можно сказать, кажется даже пушистым. Но ведь призрак не может быть пушистым, не так ли? Он совсем не похож на привидение.

— А почему бы вам не поужинать со мною? — предложил Эзра.— Мы могли бы посидеть и проговорить всю ночь напролет. Я не очень-то часто беседую с людьми, а мог бы порассказать целую кучу интересного. У меня на огне стоит большой котел, полный черепашьего жаркого; его в пять раз больше, чем мы с Рэнджером способны съесть. Я поймал двух молодых черепашек в маленькой запруде неподалеку отсюда. У старых мясо жестковатое, но у молодых — так и тает во рту. Вы наверняка пробовали много разносолов, но, отведав моего жаркого, вы ничего другого не захотите!

Райла посмотрела на меня.

— Мы могли бы остаться?

Я покачал головой.

— Очень соблазнительно, но нам надо возвращаться. В двух милях отсюда мы припарковали машину, и мне не хотелось бы добираться до нее в темноте. Нам лучше тронуться сейчас, пока еще светло и можно различить тропу.

Глава 7

СИДЯ ЗА РУЛЕМ по дороге домой, Райла спросила:

— Почему ты не сказал мне про этот Кошачий Лик?

— Сам не знаю,— ответил я.— Ведь у меня еще нет ясного ответа на вопрос, что же это такое. Поэтому я боялся, что ты мне не поверишь.

— И ты решил, что я поверю Эзре?

— Ну и как, ты поверила?

— Пока не пойму: и да, и нет. Все это звучит как небылица, легенда из глухомани. А сам Эзра похож на отшельника-философа. Я и не представляла, что на свете есть такие люди.

— Их не так уж и много. Это всего лишь осколки уходящей породы. Когда я был ребенком, таких бы здесь набралось с пяток. А когда-то их было немало. Моя бабушка называла их «старой командой». Эти люди никогда не женились, норовили уйти подальше от общества и жить как им заблагорассудится, полагаясь только на себя. И жили проще простого: готовили себе еду, стирали свою одежду, разводили маленькие огороды, держали для компании собаку или несколько кошек. Они зарабатывали на жизнь, нанимаясь к фермерам в рабочие сезоны, может быть, еще подрабатывая на лесозаготовках. Большинство из них ловили силками скунсов, мускусных крыс и других зверьков. Они старались жить вне долины, охотились, удили рыбу, собирали съедобные растения. Жили, что называется, из руки в рот, но это было им по душе, и они всегда выглядели довольными. И никаких забот, поскольку ни за кого не были в ответе. Они были бесхитростны и нерасчетливы. Когда им удавалось собрать немного деньжат, они все до цента тратили на выпивку, после чего возвращались в свои домишки, и потом, спустя несколько месяцев, им вновь удавалось наскрести денег на следующую выпивку. А когда они старились, слабели и уже были не способны себя обслужить, их либо отправляли в приюты для бедных, либо кто-то из соседей брал их к себе и поручал им нетрудную домашнюю работу. А бывало, они умирали в своих лачугах и оставались там лежать неделями.

— Все это представляется мне малопривлекательным. Какое-то нарочитое одиночество,— отметила Райла.

— По меркам современного общества, да,— согласился я.— Но дело в том, что именно так жили первопроходцы. И сейчас, представь, кое-кто из молодежи вдруг стал увлекаться такими идеями. Они тоже призывают к уходу от общества. И не может же быть, что все они дураки, не правда ли?

— Эйза, ты сказал, что тоже видел то существо, о котором говорил Эзра. А еще ты упомянул о страхах, связанных с «пумой». Выходит, и другие тоже могли его видеть?

— Только этим я и объясняю все эти байки о пумах! Кое-кто наверняка видел нечто, смутно смахивающее на большую кошку.

— Но улыбающаяся пума!

— Когда люди видят пуму или что-либо похожее на нее, они вряд ли успевают различить еще и улыбку. Они просто пугаются. И улыбка в их восприятии становится оскалом, а то и рычанием.

— Не знаю, не знаю,— протянула Райла.— Все это так фантастично! Да еще эти твои раскопки. И Баузер, раненный фолсомским дротиком, и свежие косточки динозавра!

— Ты все ждешь объяснений,— сказал я.— Райла, я ничего не могу объяснить! У меня большое искушение связать все воедино, но я не могу быть уверен, что эти загадки имеют общую причину. Пока что я ни в чем не уверен. И если ты решишь уйти, я не стану тебя осуждать. Вряд ли все эти открытия так уж приятны!

— Может, они не так уж и приятны,— отрезала Райла,— но они очень интригующие и очень важные! И если бы обо всех этих делах мне поведал кто-то еще, я бы подумала об уходе. Но я же знаю тебя, ты всегда был честен во всем, даже если тебе это грозило гибелью! Правда, все это меня немножко пугает. У меня такое ощущение, что я стою на краю неведомого, быть может, такой великой новой реальности, которая откроет нам новый взгляд на Вселенную!

Я рассмеялся, но смех мой вышел немного вымученным.

— А давай-ка не будем так уж всерьез принимать самих себя! — предложил я.— Давай будем двигаться последовательно. Так нам будет легче.

— Давай так и сделаем,— согласилась она, успокаиваясь.— Но я все думаю, как там дела у Баузера?..

Когда мы через несколько минут прибыли домой, выяснилось, что дела у Баузера идут вполне прилично. Хайрам расположился на заднем крыльце, а рядом, прижавшись к нему, растянулся Баузер. При виде нас он радостно завилял хвостом.

— Ну как он? — спросила Райла у Хайрама.

— Баузер о'кей,— ответил тот.— У меня и у него был неплохой денек. Мы сидели и смотрели на синичку, да еще о многом говорили. Я ухаживал за тем местом, куда попала стрела. Теперь, кажется, все в порядке. Кровь больше не течет, а рана начала затягиваться. Баузер — добрый пес. Он лежал тихо, пока я промывал рану. Даже не дергался. Понимал, что я ему помогаю.

— Ты нашел что поесть? — спросил я его.

— В холодильнике лежал кусок говядины, и мы с Баузером его поделили. Там еще немного оставалось, и я дал ему это на ужин, а себе поджарил яичницу. Мы с ним вместе собрали в курятнике яйца. Было всего одиннадцать.— Хайрам медленно поднялся и распрямился.— Раз вы уже здесь,— произнес он,— я, пожалуй, пойду домой. Вернусь утром проведать Баузера.

— Но если у тебя имеются другие дела,— сказал я ему,— то завтра можешь не приходить. Мы больше не отлучимся и сами присмотрим за ним.

— У меня есть чем заняться,— с достоинством ответил Хайрам.— Всегда можно найти, чем заняться, но я обещал Баузеру. Я сказал ему, что буду заботиться о нем, пока он совсем не поправится.— Он спустился по ступеням, дошел до угла дома, но вдруг приостановился.— Я забыл,— сказал он.— Я не запер курятник. Его надо закрыть. Тут много скунсов и лисиц.

— Ты иди,— успокоил я его.— Я сам запру кур.

Глава 8

И ВНОВЬ ШУМ РАЗБУДИЛ МЕНЯ, заставив вскочить с постели.

— Да что там опять такое? — сонно спросила Райла.

— Что-то происходит в курятнике.

Она протестующе повернулась ко мне.

— А что, бывают здесь спокойные ночи? Вчера вопил Баузер, теперь куры!

— Это, наверное, та проклятая лиса,— предположил я.— Она уже унесла трех кур. Мой курятник хуже решета.

Из ночной мглы доносилось кудахтанье перепуганных птиц.

Я пошарил ступнями под кроватью, нащупал шлепанцы и сунул в них ноги.

Райла села в кровати.

— Что ты собираешься делать?

— На этот раз я ее достану! — ответил я.— Не включай свет, ты ее спугнешь!

— Но ведь сейчас ночь,— сказала Райла.— Ты вряд ли сможешь увидеть лису.

— Сегодня полнолуние. Если она там, я увижу!

В чуланчике при кухне я нащупал двустволку и нашел коробку с патронами. Я загнал два из них в оба ствола. Баузер заскулил в своем углу.

— Ты останешься здесь,— приказал я ему.— И будешь лежать смирно! Не желаю, чтобы ты там болтался и спугнул лису!

— Будь осторожен, Эйза,— предупредила Райла, появившаяся в дверях гостиной.

— Не беспокойся. Все будет в порядке!

— Ты бы надел что-нибудь. Не стоит бегать по двору в шлепанцах и пижамных штанах!

— Сегодня тепло,— ответил я.

— Но там, наверное, выпала роса, и ты можешь промочить ноги.

— Да ладно, все будет в порядке,— возразил я.— Я не собираюсь быть там долго.

Ночь была почти по-дневному светлой. Прямо над моей головой сияла огромная золотая луна. В мягком лунном свете мой двор казался словно сошедшим с японской гравюры. В ночном воздухе густо благоухали гроздья сирени.

Отчаянное кудахтанье все еще не утихало. В углу у курятника рос большой куст махровых роз, и я прямиком направился к нему, стараясь ступать неслышно по мокрой, отяжелевшей от росы траве. Она была холодна, как и предупреждала Райла, но у меня почему-то возникло ощущение того, что лиса находится вовсе не в курятнике, а притаилась именно в розах. Вот я и шел к этому кусту с ружьем на изготовку. Было глупо так думать, убеждал я себя. Лиса либо еще в курятнике, либо уже улизнула, но уж никак не прячется в клумбе! Но неведомое чувство все же гнало меня к розам. И ощущение это, почти превратившееся в уверенность, заставляло меня одновременно удивляться тому, что я знаю, где лиса, и тому, как это возможно знать...

И в тот самый момент, когда я додумал это до конца, все мои мысли и все удивление куда-то улетучились. Из розового куста на меня пристально уставился лик — Кошачий Лик с усами, совиными глазами, усмешкой! Он глядел на меня не мигая, и я никогда не видел его раньше так ясно и в течение такого продолжительного времени. Все прежние мои впечатления о нем были не более чем о мимолетных промельках. Но теперь лик этот был отчетлив, он завис в розовом кусте, лунный свет до мельчайших подробностей выявлял все его черты, вплоть до каждого волоска усов. И, несомненно, я разглядел его усы впервые. Раньше у меня было лишь общее впечатление, смутное понятие о них, но ничего столь ясного.

Завороженный и напуганный, но более завороженный, чем напуганный, и совершенно позабывший о лисице, я медленно продвигался вперед с ружьем на изготовку, хотя и знал, что не пущу его в ход. Я был теперь совсем близко, и что-то подсказывало мне, что ближе, чем следует. Но я все же сделал еще один шаг и оступился, или мне показалось, что оступился.

Когда я восстановил равновесие, розового куста уже не было и не было никакого курятника.

Я теперь стоял на отлогом склоне, покрытом низкорослой травой и лишайником, а близ вершины холма высилась березовая роща. Ночи больше не было. Светило солнце, но лучи его грели мало. И Кошачьего Лика не было тоже...

Позади себя я услышал глухое тяжелое шарканье и обернулся. То, что шаркало и топало, стояло неподалеку и имело десять футов в высоту. У него были блестящие бивни, а между ними свисал хобот, медленно качающийся из стороны в сторону, подобно маятнику. Существо это находилось всего в каких-нибудь двенадцати футах и двигалось прямехонько на меня.

Я побежал. Я понесся вверх по склону, как затравленный заяц. Если бы я не мчался так рьяно, этот мастодонт просто протопал бы по мне! Он не уделил мне никакого внимания, даже не удостоил взглядом. Он очень спешил, осторожно передвигая в пространстве свою массу и переставляя ноги с какой-то тяжеловесной грацией.

«Это мастодонт,— сказал я себе.— Господи помилуй, это же мастодонт!»

Мои мысли словно зациклились на этом названии. Мастодонт, мастодонт, МАСТОДОНТ — ни для чего больше в голове не оставалось места, только для этого слова. Я стоял спиной к березовой роще, и в голове, словно пронзая ее иглой, снова и снова звучало это слово. Между тем животное топало по ландшафту, заворачивая от холма вниз к реке.

Сперва, подумалось мне наконец, был воющий Баузер с фолсомским дротиком в ноге, а теперь вот я! Каким-то образом я переместился и, как это ни смешно, в том же направлении, что и Баузер!

И вот я здесь торчу, думал я, смешная фигурка, одетая лишь в пижаму и пару стоптанных шлепанцев, да еще с легкой двустволкой!

Временной туннель забросил меня сюда — то ли это широкая дорога, то ли тропинка во времени? Но как бы там она ни называлась, а во всех моих горестях замешан тот чертов Кошачий Лик, так же как он, несомненно, замешан и в шляниях Баузера во времени! Озадачивало то, что ни малейшего намека ни на какую временную тропу не было и в помине, когда я находился на расстоянии всего в один фут от Лика. Но, подумал я, а какие предупреждения об этом хотелось бы тебе иметь — дорожные знаки или хотя бы легкое мерцание в воздухе, что ли? Но никакого мерцания, я был абсолютно уверен, не наблюдалось!

Размышляя обо всех этих вещах, я подумал и еще кое о чем. Оказавшись здесь, я должен был как-то отметить то самое место, где стоял вначале, ибо только тогда у меня был бы хоть какой-нибудь шанс на возврат в мое собственное время. Впрочем, говорил я себе, вряд ли это так уж возможно было бы совершить. Но как бы там ни было, теперь уж никаких надежд на то, чтобы отметить «место прибытия», не осталось. Я так был напуган, когда дал стрекача, завидев мастодонта! И теперь вряд ли отыщу эту исходную точку.

Я пытался успокоить себя тем, что Баузер ведь тоже попутешествовал в прошлое и все же вернулся назад! Значит, возвращение не так уж невозможно, говорил я себе. Раз смог Баузер, смогу и я. И все же я ни в чем не мог быть уверен. У Баузера могло сработать обоняние при поисках временного туннеля, человеку же этого не дано.

Однако просто стоять здесь и сокрушаться вряд ли имело смысл. Это не могло ни решить проблему, ни хотя бы что-нибудь прояснить. А если я не смогу найти дорогу обратно в свое настоящее и мне придется здесь остаться навсегда, то не лучше ли осмотреться? Так я и сделал.

В том направлении, куда двигался мастодонт, в миле отсюда или около того, виднелось стадо, состоящее из четырех взрослых особей и одного детеныша. Тот мастодонт, который чуть было не прогулялся по мне, спешил присоединиться к ним.

Это плейстоцен*, сказал я сам себе; но насколько я углубился в плейстоцен, определить было трудно.

Хотя сам рельеф местности оставался тем же, но вид ее был существенно отличен от привычного, ибо не было вовсе лесов. Вместо них простирались травянистые пространства, отчасти смахивающие на тундру. На них кое-где виднелись рощи берез и каких-то хвойных деревьев. Лишь вдоль реки глаз мог смутно различить желтоватые очертания ив.

Березы в ближней ко мне рощице были покрыты листочками, маленькими и еще слабыми и бледными. Земля под деревьями являла сплошной ковер первоцвета, чьи нежные венчики самых разных оттенков всегда показываются после того, как растает снег. Эти цветы были мне знакомы и почти тождественны тем, какие я помнил с детства. Тогда на этой самой земле я совершал большие переходы по лесу, чтобы набрать полные охапки первоцвета. Моя мать ставила эти букеты в невысокий коричневый кувшин и помещала его на самую середину кухонного стола. И даже туда, где я стоял, доносился будто из детства изысканный, ни на что другое не похожий незабываемый аромат этих хрупких растений.

Весна, подумал я, но для весны холодновато. Несмотря на то что светило солнце, меня пробирала дрожь. Ледниковый период, сказал я себе. В нескольких милях отсюда

* Плейстоцен — наиболее длительная эпоха четвертичного периода Земли, характеризовавшаяся образованием ледников и общим похолоданием.

к северу наверняка проходит фронт ледника. А я торчу тут, одетый лишь в пижамные штаны и шлепанцы, правда, еще и с ружьем в руке! С двустволкой, заряженной всего двумя патронами. Ничего себе! И это все, чем я располагаю. У меня нет ни ножа, ни спичек, ничего! Я поглядел на солнце и понял, что оно движется к полудню. Если так холодно в полдень, то ночью вполне может ударить и мороз!

Огонь, подумал я. Я знал, как его получить. Кремень, если удастся его найти. Я напряг свою память, пытаясь вспомнить, попадались ли мне здесь кремни? Но если и попадались, что же дальше? Удар кремня о кремень — это искра, но еще не огонь! Можно ударить и по стали, тоже получится искра, но ее также недостаточно, чтобы разжечь щепки или хворост. Ружье-то сделано из стали, но кремня же нет! Я вспомнил, что мне здесь ни разу не попадались кремни. Я бы мог, например, вскрыть патрон, высыпать из него порох на щепки, а потом выстрелить в это оставшимся патроном. Теоретически щепки, посыпанные порохом, должны воспламениться. Ну а если нет? Да и к тому же где эти самые щепки? Они должны быть там же, где есть гнилушки и старые бревна, но если я и найду такое бревно, я должен суметь его расколоть и расщепить так, чтобы извлечь из него сухую внутреннюю древесину. Можно, конечно, выстрелить в ствол березы и расщепить его. Может, это и даст что-нибудь, но я не очень-то хорошо представлял себе, что же это даст?

Я стоял, вконец расстроенный, измученный бесплодными рассуждениями и заползающим в душу страхом...

Вдруг я осознал, что вокруг меня довольно много птиц. Сперва цветы, теперь птицы. Я, конечно же, слышал их голоса с самого начала, но мой мозг, охваченный нахлынувшими на меня проблемами, не воспринимал их. Здесь были голубые сойки, сидевшие на стебельках сухих прошлогодних растений. Наверное, это были стебли коровяка, пытался зачем-то сообразить я. А рос ли в мое время здесь коровяк, был ли он местным растением или его занесли откуда-то? Значит, это вовсе не стебли коровяка... Но как бы там ни было, сойки цеплялись за эти раскачивающиеся стебельки и распевали свои песенки. Луговые жаворонки выскакивали из травы и взмывали в небо, изливая оттуда трели чистой радости. В ветвях берез прыгали какие-то пичуги, должно быть, прародители наших воробьев. Они с писком перескакивали с ветки на ветку. Вся местность буквально кишела птицами.

Очертания ее, когда я немного освоился, становились все более и более мне знакомыми. Это обнаженное место вдоль берега реки было все той же «ивовой излучиной». Река струилась с севера, отклонялась на запад, потом снова поворачивала к востоку. И вся эта петля, эта речная излучина была окаймлена зарослями ивняка.

Мастодонты начали удаляться в глубь долины. Кроме них и птиц, я не заметил других признаков живых существ. Но это вовсе не означало, что их здесь нет. Например, саблезубых тигров, гигантских волков или даже пещерных медведей. У меня была от них временная защита, но, увы, только временная! Когда два моих патрона будут выпущены из ружья, я стану полностью безоружен, а ружье будет не более полезно, чем простая палка.

Внимательно всмотревшись вдаль и не увидев никаких хищников, я спустился по склону и направился к реке, которая, как я обнаружил, была полноводнее и быстрее, чем в мое время. Возможно, это было следствием таяния льда на севере.

Желтый ореол вокруг ив, видневшийся мне издалека, объяснялся тем, что они были покрыты сережками, похожими на крупных пушистых гусениц, обсыпанных золотистой пыльцой. Поток был прозрачен и чист, настолько чист и прозрачен, что я различал голыши, перекатывавшиеся на его дне, и блики света, отражаемые телами играющих рыб, проносящихся по воде быстрыми стайками.

Вот и пища, сказал я себе. Безо всякого крючка и удочки. Я мог бы сплести сеть из гибких ветвей ивняка, закрепляя ее ячейки полосками ивовой коры. Это должна быть нелегкая работа, и сеть может получиться неуклюжей, но ее все же можно сплести. Я должен сделать эту сеть и ловить ею рыбу! Я прикинул, насколько годится в пищу сырая рыба, и слегка засомневался в этом.

Но если мне суждено здесь остаться, сказал я себе, и если нет дороги обратно в мое собственное время, то так или иначе, тем или иным способом, но я должен добыть огонь. Он мне нужен для обогрева и для приготовления пищи.

Стоя там, на берегу реки, я попытался рассортировать все наличные факты. Рассматривая ситуацию реалистично, я должен был примириться с мыслью, что мои шансы на возвращение в Виллоу Бенд весьма незначительны.

А это означало, что здесь у меня уйма работы. Первым делом надо было определить главные задачи. Найти кров сейчас важнее, чем найти пищу. Если понадобится, могу немного и поголодать. Но до наступления ночи я должен найти место, где смогу укрыться от ветра, а еще надо попытаться хоть как-то укрыть свое тело от холода. Очень важно было, и я это знал, не поддаться панике! Я вообще не из породы паникеров, а сейчас тем более я не мог себе это позволить.

Убежище, огонь и пища — в этих трех вещах я нуждался в первую очередь. Первым было убежище, потом по степени важности шел огонь, а пища могла бы немного подождать. Рыба, если я сплету сеть, решит проблему еды, но здесь должна быть и другая пища. Возможно, какие-нибудь клубни или корневища, даже листья и кора, хотя я и не знал, насколько это безопасно. Возможно, я бы и узнал, если бы мог увидеть, что едят медведи или другие животные. Тогда это была бы наверняка безопасная пища. Но все же такой еды было бы не вполне достаточно, она не вполне сытна и ее не так уж много, поэтому мне необходимо оружие, хотя бы дубинка. И если мне не удастся разыскать подходящий для этого сук, то сойдет и ружье, хотя оно и тяжеловато и его вряд ли удобно держать за дуло. Палка, конечно же, куда лучше! Наверное, я сумею раздобыть подходящую палку. Она должна быть из выдержанной древесины, такой, которая не разлетится при первом же ударе...

Лук и несколько стрел еще лучше, и со временем я, разумеется, смогу смастерить и такое оружие. Я должен найти острый камень или такой, который можно было бы расколоть для получения режущего края. С его помощью я бы смог отпилить ветку и сделать из нее лук. Мальчиком, помню, я был одержим идеей вольной жизни с луком и стрелами. Правда, здесь мне понадобилась бы тетива, но ее можно было бы смастерить из корней, из прекрасных упругих корней. А что, не корнями ли кедра еще индейцы прошивали свои каноэ? Прошло много лет с тех пор, как я читал «Песнь о Гайавате», но ведь в ней что-то об этом говорилось! Я был уверен, что там упоминались корни кедра, которые используют, когда строят каноэ! Возможно, те хвойные деревья, что растут здесь, и есть кедры, и я мог бы выкопать их корни?

И, раздумывая обо всем этом, я повернул от реки и направился обратно к березовой рощице. Я взял правее и поднялся немного выше по склону, поскольку решил, что мне следует теперь же начать искать убежище для ночлега. Прекрасно бы найти пещеру или что-нибудь в этом роде. Но если ничего такого я не найду или если пещера окажется непригодной, то я на худой конец мог бы укрыться в хвойном леске. Ветви большинства хвойных деревьев низко пригибаются к земле, и хоть они и не очень защитят от холода, от ветра все же смогут укрыть.

Я добрался до вершины невысокого холма и собрался сойти по другому его склону, высматривая, нет ли там подходящего убежища. Но, еще не начав спускаться, я увидел то, что искал. Это была яма в самой земле. Остановившись на ее краю, я посмотрел вниз. И прошло несколько секунд, пока до меня дошло, что же именно я нашел!..

Меня осенило внезапно. Это была та самая яма, где я производил свои раскопки!

Но она и в эту незапамятную эпоху уже была совсем старой! Ничего не говорило о том, что она возникла недавно. Она просто была чуточку побольше, чем в мое собственное время, но выглядела совершенно такой же древней. Ее стены поросли травой и небольшими березками, имевшими какой-то причудливый уклон. Я присел на корточки на краю своей воронки, рассматривая ее. И тут надо мной пронеслась какая-то странная волна ужаса. У меня возникло невыносимое ощущение материальности времени. Если бы этот кратер хотя бы был новым или сравнительно молодым, то это, наверное, неведомым образом успокоило бы меня. Но почему-то, в силу непонятных мне причин, чудовищная старость этой ямы вызвала у меня чувство глубокой подавленности...

Чей-то холодный нос прикоснулся к моей голой спине, и я, потеряв равновесие, прянул вперед. Я кубарем скатился вниз по склону кратера, до самого дна, обронив по дороге свое ружье. Перевернувшись на спину, я с опаской глянул вверх, чтобы увидеть существо, ткнувшее меня носом.

Но это не был ни саблезубый тигр, ни пещерный волк! Это был Баузер, который смотрел на меня сверху вниз с глуповатой ухмылкой на морде и неистово вилял хвостом!

Пустив в ход локти и колени, я дополз до верхнего края ямы, обвил руками моего пса и сжал его в объятии. А он изо всех сил старался умыть мое лицо мокрым шершавым языком.

Я поднялся на ноги и схватил его за хвост.

— Пшли домой, Баузер! — пронзительно крикнул я.

И мой хромающий Баузер, чья задняя нога еще плохо двигалась из-за «фолсомской» раны, привел меня прямо к дому.

Глава 9

Я СИДЕЛ ЗА КУХОННЫМ СТОЛОМ, завернутый в одеяло, и пытался унять холод в костях. Райла хлопотала у плиты.

— Надеюсь,— резюмировала она,— ты не подхватил простуды!

Я дрожал и никак не мог совладать с этим.

— Там было холодновато,— признался я.

— Ну что ж, это же была твоя идея выскочить наружу, не имея на себе ничего, кроме низа пижамы?

— Там были северные льды,— сообщил я.— Я практически ощущал эти льды. Уверен, что находился не далее чем в двадцати милях от переднего края ледника. Эта местность не испытала ледяного дрейфа. Время от времени ледник спускался на юг, обтекая ее с обеих сторон, и ни разу, по-видимому, не прошел по ней. Никто толком объяснить не может, почему так происходило. Но на расстоянии двадцати-тридцати миль к северу вполне мог быть лед.

— У тебя было ружье,— вспомнила она.— Куда ты девал его?

— Ах да, когда Баузер подошел сзади и притронулся ко мне, я обезумел от страха и, падая в яму, выронил его. А когда увидел Баузера и выкарабкался наверх, уже было не до ружья, и я не стал за ним спускаться. Все мои мысли были только о том, что он может меня вернуть домой!

Она поставила на стол блюдо с оладьями и села напротив.

— Смешно,— произнесла она.— Мы здесь сидим и толкуем о твоем возвращении из времени так, будто это что-то вполне обыденное!

— Только не для меня,— ответил я.— Вот для Баузера — пожалуй. Что касается его, то я думаю теперь, что он способен перемещаться во много разных времен. Он же не мог быть ранен фолсомским наконечником в то самое время, когда нашел и приволок сюда кость мертвого динозавра?

— Для того чтобы заполучить фолсомский дротик,— сказала Райла,— он должен был переместиться не более чем на двадцать тысяч лет назад. Может, даже и меньше. А ты уверен, что в том времени, где побывал ты, не было признаков человека?

— Каких именно признаков? Отпечатков стопы? Сломанных стрел, валяющихся вокруг?

— Я думала о дыме.

— Нет, никакого дыма там не было и в помине. Единственным надежным признаком этого времени был чертов мастодонт, который чуть было не прогулялся по мне!

— А ты уверен, что вернулся из прошлого? Ты, часом, не издеваешься ли надо мной? Ты, случайно, не вообразил все это?

— Ну ладно! Я вернулся из ближнего леса, где спрятал ружье, где свистнул Баузеру, схватил его за хвост и...

— Прости меня, Эйза! Я знаю, что все это произошло и ты ничего не придумал. Так ты полагаешь, что это проделки «кошкиной морды»?.. А впрочем, давай-ка есть оладьи, пока они еще не остыли. Глотни-ка кофе, он горячий и должен согреть тебя.

Я подцепил вилкой несколько оладий, положил их на свою тарелку, смазал маслом, полил сиропом.

— А ты знаешь,— вздохнула Райла,— ведь мы с тобой уже кое-что имеем!

— Святая правда. Мы имеем место, куда не следует соваться, гоняясь за лисицей!

— Я говорю серьезно,— возразила она.— Мы можем получить нечто грандиозное. Если ты открыл возможность передвигаться во времени, то тебе надо подумать, что из этого можно извлечь.

— Ни за что на свете! — взорвался я.— Я больше не сваляю такого дурака! С меня хватит! Если я увижу Кошачий Лик снова, я повернусь кругом и постараюсь унести ноги подальше. Нельзя снова попасть в эту ловушку! Я же не могу рассчитывать, что Баузер каждый раз будет меня оттуда вызволять и приводить обратно!

— Но если бы ты научился этим управлять...

— Как же я могу этому научиться?

— Ты бы вполне смог с помощью Лика.

— Какого черта! Я ведь не могу даже с ним поговорить!

— Не ты. Может быть, Хайрам. Он вполне мог бы поговорить с Кошачьим Ликом. Он ведь разговаривает с Баузером, не так ли?

— Он воображает, что разговаривает. Он думает, что и с синичкой тоже ведет беседы!

— Но как знать, может, так оно и есть?

— Ну, Райла, не будь же ты так легковерна!

— Нет, буду. Как ты можешь уверять, что он не общается с Баузером. Как человек науки, ты...

— Я всего-навсего узкий специалист!

— Ну что ж, даже как узкий специалист ты прекрасно знаешь, что нельзя занимать позиции, ни отрицательной, ни положительной, пока у тебя нет очевидных фактов. И вспомни, что говорил о Лике Эзра. Он же тоже предположил, что Рэнджер договаривается с ним о погонях!

— Старый Эзра — просто псих. Очень симпатичный, правда. Но псих есть псих!

— А Хайрам, по-твоему, тоже псих?

— Хайрам не псих, он дурачок.

— Но, может быть, именно симпатичные психи, дурачки и собаки могут делать то, что нам не под силу? А что, если у них есть способности, которых мы лишены?..

— Райла, мы не можем рискнуть и навести Хайрама на Лик...

Входная дверь скрипнула, и я обернулся. Хайрам неловко протиснулся в дом.

— Я слышал вас,— заявил он.— Вы говорили обо мне и каком-то лике.

— Мы тут обсуждаем,— объяснила Райла,— не доводилось ли вам когда-либо разговаривать с Кошачьим Ликом так, как вы говорите с Баузером?

— Вы говорите о той штуке, что повисает в вашем саду?

— Значит, вы видели его?

— Много раз. Он выглядит как кот, но никакой это не кот! У него только голова и есть. А тела никакого не видать.

— А вы говорили с ним когда-нибудь?

— Иногда. Но смысла в этом никакого. Он говорит о таких вещах, которые я совсем не понимаю.

— Вы хотите сказать, что он употребляет неизвестные вам слова?

— Можно сказать и так. Есть неизвестные слова. Но больше мысли. Такие, каких я никогда не слышал. Хотя слова-то вроде и знакомые. А еще занятно, что он не открывает рот и звуков не слышно никаких. А я вроде разбираю слова. Вот совсем как с Баузером. Он ведь тоже вслух ничего не говорит, не издает звуков, не открывает рта, а я понимаю все словами.

Я сказал:

— Хайрам, пододвинь-ка стул и садись завтракать с нами!

Он смущенно затоптался на месте.

— Не знаю, как и быть? Я ведь уже завтракал...

— У меня осталось еще тесто,— сказала Райла.— Я сейчас поджарю еще оладий.

— Ты ведь никогда не отказывался со мной позавтракать,— заметил я.— И не важно, сколько ты раз завтракал до этого. Не менять же наших правил из-за Райлы? Она ведь друг, и она у меня в гостях. И раз она взяла эту заботу на себя, так давай ей поможем!

— Ну ладно,— решил Хайрам.— Коли так, то я составлю вам компанию! Мисс Райла, дайте мне оладий, да погуще полейте их сиропом!

Райла подошла к плите и вылила на сковородку изрядную порцию теста.

— По правде говоря,— сообщил Хайрам,— я к этой штуке с кошачьей мордой отношусь по-доброму. Когда-то я немножко ее побаивался. Она ведь смешная и смахивает на чучело. Голова большая, а тела не видать. Похоже, будто эту голову намалевали на большом воздушном шаре. Она ведь никогда не отводит глаз от вас и никогда не мигает!

— Дело в том,— сказал я ему,— что для нас с Райлой очень важно с этой штукой поговорить. Так считает мисс Райла. Но я не умею с ней разговаривать. Это можешь сделать только ты.

— Вы думаете, больше никто не может?

— Но ведь никто, кроме тебя, не может говорить с Баузером!

— И если вы согласитесь поговорить с Кошачьим Ликом,— подключилась Райла,— то знайте, что это должно остаться в тайне. Никто, кроме нас с Эйзой, не должен знать ни о том, что вы с ним разговаривали, ни то, о чем вы говорили.

— А Баузер? — протестующе спросил Хайрам.— Я не могу иметь секретов от Баузера. Он мой лучший друг, и я должен это ему рассказать.

— Ну что ж,— согласилась Райла.— Я думаю, что вреда не будет, если вы расскажете все Баузеру. Но только ему!

— Я вам обещаю,— торжественно сказал Хайрам,— что он тоже ни одной душе ничего не скажет. Если я его попрошу, он не проронит ни звука об этом!

Райла без улыбки взглянула на меня.

— Как ты считаешь, можно ли в это дело посвятить Баузера?

— Баузера можно,— согласился я,— поскольку он, понятное дело, никому не скажет.

— О, он не скажет,— обещал Хайрам.— Я предупрежу его обо всем.

После этого он переключил все свое внимание на блюдо с оладьями, затолкав в рот немалую толику и позволив сиропу спокойно стекать по своему подбородку.

После девятой оладьи он оказался готовым к подведению итогов беседы.

— Вы сказали, что, если я поговорю с Кошкиным Ликом, это будет что-то важное?

— Да, так и будет,— заверила его Райла.— Но вот то, о чем именно надо говорить, немножко трудно вам объяснить...

— Вы хотите, чтобы я поговорил с ним о том, что у вас на уме, и передал вам то, что он скажет? И чтобы об этом знали только мы четверо?

— Мы четверо?

— Баузер,— сказал я.— Ты забыла, что четвертый — это Баузер.

— Ах да,— ответила Райла,— мы не должны забывать о старине Баузере!

Хайрам повторил свой вопрос:

— Это будет только наш секрет, секрет нас четверых?

— Именно так оно и будет,— подтвердила Райла.

— Я люблю секреты,— радостно заявил Хайрам,— они дают мне чувствовать себя важной персоной...

— Хайрам,— приступила к делу Райла,— вы ведь знаете, что такое время, не так ли?

— Время — это то, что вы видите,— ответил он,— когда смотрите на часы. Тогда вы можете сказать, что время полдень, или три часа, или шесть часов.

— Это верно,— сказала Райла,— но слово «время» означает еще кое-что. Вы знаете, что мы живем сейчас в настоящем времени, но потом, когда пройдут годы, о нас скажут как о «прошлом»?

— Как вчера,— подсказал Хайрам.— Вчера — это тоже прошлое.

— Да, правильно. Но прошлое — это и то, что было сто лет назад и миллион лет назад.

— Я не вижу, какая в этом разница? — сказал Хайрам.— Если все это прошлое.

— А вы никогда не думали о том, как славно было бы прогуляться в прошлое? Вернуться в то время, когда здесь еще не появились белые люди, а были лишь индейцы? Или отправиться в то время, когда и людей не было?

— Я никогда об этом не думал,— произнес Хайрам.— Я не думал об этом, потому что вряд ли такое можно сделать.

— Мы полагаем, что Кошачий Лик знает такой способ. Нам бы хотелось поговорить с ним о том, как это делается и не может ли он нам в этом помочь?

Хайрам некоторое время сидел молча, с видимым усилием пытаясь переварить услышанное.

— Вы хотите отправиться в прошлое? — спросил он наконец.— А зачем вы хотите это сделать?

— Вы знаете что-нибудь об истории?

— Конечно, знаю. Меня пытались учить истории, когда я ходил в школу, но я не особенно годился для учебы. Я никогда не мог запомнить все ихние даты. Там все говорилось про войны, да про то, кто был президентом, да еще про всякую всячину вроде этого.

— Есть люди,— продолжала Райла,— которых называют историками. Их дело — изучать прошлое. И есть очень много такого, в чем эти историки не уверены, так как люди, писавшие о разных событиях, иногда ошибались. А вот если бы они смогли вернуться назад во времени и увидеть своими глазами, как все это было, и поговорить с людьми, жившими в прошлом, то они все поняли бы гораздо лучше и смогли бы написать историю куда удачнее.

— Вы хотите сказать, что мы можем вернуться в прошлое и увидеть, как все было много-много лет назад? Взаправду отправиться туда и взаправду увидеть?

— Вот это самое я и хотела сказать. Вам бы интересно было это повидать, Хайрам?

— Ну, я бы не сказал,— пробормотал Хайрам.— Сдается мне, вы хотите создать себе много хлопот...

Я прервал их беседу.

— По сути дела,— пояснил я,— ты вовсе никуда не должен отправляться, если только сам этого не захочешь. Все, что нам от тебя нужно,— это чтобы ты выяснил, если сумеешь, знает ли Кошачий Лик что-нибудь о передвижении во времени и может ли он нам рассказать, как такое делается?

Хайрам пожал плечами.

— Я должен буду слоняться ночь напролет где-нибудь поблизости, скорее всего в саду. Он иногда появляется и днем, но больше по ночам.

— Ну так ты собираешься нам помочь? — спросил я.— Ты бы мог отоспаться и днем!

— Почему бы и нет, если Баузер согласится пойти со мной. Ночь — дело одинокое, но если Баузер будет со мной, то ничего.

— Я думаю, с этим все будет в порядке,— заверил я его.— При условии, что ты наденешь на Баузера ошейник и будешь крепко держать за поводок, никуда от себя не отпуская. И еще одно запомни: когда увидишь Кошачий Лик, останься на месте и говори с ним оттуда. Ни за что не приближайся к нему!

— Мистер Стил, а почему я не должен ни за что к нему приближаться?

— Я не могу тебе сказать почему,— ответил я.— Ты просто должен мне поверить. Мы с тобой знаем друг друга порядочно времени, и ты помнишь, что я тебе никогда не говорил ничего неправильного?

— Я знаю, вы и не станете говорить такого. И вы не должны мне объяснять почему. Раз вы так сказали, значит, так тому и быть. Ни я, ни Баузер не приблизимся к нему ни за что.

— Так вы это сделаете? — воскликнула Райла.— Вы поговорите с Кошачьим Ликом?

— Я сделаю то, что смогу,— ответил Хайрам.— Я не знаю точно, что из этого получится, но я буду стараться изо всех сил.

Глава 10

ВИЛЛОУ БЕНД — городок невеликий, и его деловая часть занимает не более квартала. На одном углу этого квартала расположился супермаркет, напротив него — аптека. Дальше идет скобяная лавка, парикмахерская, обувной магазин, булочная, магазин готовой одежды, бюро транспортных услуг, объединенное с нотариальной конторой, магазин электротоваров, ремонтная мастерская, почтовая контора, кинотеатр, банк и пивной бар.

Я нашел свободное место перед аптекой и, припарковав машину, вышел, обошел ее, открыл дверцу для Райлы. Навстречу нам с противоположной стороны улицы устремился Бен Пэйдж.

— Эйза,— воскликнул он,— давненько же я тебя не видел! Ты не так уж часто жалуешь нас своим появлением здесь.

Он протянул руку, и я пожал ее.

— Появляюсь по мере надобности,— сказал я и, повернувшись к Райле, добавил: — Мисс Эллиот, познакомьтесь с Беном Пэйджем, нашим мэром и банкиром.

Бен приветственно выбросил руку.

— Добро пожаловать в наш город! — произнес он.— Вы к нам надолго?

— Райла — мой товарищ,— объяснил я.— Мы несколько лет назад производили раскопки в Малой Азии.

— Я не знаю, сколько здесь пробуду,— ответила Райла Бену.

— Вы из Нью-Йорка? — спросил Бен.— Кто-то говорил, что вы оттуда.

— А кто, черт возьми, мог об этом знать? — буркнул я.— Мы тебя первого здесь встретили.

— Да, наверное, Хайрам,— сказал Бен.— Он говорил что-то о машине с нью-йоркскими номерами. А еще он говорил насчет стрелы, ранившей Баузера. Это правда?

— Да, его кто-то ранил,— подтвердила Райла.

— Ну, скажу я вам, мы с этими подростками еще наплачемся,— подхватил Бен.— Они вечно вытворяют какие-то пакости! У них нет ничего святого. Скоро совсем одичают!

— А может, это и не ребенок сделал? — спросил я.

— А кто же еще? Эта выходка как раз в их духе. Прошлой ночью кто-то из них проколол мне шины. Я вышел после киносеанса и увидел, что все четыре покрышки осели.

— Ну а почему они так сделали? — поинтересовалась Райла.

— Понятия не имею. Просто они ненавидят всех, наверное. Эйза, когда мы с тобой были детьми, мы ничего подобного никогда не вытворяли! Мы бегали на рыбалку, помнишь, охотились осенью, а было время, когда ты нас всех увлек раскопками в этой воронке...

— Я и сейчас там копаю,— кивнул я.

— Я знаю, что копаешь. Ну и что, выкопал что-нибудь?

— Не так чтобы очень уж много...

— Ну ладно, я должен идти,— сказал Бен.— Кое-кому назначил встречу. Было приятно познакомиться, мисс Эллиот! Надеюсь, вам у нас понравится.

Мы смотрели ему вслед, пока он удалялся по тротуару.

— Это твой старый приятель? — спросила Райла.— Один из вашей компании?

— Один из компании,— подтвердил я.

Мы перешли улицу и зашли в супермаркет. Я взял тележку и покатил ее по проходу.

— Нам нужны картофель, масло, мыло и масса чего еще.

— А ты не составил списка?

— Я очень неорганизованный хозяин дома,— признался я.— Все пытаюсь запомнить наизусть и вечно что-нибудь упускаю!

— Ты многих знаешь в этом городе?

— Знаю некоторых. Кое-кого еще с детства, тех, кто никогда отсюда не уезжал. А еще с кем-то познакомился после возвращения.

Мы медленно катили тележку. Я, конечно, забыл в нее положить кое-что, но Райла, руководствуясь своим «мысленным списком», напомнила мне обо всем необходимом. Наконец мы подкатили тележку к кассе-контролю. Перед нами у кассы оказался Герб Ливингстон, только что вываливший на стойку охапку покупок.

— Эйза! — заорал он, изображая, как всегда, небывалую радость от встречи.— Я как раз собирался звонить тебе насчет новой заметки. Слышал, ты обзавелся компанией?

— Райла,— сказал я,— познакомься с Гербом Ливингстоном. Он тоже один из старых членов нашей команды. Теперь он владелец местной газеты.

Герб излучал радость.

— Я рад, что вы посетили нас! — объявил он Райле.— Слышал, что вы из Нью-Йорка. Полагаю, из города Нью-Йорка, а не из штата?

Он вытянул из кармана пиджака блокнот, а из кармана рубашки коротенький карандаш.

— Могу я узнать, как ваша фамилия?

— Эллиот,— сообщила Райла.— Два «л» и одно «т».

— Так вы навестили Эйзу? Полагаю, что именно за этим вы и приехали сюда?

— Мы давние друзья,— сухо пояснила Райла.— Работали вместе в Турции в конце пятидесятых...

Герб что-то нацарапал в своем блокноте.

— А теперь чем занимаетесь?

— У меня экспортно-импортный бизнес.

— Понимаю,— кивнул Герб, яростно покрывая каракулями страничку.— И вы остановились на ферме у Эйзы?

— Вот именно,— подтвердила Райла.— Я приехала, чтобы побыть с Эйзой. Я живу у него дома. И с ним!

Когда мы повернулись к своей тележке, она негромко заключила:

— Не сказала бы, что твои друзья вызывают у меня восторг!

— Не обращай внимания на Герба,— ответил я.— Он же газетчик, поэтому с тактом у него плоховато.

— Чего не могу понять, так это его интереса ко мне. Мое пребывание здесь вовсе не годится для газетной хроники!

— Для газеты Виллоу Бенда годится все. Здесь ведь вообще ничего не происходит! Вот Герб и заполняет все свои колонки информацией о приездах и отъездах. Миссис Пэйдж устраивает вечер бриджа на трех столиках, и здесь это уже общественное событие. Герб опишет его в малейших подробностях. Расскажет, кто там был, в чем был и кто что выиграл.

— Эйза, а тебя это не смущает? Может быть, мне надо уехать?

— Еще чего! — проворчал я.— Почему это должно меня смущать? Ах да, я нарушаю местные условности? Но в местечке, подобном нашему, что бы вы ни сделали, все выйдет за рамки условностей. Мы же затеяли это дело с перемещениями во времени, коли Хайраму удастся поговорить с Ликом. Но я окажусь совсем один, если ты вдруг вздумаешь уехать! Ты просто должна через все это пройти вместе со мной. Я нуждаюсь в тебе!

Я сел за руль, и она устроилась рядом.

— Как я надеялась услышать это от тебя! — проговорила она.— Не знаю, что с этими путешествиями во времени получится, но я хочу здесь остаться. Иногда я верю, что эти перемещения возможны, а иногда говорю самой себе: «Не будь идиоткой, Райла!» Кстати, я думала о Хайраме. Его звать просто Хайрам? У него же должна быть фамилия!

— Его зовут Хайрам Биглоу,— ответил я.— Но большинство здешних жителей забыло вторую половину его имени, ту, что звучит «Биглоу». Он просто Хайрам, и все. Он родился в Виллоу Бенде, и когда-то у него был старший брат. Но брат этот сбежал из дому, и, насколько я знаю, с тех пор о нем не было ни слуху ни духу. Род Биглоу — старинный род, он восходит к самому основанию города. Отца Хайрама звали Горас, он был единственным потомком одного из основателей Виллоу Бенда. Семья жила в старом доме их предков, одном из строений с колоннами в викторианском стиле, стоящих в глубине лужайки, засаженной деревьями и обнесенной кованой оградой. Помню, как ребенком я повисал на этой ограде, пялясь на дом и мечтая о том, как хорошо было бы и мне пожить в таком. Моя семья была в то время довольно бедной, и мы жили в обыкновенном домике, а жилище Биглоу казалось мне прямо-таки дворцом!

— Но ты ведь сказал, что Хайрам живет в хижине у реки?

— Да, я расскажу и об этом. Отец Хайрама был банкиром этого города, партнером отца Бена Пэйджа.

— Мне этот Пэйдж понравился не более, чем тот тип Герб!

— Тебе, как и всем, почти всем, здесь,— сказал я.— Он не из тех, кто внушает симпатию и особое доверие, хотя в последние годы он, возможно, и изменился. Теперь тут есть люди, которые к нему постоянно обращаются... Ну так вот, когда Хайраму было около десяти лет, его отца нечаянно подстрелили на утиной охоте. К этому времени его брат, который был старше Хайрама на семь или восемь лет, уже исчез в неизвестном направлении, и Хайрам с матерью после гибели отца остались одни. Старая леди после этого совсем уединилась. Она ни разу не покинула дом и не откликалась на призывы друзей. Хайрам всегда был странным ребенком, он хуже всех учился в школе, отставал в развитии от остальных детей, к тому же никому неохота было им заниматься. Мне кажется, что его мать со временем поняла, что он не совсем нормален, почему она и закрылась с ним от людей. Гордость и самолюбие — вещи достаточно губительные повсюду, но в маленьких городках они просто смертельны. Они оба убежали от жизни, и хоть люди и знали, что они обитают в том же доме, о них как бы все забыли. Впрочем, именно этого и добивалась миссис Биглоу. Я уже уехал отсюда в то время и все остальное узнал позднее от других.

Когда наконец разобрались с наследством, оказалось, что у отца Хайрама была не такая уж большая доля в этом банке. Немного акций да жалованье — вот и все. Кое-кто поговаривал о том, что папаша Бена потихоньку выживал его из банка, хотя это и не доказано. Но как бы там ни было, кое-что еще оставалось, и этого хватило на то время, пока была жива старая леди. Она умерла, когда Хайраму было около двадцати пяти лет. И тут выяснилось, что дом Биглоу давно заложен банку, руководство которого решило, что банк помогал этому семейству столько, сколько мог, и что этого достаточно. Вскоре папаша Бена ушел в отставку, и во главе банка встал Бен. Он выделил некоторую сумму, собрал кое-что и у жителей городка и на эти деньги построил тот самый домик у реки, где и поселился Хайрам. Он и живет там с тех пор.

— Выходит, город усыновил его,— отметила Райла.— Взял на себя заботу о Хайраме. И теперь он надежно защищен, а может, даже является составной частью здешнего общества?

— Думаю, что можно сказать и так,— согласился я.— Город присматривает за ним, конечно, но не все обстоит так уж по-доброму. Некоторые жители искренне заботятся о нем, но для большинства он является чем-то вроде городского сумасшедшего, и они над ним потешаются. Они не думают, что он понимает, он является для них посмешищем. Но Хайрам понимает все. Он знает, кто ему друг, а кто над ним смеется. Он, конечно, с большими странностями, но далеко не так глуп, как думают многие!

— Я надеюсь, он немного поспал,— задумчиво произнесла Райла.— Это ведь будет первая ночь ожидания Кошачьего Лика.

— Таких ночей может оказаться несколько. Лик вовсе не регулярен в своих привычках.

— Я слушаю, как мы с тобой об этом толкуем,— сказала Райла,— и сама себя спрашиваю, во что же мы ввязываемся? Это же не вполне нормально, Эйза! Все эти странные штуки. Вряд ли кто-нибудь еще мог бы говорить или даже помышлять о таком, как это делаем мы!

— Я понимаю тебя,— ответил я.— Но ведь у меня-то больше очевидных фактов, чем у тебя! Я же побывал в плейстоцене и почти угодил под мастодонта. А Баузер ведь притащил-таки ту самую кость!

— Но если бы мы только ограничились этим,— сказала она.— Мы согласились с тем, что были кости динозавра, и фолсомский наконечник, и мастодонт, но не позволяем себе выходить за пределы этих фактов. Мы не признаемся себе в том, что Кошачий Лик — чужеродное существо, способное на создание временного туннеля. И не произносим вслух того, что он, должно быть, както спасся, когда инопланетный корабль много тысяч лет назад потерпел крушение!

— А может, мы к этому и идем? — заключил я.— Давай подождем и посмотрим, что там удастся сделать Хайраму.

Глава 11

СПУСТЯ ТРИ НОЧИ раздался стук в дверь спальни. Я со сна не мог сообразить, кто бы это мог быть, Райла недовольно пошевелилась возле меня.

— Кто там? — крикнул я.— Что случилось?

Впрочем, стоило мне задать этот вопрос, как я уже и сам знал ответ. Я знал, кто был за дверью.

— Это я, Хайрам...

— Это же Хайрам! — сказал я Райле.

Стук снова повторился.

— Да перестань же ты колотить в дверь! — прикрикнул я на него.— Я уже проснулся. Пройди на кухню и подожди там.

На ощупь, вслепую, я нашарил шлепанцы, всунул в них ноги, попытался найти халат, но не сумел и ввалился на кухню в одних пижамных штанах и тапочках.

— В чем дело, Хайрам? Надеюсь, что-нибудь важное?

— Там Кошкин Лик, мистер Стил. Я поговорил с ним. Он желает говорить с вами.

— Но я же не смогу,— возразил я.— Никак не смогу! Ты один только и можешь говорить с ним!

— Он сказал, что в моих словах нет смысла,— сообщил Хайрам.— Он рад, что мы хотим с ним разговаривать, но он не понимает, о чем я ему толкую.

— Ты думаешь, он еще там?

— Да, мистер Стил. Он сказал, что подождет, пока я схожу за вами. Он сказал, что надеется найти смысл в ваших словах.

— Ты полагаешь, что он подождет, пока я надену что-нибудь на себя?

— Думаю, да, мистер Стил. Он сказал, что будет ждать.

— Ты оставайся здесь,— велел я ему.— Не выходи из дому, пока я не смогу выйти вместе с тобой.

В спальне я наконец нашел, что на себя надеть. Райла села на край постели.

— Это Кошачий Лик,— сказал я ей.— Он хочет поговорить с нами.

— Я буду готова через минуту!

Хайрам ждал нас, сидя за кухонным столом.

— А где же Баузер? — спросила Райла.

— Он там, снаружи, с Кошкиным Ликом,— ответил Хайрам.— Они же старые приятели. Я теперь думаю, они все время дружили, а мы и не знали!

— Скажи мне, Хайрам,— произнес я.— Как это произошло? И трудно ли говорить с Ликом?

— Нет, так же как с Баузером,— ответил он.— Легче, чем с синицей. С этой синичкой иногда и не поговоришь. Она не всегда желает разговаривать. А Кошкин Лик хочет говорить!

— Вот и прекрасно,— сказала Райла.— Пошли говорить с ним!

— Но как же мы сможем это сделать? — спросил я Хайрама.

— Это нетрудно,— пояснил он.— Вы мне точно говорите, что хотите, а я это скажу ему. А потом скажу вам все, что он ответит. Может, я даже и не пойму, что он скажет, но передам слово в слово.

— Пожалуй, это все, что мы можем сделать,— отметила Райла.

— Он завис на той яблоне, что в углу. Баузер сидит и смотрит на него.

Я отворил дверь кухни и подождал, пока они выйдут.

В углу сада было нетрудно различить Кошачий Лик, глядящий на нас из кроны яблони. В лунном свете он был ясно виден. Усы тоже вполне можно было разглядеть. Баузер, кривобоко расположившийся со своей раненой ляжкой под деревом, не сводил глаз с Лика.

— Передай ему, что мы здесь,— попросил я Хайрама,— и что мы готовы начать.

— Он говорит, что тоже готов,— откликнулся Хайрам.

— Погоди-ка минуточку! У тебя ведь не было времени передать ему это?

— А времени и не нужно,— ответил Хайрам.— Он понимает все, что вы говорите, но не может ответить вам, потому что вы не услышите его слов!

— Тогда все в порядке,— заметил я.— Так оно будет проще!

Я обратился к Лику:

— Хайрам передал нам, что вы хотели бы поговорить с нами о перемещениях во времени?

— Его занимает этот вопрос, и он хотел бы поговорить о перемещениях во времени,— сказал Хайрам,— но дело в том, что я не смогу понять многого.

— Тогда,— сказал я Лику,— давайте упростим все это. Будем говорить медленнее, раздельнее и так просто, как вы сможете!

— Он говорит, что согласен,— перевел Хайрам.— Он говорит, что хочет запустить в работу эти перемещения. Говорит, что он конструктор времени. Я правильно вам говорю?

— Думаю, что да.

— Он говорит, это правильно. Но вы эту дорогу во времени увидеть не сможете, заплутаете в ней.

— А он может построить дорогу в любое место и любое время на этой планете?

— Говорит, что может.

— А в Древнюю Грецию? В Трою? — спросила Райла.

— Если вы объясните ему, где именно это место находится, он сможет. Он говорит, это нетрудно. На этой планете — где угодно!

— Но как же мы сможем ему объяснить, где нужное место?

— Он говорит, нужно отметить на карте. Он говорит о линиях на карте. Мистер Стил, о каких это линиях он толкует?

— О долготе и широте, должно быть?

— Он сказал, это верно!

— А он знает, как измеряется наше время? Знает, что такое год? Понимает ли, что значит миллион лет, сто лет?

— Говорит, что понимает.

— Я тоже хочу его спросить,— снова подключилась Райла.— Он что, инопланетянин, житель какого-то другого мира?

— Да, очень далекого отсюда.

— А на каком же это расстоянии?

— Около пятидесяти тысяч лет.

— И он живет так долго?

— Говорит, что не умирает совсем.

— Он может построить дорогу во времени. А сам он по ней может перемещаться?

— Говорит, что может.

— Но, по-видимому, он этого не делает? И остается в нашем времени? Он прибыл сюда очень давно, но потом жил в нормальном течении нашего времени. По обычному его закону. А зачем ему надо оставаться в нашем настоящем?

— Он говорит о надежде на избавление.

— О каком избавлении? Что имеет в виду?

— Если он не будет находиться в одном и том же месте и нормальном времени, те, кто будут его искать, не сумеют определить, где его найти!

— Он еще рассчитывает на спасение?

— Теперь у него осталось совсем мало надежды. Поэтому он хочет делать то, на что способен. Он начинает новую жизнь с нами. Вот почему он так счастлив.

— Но он же должен знать, где его родной мир? Если он способен строить дороги во времени и пространстве, он должен был бы найти дорогу и к себе домой.

— Говорит, что нет. Он не знает, где его дом, если смотреть отсюда. Он не знает, как туда добраться. Если бы кто-нибудь ему объяснил, он смог бы. Это знал тот, другой. Но теперь этот другой мертв. Он умер, когда упал корабль.

— Но Кошачий Лик не умирает, он же бессмертен?

— Он говорит, что и бессмертный может погибнуть, но только от несчастного случая. Это единственный способ. Он говорит, что ему повезло, он счастливчик. Он вышел из корабля, прежде чем тот ударился о землю.

— А как он вышел оттуда?

— На спасательной шлюпке, говорит.

— Спасательной шлюпке? — спросил я.— А это не сфера ли? Круглый полый шар, разделяющийся на две половинки? Так, чтобы из него можно было бы выйти наружу?

— Он говорит, да. Спрашивает, как вы узнали об этом.

— Я нашел спасательную шлюпку,— ответил я.— Она лежит в моем сарае!

— Так он теперь хочет построить дорогу во времени для нас? — перебила Райла.— В любое место Земли? И держать ее открытой столько, сколько нам это понадобится?

— Кошкин Лик говорит «да». Он может ее построить, куда вы скажете, и будет держать ее открытой. А если она вам будет больше не нужна, он ее снова закроет.

— И сколько у него таких дорог? Больше одной?

— Столько, сколько вам будет надо.

— А когда мы сможем это начать?

— Прямо сейчас. Говорит, когда вы хотите и куда хотите!

— Передай ему,— сказала Райла,— что мы еще к этому не готовы. Нам понадобится некоторое время на подготовку, и тогда мы должны будем снова с ним побеседовать. Возможно, мы захотим несколько разных времен.

— Мисс, он говорит, в любое нужное вам время. Он будет висеть здесь поблизости и ждать разговора с вами.

Глава 12

МЫ ЗАВТРАКАЛИ ВМЕСТЕ с Хайрамом, который уже почти расправился со второй порцией яичницы с ветчиной. Баузер дремал на своем покрывале в углу кухни.

— Вопрос вот в чем,— произнесла Райла.— Можем ли мы полностью положиться на Кошачий Лик?

— Вы можете ему довериться, мэм,— сказал Хайрам.— Я долго разговаривал с ним до того, как пришел за вами. Он мировой парень. Такой же, как вы или мистер Стил.

— Ну что ж,— ответила Райла.— Тем лучше. Но мы не должны забывать, что он все же чужак! К тому же весьма специфический.

— А может, и не специфический! — возразил я.— Мы же не знаем, каковы эти чужаки вообще. По сравнению с другими он, может быть, вовсе и не специфичен!

— Ох, да ты же понимаешь, что я имею в виду! Голова — и никакого тела! Или, может быть, он это тело прячет? Все, что ты можешь узреть, это «лик», торчащий из кроны дерева или куста!

— Эзра видел и тело. В ту ночь, когда Рэнджер загнал его на дерево, а он прицелился, но не выстрелил...

— Было же темно,— отмахнулась Райла.— Эзра не мог разглядеть точно. Только увидел обращенное к нему лицо. И вот почему я сомневаюсь, следует ли ему до конца верить. Очень возможно, что его этические нормы и взгляды на вещи вовсе не такие, как у нас. И то, что считается дурным у нас, может оказаться совсем не таким уж плохим с его точки зрения.

— Но он же в этих местах находится с тех самых пор, как здесь поселились люди. Много больше ста лет. Он, возможно, имел даже контакты с индейцами задолго до нас! И он всегда наблюдал за людьми. Знает, что они собой представляют. Он достаточно проницателен и впитал огромное количество информации. Понимает, чего можно ожидать от людей, и уж наверное знает, чего могли бы ожидать от него люди!

— Эйза, так ты готов положиться на него полностью?

— Ну, не до конца. Я бы позволил себе оставить некоторый резерв для сомнений!

Хайрам поставил на стол свою чашку и встал.

— Я и Баузер идем гулять,— заявил он.

Баузер поднялся не без некоторого усилия.

— А не хотелось бы тебе немножко поспать? — спросил я.— Ты же был на ногах целую ночь!

— Попозже, мистер Стил.

— Помни, ни слова никому о том, что здесь было!

— Я буду помнить,— заверил Хайрам.— Я обещал и сдержу слово.

Некоторое время после его ухода мы еще сидели за столом, допивая по второй чашке кофе. Наконец Райла произнесла:

— Если все наладится и пойдет как надо, мы это задействуем!

— Ты имеешь в виду наши походы во время?

— Не только наши. Других людей. Тех, кто станет нам платить за то, что мы их отправим во временное путешествие. Служба перемещения во времени. Мы станем торговать такими экскурсиями!

— Это может оказаться опасным...

— Конечно, может. Но в наших контрактах будет указано, что мы не отвечаем за возможный риск. Всю эту ответственность возьмут на себя сами путешественники во времени, не мы!

— Нам понадобится хороший адвокат!

— У меня есть подходящая кандидатура. В Вашингтоне. Он сможет помочь нам наладить взаимоотношения с властями.

— Ты думаешь, власти захотят принять в этом участие?

— Можешь быть уверен! Стоит нам лишь начать, каждый захочет в этом поучаствовать. Вспомни, как ты опасался, что университетские деятели полезут в твои дела с раскопками?

— Ну да, я же сам тебе говорил об этом.

— И все же мы не должны позволять каждому совать нос в это дело. Оно должно принадлежать только нам!

— Я думаю, этим заинтересуются некоторые университеты и музеи,— сказал я.— Им наверняка захочется посмотреть собственными глазами на массу событий в прошлом. И они будут готовы платить за это. Впрочем, здесь могут возникнуть и проблемы. Нам надо будет выработать твердые правила и инструкции. Нельзя же отправляться к осаде Трои, нагрузившись кинокамерами. Или разговаривать там на современном языке! Нельзя будет ничем отличаться от них — ни одеждой, ни повадками. Иначе могут возникнуть осложнения, а если еще, не дай Бог, кто-нибудь во что-нибудь вмешается, то может измениться даже сам ход истории.

— Да, проблем, очевидно, будет много,— согласилась Райла.— Мы должны составить целый кодекс правил для путешествий во времени. Особенно это касается контактов путешественников с людьми прошлого. Но до начала человеческой эры это не будет иметь такого большого значения!

— Например, как путешествие для большой охоты?

— Эйза, это именно то, где лежат деньги! Университеты не могут достаточно платить за такие вылазки. У них вечная нехватка фондов. Но «большие охотники» — это совсем другое дело! Они так любили отправляться на сафари в Африку и привозить кучу голов убитых животных. Или в Азию. Но теперь же это все ушло. В лицензиях на охоту теперь очень ограничено количество трофеев. Теперь больше поощряется фотоохота, а для любителей шкур убитых зверей это совсем не привлекательно. И ты только представь, сколько такой любитель мог бы отвалить за мастодонта или саблезуба!

— Или за динозавра! — подлил я масла в огонь.

— Вот именно это я и хочу тебе внушить! — подхватила Райла.— Мы должны ухватить свой шанс! И не только организуя охоту. Есть еще масса возможностей. Мы бы могли отправить в путешествие кого-нибудь за аттической керамикой. Ты представляешь, как выгодно это можно продать? Или раздобыть несколько изображений совы богини Афины для собирателей монет. Или, скажем, первые денежные знаки. А еще можно было бы отправиться в Южную Африку и прямо с земли подбирать алмазы. Ведь первые алмазы находили именно так! Просто поднимали их с земли!

— Не слишком много было таких. Всего несколько и в разных местах. Конечно, «Африканская звезда» была найдена именно так. Но это было исключительное везение. А иначе можно провести годы, обшаривая глазами землю.

— А может, туда и следовало бы отправиться, Эйза, до того, как эти алмазы нашли другие? Они же попросту нашли то, что прозевали мы!

Я расхохотался:

— Ты просто одержима жаждой денег, Райла! Ты только о них и говоришь! Как превратить путешествие во времени в экспедицию за товаром, как его продать самому выгодному клиенту... А мне интересно все это с точки зрения научных исследований. Существует ведь так много исторических проблем. Есть и целые геологические периоды, о которых так мало известно!

— Это потом,— отрезала она.— Мы все это сделаем после. Сначала мы должны добиться финансового успеха, а потом уже заняться тем, что тебя интересует. Ты говоришь, я одержима жаждой денег? Может, и так. Это составило основу моей жизни. Я ее провела, создавая бизнес, высматривая, что можно продать. И наше с тобой предприятие, прежде чем мы его как следует обоснуем, потребует от нас немалых вложений. Мы должны построить ограду вокруг твоих владений, нанять охрану, чтобы отваживать орды визитеров, если новость распространится. Нам потребуется административное здание и штат. Нам будут нужны агенты и рекламисты.

— Райла, да где же мы возьмем на это денег?

— Я могу их дать.

— Мы это уже обсудили на днях, вспомни!

— Но сейчас дело обстоит по-другому! Тогда я тебе предлагала помощь, чтобы ты мог остаться здесь. А теперь это настоящее дело. Наш общий бизнес. Ты владелец участка, ты основатель дела. А я всего лишь даю некоторый капитал для начала работ.— Она выжидательно смотрела на меня через стол.— Ну так как же, ты это принимаешь? Я «суюсь» в это дело. Может, тебе не нравится? Если так, скажи мне прямо. Это твоя земля, твой Лик, твой Хайрам. А я всего лишь *приблудный толкатель*...

— Может, ты и впрямь приблудный толкатель, но я хочу, чтобы ты была со мной в этом деле. Мы не можем от этого отмахнуться, а я без тебя запутаюсь. Меня просто немного коробит от того, что ты говоришь лишь о том, что можно вывезти или продать. Я не отвергаю твоей позиции, но, чтобы оправдать нашу деятельность, мы должны часть графика путешествий во времени отвести на научные исследования.

— Даже странно, как легко мы согласовали вступительную часть! — рассмеялась Райла.— Путешествия во времени являются тем, что обычно отвергается автоматически как нечто невозможное. А мы с тобой сидим здесь, планируя их на основе нашего доверия к Кошачьему Лику и Хайраму!

— Но у нас ведь имеется несколько больше данных, чем просто доверие,— возразил я.— Я сам уже перемещался во времени. Это вне всяких сомнений. И тут нет никаких заблуждений. Я провел в прошлом час или около того, впрочем, не знаю точно, сколько пробыл в плейстоцене. Но достаточно времени, чтобы пройти отсюда к реке и вернуться назад. Не говоря уже о наличии фолсомского наконечника Баузера и свежей косточки динозавра. Исходя из соображений чистого разума, я должен быть уверен, что это невозможно, но на деле я знаю, что, наоборот, вполне возможно!

— Наше самое слабое звено,— сказала Райла,— это Хайрам. Если он не говорит нам правды или играет с нами в свои игры...

— Думаю, что за Хайрама я могу поручиться. Я знаю его гораздо лучше, чем другие, да к тому же он боготворит Баузера. Еще до всего этого не проходило и дня, чтобы он не пришел его проведать. Кроме того, я думаю, у него просто нет способности врать. Его мозги устроены иначе.

— Но вдруг он проговорится? Раньше, чем мы будем готовы открыть эту информацию?

— Он не станет делать этого умышленно. Его могут просто подвести к этому, попробовать что-то выпытать, или просто он нечаянно сболтнет что-нибудь, но ведь он и сам не слишком ясно понимает, о чем идет речь!

— Я думаю, мы должны эту возможность учесть. Хотя вряд ли кто-нибудь придаст особое значение его словам. — Она встала из-за стола и начала собирать посуду.— Мне надо кое-куда позвонить,— сообщила Райла.— Связаться с несколькими людьми в Нью-Йорке и с тем адвокатом в Вашингтоне. Через день-два я должна буду отправиться туда на несколько дней, и мне бы хотелось, чтобы ты поехал со мной.

Я покачал головой.

— Предоставляю это тебе. Я останусь здесь и буду оборонять нашу крепость. Кто-то же должен быть дома!

Глава 13

Я МЫЛ ПОСУДУ ПОСЛЕ УЖИНА, когда Бен Пэйдж постучал в дверь кухни.

— Вижу, ты снова пребываешь в одиночестве? — спросил он.

— Райла отправилась на восток на несколько дней. Скоро вернется.

— Ты говорил, вы вместе когда-то производили раскопки?

— Да, было дело. В Турции. Небольшие развалины, датированные бронзовым веком. Ничего особенного не раскопали. Ничего ценного, ничего волнующего. Спонсоры были разочарованы.

— Думаю, что и в других раскопках ты ничего существенного не находил?

— Верно,— ответил я.

Я поставил на место вымытую посуду, вытер руки полотенцем и сел за кухонный стол напротив Бена.

Баузер в своем углу истово завыл, суча лапами, как если бы он травил зайца во сне.

— А то, что ты здесь копаешь,— продолжил Бен,— дало какие-нибудь результаты?

— Пока нет. А что?

— Но ведь это не простая воронка?

— Нет, не простая. Я не знаю, что это. Может быть, выемка от метеорита. Я нашел несколько обломков металла.

— Эйза,— укоризненно произнес Бен,— ты мне мозги не вкручивай! У тебя же кое-что есть на уме.

— А почему ты так говоришь, Бен?

— Хайрам. У него ужасно таинственный вид. Похоже, ты что-то таишь, а он с тобой заодно. Говорит, что не может ничего рассказывать, потому что дал слово. Очень доволен всем этим. Говорит, можно спросить у Баузера!

— Хайрам считает, что с Баузером можно беседовать...

— Я знаю. Он беседует с любой тварью.

— Хайрам молодчина,— сказал я.— Но ты же не можешь делать выводы из его речей. Он говорит много чепухи.

— Не думаю, что это так, во всяком случае не сейчас. Кое-что мне самому кажется странным. Ты вернулся, купил эту ферму, начал раскапывать ту воронку. Потом появилась Райла, а она ведь археолог, как и ты?

— Если бы было о чем говорить, Бен, я бы тебя посвятил. Пока у меня с этим глухо, а может, ничего никогда и не будет!

— Смотри у меня,— сказал Бен.— Как мэр города, я имею право задавать вопросы. Если ты нашел что-нибудь, могущее повлиять на дела города, я должен узнать об этом в первую очередь. Тогда мы сумеем подготовиться.

— Бен, я даже не понимаю, о чем ты толкуешь!

— Ну ладно. Скажем, у меня на окраине города есть участок в десять акров. Я его откупил и плачу за него налоги. Неплохое местечко для мотеля. Другого такого вокруг не найдется. Но сюда мало заезжает солидной публики. А за мотель надо платить приличные деньги. Но если поблизости появится нечто, привлекающее внимание туристов, то мотель окажется весьма неплохим бизнесом!

— А что же такого наплел Хайрам, что могло тебя навести на мысль о нашествии туристов?

— Да ничего существенного. Просто у него такой чертовски таинственный и важный вид. Будто он наслаждается каким-то великим открытием. И невольно сболтнул что-то, не вполне понимая сам, что говорит. Эйза, скажи мне честно, может ли на дне этой воронки оказаться потерпевший аварию звездолет?

— Думаю, что может,— признался я.— Именно это я и предполагаю. Но пока никаких доказательств у меня нет. А если было бы так, то корабль, несомненно, внеземного происхождения. Управляемый разумными существами космический корабль из какой-то звездной системы. И если бы удалось найти обломки такого корабля и представить достоверные доказательства, это было бы очень важным открытием. Было бы первым реальным подтверждением тому, что во Вселенной существуют другие цивилизации и что их представители посетили Землю.

Бен тихонько присвистнул.

— И это могло бы привлечь сюда множество народа, не так ли? И людей, желающих это исследовать. И охотников до сенсаций. И они валили бы сюда каждый год. Это могло бы стать приманкой для туристов!

— Могу себе представить! — произнес я.

— У тебя дело продвигается медленно,— сказал Бен.— Ты же ковыряешься тут в одиночку. А что, если я подброшу тебе на помощь каких-нибудь ребят?

— Благодарен тебе за предложение, но из этого не выйдет ничего. Такие раскопки требуют знаний. Тот, кто их производит, должен знать, что именно он ищет. Любую находку надо осторожно извлечь и точно идентифицировать. Даже пыль с нее надо счищать по-особому. Пусти сюда эту свору с заступами и лопатами, и они вмиг тут все порушат. И пойдут насмарку все доказательства того, что мы ищем! Любая мелочь, на которую они и внимания не обратят, может оказаться самой важной для археолога-профессионала.

Бен энергично кивнул.

— Да, я понимаю, как это должно тщательно делаться. Над этим стоит подумать.

— Бен, спасибо тебе,— сказал я.— Но я буду еще более благодарен, если ты об этом не скажешь никому. У меня возникнет очень много трудностей, если просочится наружу хоть слово о раскопках звездолета. Пусть город думает, что я слегка рехнулся, но если слух дойдет до академических кругов, то многие университетские крысы искривят свои физиономии, а некоторые, я уверен, заявятся сюда самолично, чтобы поглумиться надо мной.

— Обещаю,— произнес Бен.— Я не исторгну ни слова. Ни единого. Но ты все-таки думаешь, это реально?

— Я ни в чем не уверен. У меня лишь догадки. Основанные на фактах, которые, быть может, вовсе не факты. Может быть, это всего лишь глупые домыслы... Как насчет пивка? Глотнем?..

После ухода Бена я долго оставался за столом, обдумывая, разумно ли поступил, рассказав ему это. У любого другого такая информация могла бы вызвать негативную реакцию, но только не у Бена. Он очень цепкий тип и, возможно, станет помалкивать хотя бы потому, что втихаря, зная возможные перспективы, начнет строить свой мотель, а может, и еще кое-что, о чем не счел нужным обмолвиться.

Я, правда, сказал ему кое-что, но этим я его увел в сторону от основного. Полное опровержение его никак не удовлетворило бы. Болтовня Хайрама и его намеки все равно вызвали бы у Бена подозрения. И в конце концов, я же не солгал ему! Там, на дне воронки, и в самом деле погребен звездолет!

Я, возможно, просто нейтрализовал его, скорее всего на время. Но это очень важно для того, чтобы избежать сплетен в городке и свести все домыслы на данный момент к минимуму. Но как только мы начнем строить ограду, их, конечно, уже не остановишь! В одном Райла абсолютно права: нам обязательно нужна ограда!

Я подошел к холодильнику и вынул еще одну банку пива.

Господи, подумал я, вот сижу здесь и пью пиво, а все вокруг меня сдвинулось с катушек! Максимум, что я самому себе могу сказать в минуты просветления и благоразумия,— это то, что люди не могут перемещаться во времени! Я знал, что это невозможно! Но в моем мозгу отпечаталось видение того огромного мастодонта-самца! Ничего более потрясающего за всю свою жизнь я не испытал. Тот мастодонт со своей быстрой, почти скользящей поступью, чей хобот подобно маятнику покачивался между его бивнями, он спешил к своему стаду. И я не мог забыть ужас, который охватил меня, когда я понял, где очутился, заброшенный в чужое время и покинутый там!

Снова и снова, сидя за тем же столом, я мысленно пробегал предварительную программу, набросанную Райлой. И, думая об этой программе, я не только говорил себе о ее смутной нереальности, но и с какой-то опаской соглашался с ней.

Могло быть столько всякого, чего мы не предвидели, такие черные пятна, что любой самый великолепный план мог вполне сорваться! Но чего же мы все-таки не учли? Какие неожиданные обстоятельства способны ввергнуть нас в бедствия в грядущем?

Я был очень обеспокоен тем, как мы собирались использовать перемещения во времени. Если бы я решал все это сам, я бы не стал думать о том направлении, каким задалась Райла. Но я понимал, что если использовать эти путешествия только с научной и познавательной целью, то для рыночной стороны дела места не останется совсем.

И все же Райла, несомненно, была права в том, что если бы кто-нибудь другой сделал это открытие и завладел механикой его реализации, то он использовал бы это для получения максимальной выгоды. По ее мнению, было бы недальновидно пренебрегать возможностью поставить путешествия во времени на солидную экономическую основу. И лишь при этом условии было бы реально проведение в дальнейшем содержательных научных исследований.

Дремлющий Баузер протяжно взвизгнул в углу. Очевидно, он нагнал-таки своего кролика. Я допил пиво, швырнул бутылку в помойное ведро и пошел спать.

Райла должна была вернуться завтра, и мне предстояло рано утром отправиться в Миннеаполис, чтобы встретить ее в аэропорту.

Глава 14

КОГДА Я УВИДЕЛ РАЙЛУ, поднимающуюся по пандусу, она показалась мне мрачной и недовольной, но, разглядев меня, она улыбнулась и заторопилась навстречу. Я заключил ее в свои объятия и сказал:

— Слава Богу, ты вернулась. Мне было так одиноко все три дня!

Она откинула голову в ожидании поцелуя, потом прижалась щекой к моему плечу.

— Как хорошо с тобой, Эйза! — шепнула она.— И как прекрасно возвратиться домой. Эти дни были такими ужасными!

— Почему же, Райла?

Она отодвинулась и внимательно посмотрела на меня.

— Я унижена,— сказала она.— Расстроена. Зла. Ни один из них не поверил мне!

— И кто же эти не поверившие?

— Кортни Маккаллахан, например. Он юрист, я тебе о нем говорила. Мы были когда-то друзьями. И он раньше никогда не проявлял ко мне недоверия. Но теперь он положил локти на стол, закрыл лицо ладонями и стал неудержимо хохотать. Затем поднял голову, снял очки и вытер глаза — так сильно смеялся! Он даже не мог поначалу разговаривать со мной. Потом перевел дух и сказал сдавленным голосом: «Райла, я так давно вас знаю, но не думал, что вы на это способны!» Я спросила, на что же я способна, а он сказал, что на такие шутки. И добавил, что прощает мне, поскольку свои дневные дела уже закончил. Я набросилась на него и сказала, что вовсе не шучу и что мы хотим, чтобы он взял на себя защиту наших интересов и стал нашим поверенным. Мы должны иметь адвоката, который бы вел наши дела, сказала я ему, а он ответил, что если бы то, что я ему рассказала, являлось истиной, то, несомненно, кто-то должен был бы представлять наши интересы. Но он отказался мне поверить. Видимо, решил, что все это лишь розыгрыш, не знаю, что он еще там подумал. Мне он не поверил. Ничему из того, что я сказала. Он повел меня обедать, угостил шампанским, но я не простила ему недоверия!

— Так он взялся представлять наши интересы?

— Бьюсь об заклад, возьмется! Он сказал, что, если я смогу представить ему доказательства, он ни за что в мире не упустит такой возможности. Сказал, что бросит все дела, откажется от всех партнерских работ и посвятит все свое время нам. Еще добавил, что такое дело, насколько он может судить, может потребовать все его время. И все же он продолжал посмеиваться, довезя меня до отеля и пожелав спокойной ночи...

— Но какие доказательства, Райла...

— Подожди немного. Это не все. Я отправилась в Нью-Йорк и поговорила с людьми в фирме «Сафари Инкорпорейтед». Они, разумеется, заинтересовались и даже не рассмеялись мне в лицо, хотя и проявили скептицизм. Они были почти уверены, что я вру, играю с ними в какую-то жульническую игру, но их озаботило то, что они не могли раскусить, в чем же состоит надувательство. Их руководитель, довольно негибкий старый формалист-англичанин, был весьма корректен и сказал мне: «Мисс Эллиот, не знаю, что бы все это могло означать, но если это нечто большее, чем чистая фантазия, то я могу вас уверить, что для нас это было бы весьма заманчиво». Он еще добавил: «Если бы я не знал вас раньше, то вовсе не стал бы этого слушать!»

— Он знал тебя раньше?

— Да, вернее не сам этот старик-англичанин, а его фирма. Несколько лет назад я купила у них множество предметов, накапливавшихся там годами и лежавших без дела. Это были куски слоновой кости, туземные статуэтки, страусовые перья и другой такой же хлам. Я взяла у них все, и они посчитали меня дурочкой. Но я на несколько лет опередила их в понимании рыночного спроса и имела неплохую прибыль от продажи этих вещичек. Эта фирма, занимающаяся организацией сафари, прознала о моей удаче и решила продолжать снабжать меня тем же товаром. Дело в том, что розничная торговля им чужда, поэтому, поскольку я им подвернулась...

— Я полагаю,— перебил я ее,— что они в точности так же, как твой старый дружок Кортни, захотели иметь подтверждение?

— Именно,— ответила она.— И забавнее всего то, что их больше всего заинтересовали динозавры! Их изрядно смутило, когда я спросила, не хотелось бы им посылать клиентов поохотиться на динозавров? Не на мастодонтов, мамонтов или саблезубов, не на пещерных медведей, даже не на титанотериев, но именно на динозавров! Больших и страшных. Я поинтересовалась, какого типа ружья они могли бы использовать для убийства крупного динозавра, и они сказали, что не знают, но полагают, что более мощные, чем существующие модели. Потом я спросила, нет ли у них таких моделей ружей? Они ответили, что есть два ружья, еще не бывших в употреблении. Такие, как оказалось, уже больше не выпускаются. Это оружие для охоты на слонов. Теперь, с усовершенствованием конструкции и увеличением скорости полета пули, производятся модели гораздо менее громоздкие и меньшего калибра. К тому же сейчас нельзя особенно много убивать слонов. Вот я и заявила, что хочу с Божьей помощью купить у них эти два громадных ружья. После всевозможных разглагольствований они все же согласились их продать. Наверное, им показалось, что я не совсем в своем уме. Тысячу раз мне повторили, что теряют на этой сделке, отчаянно торговались, и я думаю, что они действительно продали их дешевле, чем купили. Но ведь, кроме меня, никто и не позарился бы на эти бездействующие образцы! Это ружья-монстры. Каждое весит около двадцати фунтов. А патроны размером с барабан!

— Ты что,— спросил я,— полагаешь, что я отправлюсь туда и подстрелю парочку плотоядных завров для получения нужных тебе доказательств? Ты лучше сразу же передумай! В двадцать два года я, может, еще бы увлекся этой идеей, но теперь все обстоит чуточку по-другому! Для стрельбы из этих устаревших монстров, наверное, нужен великан.

— Ты и сам не такой уж малыш,— сказала она.— Но, скорее всего, стрелять вовсе и не придется! Они лишь для самозащиты. На случай, если какой-нибудь хищник перевозбудится, пока я буду снимать фильм-доказательство — ведь я купила еще и кинокамеру для съемки цветного звукового кино. С телеобъективами и всем, что положено.

— Но почему же два ружья? Я еле смогу понести одно, а ты будешь нагружена камерой...

— Я взяла два ружья,— объяснила она,— потому что не хочу, чтобы ты был там без помощника. Мы еще понятия не имеем, как это все будет выглядеть на деле, но я думаю, что все же это достаточно рискованно. Поэтому лучше пусть там будут два стрелка. Я и подумала, может, стоило уговорить кого-нибудь из твоих прежних приятелей?..

— Райла, но мы же собирались держать пока все это в тайне! А теперь уже информация начала утекать. Бен Пэйдж понаблюдал за Хайрамом, у которого сделался очень важный вид, и заподозрил что-то...

— Мы, конечно, не должны особенно распространяться,— сказала она,— но должны вернуться оттуда невредимыми, иначе любые полученные нами доказательства окажутся бесполезными!

Мне это не слишком понравилось, но я усмотрел все же логику в ее словах.

— А что, если нам взять туда с собой Бена? — предложил я.— Он был бы неплохим спутником. Он считает себя великим охотником, да, впрочем, это не так уж и расходится с истиной. Каждую осень он отправляется на охотничий сезон в Канаду и на Аляску. Лоси, снежные бараны, гризли — он охотится на всех этих животных. Несколько лет назад он добыл бурого медведя. И еще карибу, северного оленя. Он давно мечтал попасть в Африку, да так и не собрался, а теперь там и охота заглохла...

— А он захочет отправиться с нами и станет ли помалкивать обо всем, что увидит?

— Думаю, да. Я ведь кое-что был вынужден ему рассказать относительно вероятности наличия звездолета в той воронке. Он поклялся соблюдать это в тайне. И он это сделает, поскольку у него есть свой интерес в этом.

— Нам, конечно, нужен второй мужчина,— сказала Райла.— Я не очень ясно представляю, что там будет в стране динозавров, но все же...

— Я тоже не представляю,— согласился я.— Это может оказаться ужасным. И следует позаботиться о безопасности. Там будет много травоядных, вполне мирных животных, как я предполагаю, но ведь будут и какие-то хищники! Я не представляю, как много их там будет и насколько они агрессивны...

— А мне необходимо будет подобраться поближе хотя бы к парочке самых страшных. Это же положит начало делу с фирмой «Сафари»! У меня нет конкретных идей о том, как на них надавить, но то, что мы получим, может оказаться грандиозным! Кроме того, представляешь, сколько может отвалить настоящий неистовый охотник за шкурами только за то, чтобы оказаться первым, кто подстрелит яростного кровожадного динозавра?

Мы подошли к эскалатору, спускающемуся к багажному отделению.

— Давай-ка твой талон, я получу багаж.

Она открыла сумочку и вынула билетный конверт.

— Ты лучше найми подмогу,— посоветовала она, отдавая мне талон.— Эти вещи слишком тяжелы для нас.

— Два ружья,— сказал я.

— И еще кинокамера.

— Возьму носильщика,— согласился я.

— Наиболее трудным было,— сообщила она,— не наплести им что-нибудь о машине времени. Если бы я сказала, что мы ее построили, они бы скорее мне поверили. У нас же к машинам столько почтения! Они нас просто завораживают! Если бы я сумела придумать какую-либо занятную байку и охмурить их ею, это произвело бы впечатление. Теоретические россказни о машине времени. Но я ничего такого не смогла придумать. А сказать им о Кошачьем Лике — значило все погубить. Я просто обмолвилась, что мы располагаем способом перемещения во времени, надеясь, что они под «способом» станут подразумевать машину. Но не тут-то было. Они, естественно, осведомились о машине, и были заметно разочарованы, когда я сказала им, что это не машина.

— Ну конечно же,— сказал я,— как можно ожидать от них доверия при отсутствии машины?

— Эйза, а куда мы отправимся делать наш фильм?

— Я уже ломал над этим голову,— ответил я,— и ничего толком не решил. В поздний юрский или ранний меловой период? В каждом из них можно найти огромное разнообразие видов, хотя точно ни в чем нельзя быть уверенными. Отпечатки на камнях, по всей видимости, отражают именно эти два возраста Земли, но окаменелости — это, к сожалению, все, чем мы располагаем. По-видимому, огромное количество информации утеряно. А мы рассуждаем обо всем этом так, словно что-то знаем, между тем располагаем лишь разрозненными кусочками и обломками, а вовсе не ясной картиной. Но все же если мы заглянем в ранний меловой период, то не исключено, что найдем там зверя, который больше других заинтересовал бы наших «белых охотников». Я имею в виду старину королевского тираннозавра, или тираннозавра рекса.

— Да, они его как раз и упоминали! — вспомнила Райла.

— Рекс появился позднее,— сказал я.— Вернее, некоторые так думают. Он мог иметь гораздо большие размеры, чем свидетельствуют отпечатки, и выглядеть еще страшнее. В любом случае охота на него просто безумие! У него рост восемнадцать футов, длина до пятидесяти, вес около восьми тонн, а может, и более. К тому же он наделен неукротимым охотничьим инстинктом. И мы не знаем, как много их там может оказаться. Возможно, что и не слишком. При таких размерах он требует огромной территории обитания и может на многих квадратных милях вокруг себя оставлять совершенно мертвую зону.

— Мы подумаем обо всем этом позже,— заметила она.

Глава 15

ПОСЛЕ ПОЛУДНЯ я позвонил Бену.

— Ты собираешься начать строительство своего мотеля?

— Ты что-то имеешь мне сообщить? — оживился Бен.— Он полностью спроектирован. Хотелось бы знать, что там у тебя?

— У меня кое-что имеется,— ответил я.— Есть некоторые подвижки. Я и Райла хотели бы потолковать с тобой. Ты мог бы к нам подъехать? Здесь нам было бы сподручнее поговорить.

— А я как раз закончил все сегодняшние дела. Могу подъехать сейчас же.

Я повесил трубку и сказал Райле:

— Мне этот бизнес все же не по душе! С Беном-то, возможно, будет полный порядок. Он же собирается сделать рывок со своим мотельным бизнесом, а может, и еще с чем-нибудь. Но меня лично слегка мутит от этого. Слишком рано посвящать кого-либо в наши тайны!

— Но ты же все равно не сможешь держать такое вечно под спудом,— ответила она.— И как только мы начнем строить ограду, люди догадаются, что ты что-то затеваешь. Ты же не сможешь построить ограду десятифутовой высоты вокруг участка в сорок акров лишь из-за пустой прихоти! Кроме того, нам нужен Бен или кто-нибудь еще, чтобы хотя бы просто нести второе ружье! Мы же уже решили с тобой, что было бы безумием отправляться на свидание с динозаврами, имея всего одно ружье. И ты сам сказал, что Бен как раз тот, кто нам нужен!

— Он самый лучший из всех, кого я здесь знаю. Бен — охотник. Он знает, как обращаться с ружьем. Он большой, сильный, тренированный и не поддастся панике в трудной ситуации. Но вся эта затея сулит неожиданности, поэтому мы должны держать наши пальцы скрещенными, чтобы не сглазить!

Я открыл дверцу шкафчика, взял бутылку, поставил ее на кухонный стол. Я расставил три стакана и отправился за льдом.

— Ты что, собираешься принять его здесь, на кухне? — удивилась Райла.

— А какого же черта еще, он ведь даже не будет знать, как реагировать, если его усадить в гостиной! Это будет слишком официально и может его спугнуть. Здесь ему будет куда удобнее!

— В таком случае,— заявила она,— и я целиком за это. Мне самой тут больше нравится. Атмосфера кабачка...

По дорожке кто-то затопал, направляясь к кухонной двери.

— Он не заставил себя долго ждать,— заметила Райла.

— Бен наверняка взволнован. Почуял запах денег...

Я открыл дверь, и Бен ввалился внутрь. У него был вид пойнтера, сделавшего стойку над кроликом.

— Ты что, все же нашел это? — спросил он с ходу.

— Бен,— сказал я.— Присядь-ка. Мы должны обсудить с тобой одно дельце. Бизнес.

Спиртное было разлито по стаканам, мы уселись вокруг стола.

— Да говори же, Эйза, что там у тебя на уме? — снова не выдержал Бен.

— Прежде всего,— сказал я,— должен кое в чем тебе признаться. Я вчера немножко приврал. Вернее, сказал половину правды. И притом не самую важную.

— Ты полагаешь, там нет звездолета?

— Да нет же. Как раз он есть. С этим все в порядке!

— Так в чем же заключается твой «полуправдивый бизнес»?

— Дело в том, что звездолет всего лишь часть полного дела, малая его часть. Более важное заключается в том, что мы наткнулись на возможность перемещений во времени. В прошлое, а может быть, даже в будущее. Мы были настолько этим ошарашены, что даже не помышляли вначале просить...

— Кого и о чем просить?

У Бена так отвисла челюсть, словно его стукнули чем-нибудь тяжелым.

— Может, лучше всего начать сначала,— сказала Райла.— Расскажи ему все, как было, а то вопросам и ответам конца не будет!

Бен одним залпом осушил свой стакан и потянулся к бутылке.

— Ну так,— сказал он Райле,— вы сами мне и расскажите!

Он, похоже, еще не врубился ни во что.

Я сказал Райле:

— Давай расскажи ему! А то у меня уйдет на это больше времени. А я пока займусь своей выпивкой!

Она выложила Бену все очень точно и лаконично, без лишних слов и восклицаний, начиная с того момента, как я купил эту ферму, и кончая своими переговорами в Вашингтоне и Нью-Йорке.

Пока она говорила, Бен не шелохнулся. Он сидел молча, с остекленевшими глазами. И даже после того как она закончила, он еще некоторое время оцепенело молчал. Наконец он шевельнулся.

— Там есть одна вещь, которая меня доконала,— глухо вымолвил он.— Вы сказали, что Хайрам может разговаривать с этой тварью, Кошачьим Ликом. Выходит, он и с Баузером может вести беседы?

— Мы этого не знаем,— серьезно ответила Райла.

Он покачал головой.

— Все, что вы рассказали, переварить очень трудно. Ну как же можно вернуться в прошлое?

— В том-то и дело, что можно,— кивнула Райла.— И мы докажем это. Мы отправимся в прошлое, в такое, какого никто никогда не видал, и принесем с собой оттуда кинофильм. Есть одна вещь, которую мы вам еще не сказали, Бен. Эйза и я решили отправиться в эпоху динозавров и хотим, чтобы вы составили нам компанию!

— Я? Вы хотите, чтобы я отправился с вами? Назад, к динозаврам? — задохнулся Бен.

Я поднялся из-за стола и направился в гостиную, где мы разместили покупки, сделанные Райлой для исполнения нашего замысла. Я вернулся с одним из тех двух ружей и положил его перед Беном на стол.

— Ты знаешь, что это такое? — спросил я его.

Он поднял его и покачал в руке, взвешивая. Потом повернулся на своем стуле, наставил ружье на окно кухни, оттянул затвор, посмотрел через прицел.

— Слоновое ружье,— сказал он.— Я о таких слышал, но ни разу не видал. Двуствольное. Вы видели этот прицел? С такой штукой можно сбить слона с ног!

Он пытливо взглянул на меня.

— Но может ли оно сбить и динозавра? Крупного динозавра?

— Этого никто не знает,— ответил я.— При хорошем прицеле его можно хотя бы остановить. А можно ли убить, я не знаю! У нас только два таких ружья. Когда мы с Райлой отправимся в страну динозавров, я понесу одно из них. Она будет нагружена кинотехникой — камерой и прочим. И мы надеемся, что второе ружье понесешь ты. Мы, конечно, не знаем, что нас там ждет, но в любом случае два ружья лучше, чем одно!

Бен перевел дыхание.

— Динозавры! — тихо произнес он.— Вы даете мне шанс пойти с вами? С таким ружьем?

— Вы не совсем точно выразились,— заметила Райла.— Мы не даем вам шанс пойти с нами. Мы *просим* вас об этом!

— Вы не можете меня просить,— ответил Бен.— Скорее, вам бы надо попросить меня отказаться от этого! Африка! Я ведь всегда мечтал туда попасть. Но это куда похлеще Африки!

— Это может оказаться слишком опасным. Может и нет. Как вам сказал Эйза, ничего нельзя знать заранее.

— Но вы же сами туда пойдете?

Райла ответила надменно:

— Мне же надо поработать камерой!

— Ах да, еще и кино! — задохнулся Бен.— Мой Бог, да кинопрокатчики поубивают друг друга, чтобы к этому подступиться! Миллион баксов*! Пять миллионов баксов! Вы можете назначить собственную цену!

— Мы этим займемся попозже,— ответила Райла.— А может, киношники и сами захотят поснимать! Найдется работенка и для кинопрофессионалов!

— А вы будете продавать им права,— подхватил Бен.— Приятная перспектива!

— Но мы не позволим делать дешевку,— заключила Райла.

— А я,— не унимался Бен,— раззвоню всем о маленьком мотеле поблизости с номерами на две и четыре персоны. Хотя, чтобы весь этот бизнес поставить на ноги, потребуется приличный начальный кусок. Как вы собираетесь регистрировать это дело? Есть ли надежда на кредиты? Не надо слишком много акций. И только малый процент дивидендов...

— Мы сможем обсудить это потом,— сказала Райла.— Сперва нам надо подумать, какие мы сможем представить доказательства, когда вернемся от динозавров. Если у нас не окажется доказательств, все наши усилия пойдут прахом. И никакого будущего это дело иметь не сможет.

— И как далеко вы хотите углубиться в прошлое?

---

* Жаргонное название доллара.

— Мы обсуждали разные варианты,— сказал я.— И пришли к выводу, что на семьдесят миллионов лет назад по крайней мере. А может, и значительно дальше!

— Мы рады, что вы согласны пойти с нами,— произнесла Райла.— Нам нужен человек, умеющий обращаться с ружьем, знающий, как надо охотиться, как переносить трудности и как наблюдать за всем вокруг.

Бен покосился на меня.

— А ты когда-нибудь стрелял из такой штуки?

Я покачал головой.

— Если ты не научишься правильно его держать,— сказал он,— оно может снести тебе голову. Отдача здесь может оказаться ужасной. Нам надо попрактиковаться, прежде чем мы отправимся туда!

— Но здесь негде этим заняться,— возразил я.— Мы переполошим всех в этой густонаселенной местности! Нам лучше даже и не пытаться. Слишком много шума и толков будет. Нам вовсе этого не надо. Мы же как-никак решили пока все сохранять в тайне!

— А патроны-то у вас имеются?

— Да есть немного. Думаю, что хватит.

— И ты полагаешь, что один такой патрон способен остановить динозавра?

— Это будет зависеть от того, насколько он будет велик. Некоторые из них столь огромны, что понадобилась бы пушка. Но нас это не должно особенно беспокоить, если мы постараемся держаться от них подальше. Они не должны причинить нам вреда. Единственные, кого нам надо остерегаться,— это динозавры-хищники.

Бен снова посмотрел в дула стволов ружья.

— Они в приличном состоянии,— отметил он.— Слегка затуманены, а может, покрыты пылью. Никаких следов ржавчины. Не повредит их слегка протереть и смазать. В том месте, куда мы направляемся, нам надо иметь гладко работающие ружья.

Он шлепнул ладонью по стволам.

— Добрая сталь,— сказал он.— Никогда не видел ничего подобного! Наверное, стоит целое состояние.

Райла пояснила:

— Я купила их у фирмы, организующей сафари, с учетом будущей сделки. Они готовы иметь с нами дело, если мы покажем им что-нибудь убедительное. Тогда они наконец поймут, что мы располагаем чем-то, что они смогут пустить в ход.

— Но есть еще одна вещь, которую мне бы хотелось подчеркнуть, Бен,— вмешался я.— Это будет вовсе не охотничья вылазка. Мы никак не отправляемся сейчас за динозаврами. Наша задача — сделать достаточно качественный фильм для того, чтобы убедить фирму «Сафари» и адвоката, друга Райлы. Мы не станем затевать никакой кутерьмы. Мы с тобой просто будем стоять на страже и действовать лишь в пределах необходимой обороны. Я хочу, чтобы ты это хорошенько усвоил, Бен!

— О, конечно, я это понимаю! — ответил он.— А позднее, быть может...

— Мы договоримся об этом, когда все устроится,— пообещал я.— Мы тебе обеспечим возможность поохотиться!

— Ну вот и прекрасно,— сказал он.— Но все-таки, раз мы туда отправляемся, нам обязательно следует опробовать эти ружья. Посмотреть, как они стреляют и как мы их держим. Мне надо знать, чего можно ожидать от этой штуковины, раньше, чем придется всерьез пустить ее в дело!

— Мы это обязательно сделаем,— ответила Райла,— но не здесь, а там. Здесь мы не можем из них стрелять.

Он положил ружье обратно на стол.

— Когда по вашему плану намечено отправление? — спросил он.

— Как можно скорее,— ответила Райла,— через день или два.

— Эта вылазка лишь одна из фаз всего дела,— сказал Бен.— Это только начало. Вы должны подумать о массе других вещей. И раз это привлечет людей, то здесь начнется давка. Вы должны обеспечить себе нечто вроде зоны безопасности. Нельзя же допустить, чтобы здесь шныряли все, кому не лень, да еще пролезали во временные туннели, или как вы их там называете! Вам придется купить себе защиту от всего этого.

— Мы намереваемся построить ограду вокруг своих сорока акров,— сообщила Райла.— Как можно более высокую. С ночным освещением и охраной, патрулирующей вокруг.

Бен присвистнул.

— Это недешево обойдется. Забор вокруг участка в сорок акров — дело нешуточное!

— А кроме того, нам потребуется административное здание,— добавила Райла,— да еще обслуживающий персонал. Вначале, возможно, и не слишком большой.

— Ну вот что я вам скажу,— заявил Бен.— А почему бы вам не обратиться за кредитом в мой банк? Для начала, скажем, пятьдесят тысяч, с возможностью его увеличения в случае необходимости. Вы занимаете только ту сумму, которая реально вам нужна. Если она, конечно, вам нужна. Вы выписываете чеки, а мы подтверждаем их платежеспособность.

— Бен,— сказал я.— Это же чертовски благородно с твоей стороны! А где же банкир с каменным сердцем?

— Да будет тебе,— отмахнулся он.— То, о чем я говорил, мы сделаем, если благополучно вернемся после нашей экскурсии. И естественно, я тогда должен буду знать, под какое обеспечение будут даваться деньги.

— У тебя есть какие-то сомнения?

— Не то чтобы сомнения. Когда я уйду отсюда и сяду в машину, я начну сам себе удивляться — какого это я свалял дурака, как дал себя провести. Я целую ночь буду твердить самому себе, что, как идиот, развесил уши, слушая ваши байки насчет этих перемещений во времени, которые абсолютно противоречат здравому смыслу! Но, сидя здесь и лакая ваше пойло, я нисколько не сомневаюсь ни в чем! Мои руки чешутся от желания принять в этом участие. Если это был бы кто-нибудь другой, а не ты, Эйза, я бы не поверил ни слову Но я помню, каким ты был в детстве. Я, конечно, состоял в этой шайке, но ведь я был банкирским сынком, а большинство остальных ребят относились к этому враждебно. Они считали, что я ставлю себя выше их, и, хотя этого не было, они были уверены в своей правоте. Поэтому они никогда не упускали возможности высмеять меня. Никто не любит банкира в маленьком городке. Я думаю, никто вообще не любит никаких банкиров. Говоря по правде, у моего старика была не шибко добрая репутация, и это, полагаю, перешло потом на меня. Но ты, Эйза, никогда не издевался надо мной, никогда не поддерживал тех, кто меня дразнил. И всегда за меня заступался. Ты относился ко мне как никто другой.

— Да ну,— сказал я,— вот уж нет в этом никакой заслуги! Ты был для меня точно таким же мальчишкой, как и все остальные. Мы ведь всего лишь составляли банду ребятишек маленького городишки, и каждый был похож на остальных...

— Вы понимаете,— обратился Бен к Райле,— вы понимаете, почему я верю этому чучелу?

— Рада слышать это от вас,— откликнулась Райла,— и мы будем вам благодарны за любую помощь. Это дело будет слишком большим только для нас двоих.

— А почему бы вам не позволить мне слегка обработать публику в связи с этой оградой? Я бы мог то тут, то там в разговорах с людьми создать у них совсем иное впечатление. Я постараюсь внушить им, что этот участок интересует кого-то, кто хотел бы здесь организовать звероферму. Ничего определенного, разумеется, я не скажу, а всего лишь намекну и буду давать уклончивые ответы. Для них это будет вполне в моем стиле — они как раз и подозревают во мне лисьи повадки. И все эти мозги я обработаю как раз к моменту, когда вы мне скажете, что ограду можно начинать строить. И еще я думаю, что смогу набрать достаточную команду работяг, готовых принять участие в этой стройке. Вся штука будет заключаться в том, чтобы ограда была построена как можно быстрее и никто бы не начал ломать голову над тем, что бы это могло означать! И пока еще не созрел урожай, вокруг полно фермеров, которые были бы совсем не прочь подзаработать деньжат. Я думаю, что вы должны четко промерить границы своего участка, прежде чем воткнуть в них эту ограду. Ни в коем случае нельзя допустить, чтобы она хотя бы чуточку выступала на территорию соседних участков. Что касается охранников, то это потруднее, но, думаю, и это можно будет организовать. Управление полиции Миннеаполиса испытывает трудности от сокращения городского бюджета, и у них уже уволено двадцать—тридцать ребят. Кое-кто из них вполне может согласиться перебраться сюда. Я поговорю с шерифом Ланкастера и посмотрю, что он думает по этому поводу. Не беспокойтесь, я не скажу ему больше, чем можно. Кроме того, вам еще понадобятся знаки, запрещающие въезд на эту территорию. Этот вопрос, я думаю, тоже требуется уладить. Эти знаки должны иметь стандартные размеры, и надписи на них должны отвечать принятым правилам. Я присмотрю и за этим!

— Бен, вы подумали обо всем! — сказала Райла.— Вы поистине опережаете нас!

— Когда вы идете на дело,— заметил Бен,— вы должны быть к нему готовы. Небольшое предварительное планирование может помочь избежать многих неприятностей.— Он посмотрел на свои часы.— Боже милосердный! — воскликнул он.— Я же опоздал к ужину! Майра спустит с меня шкуру! У нее какие-то свои правила относительно моей вечерней трапезы. Она считает, что ужинать надо как можно раньше.— Он встал и добавил: — Ну хорошо, будем держать связь. Вы мне дадите знать о всех ваших планах на отбытие. Мне надо будет отменить несколько ранее назначенных дел. Сослаться на отъезд или на что-нибудь еще.

— Нам хватит двух дней на подготовку,— сказала Райла.

— Для меня не составит особого труда быть тоже готовым к этому времени,— обещал Бен.

После того как он уехал, Райла сказала:

— Этот человек похож на вихревой поток!

— Ты поняла, что он задумал? — спросил я.— Он же норовит вступить с нами в дело!

— Мы будем платить его банку пять процентов,— решила Райла.— А у него-то самого деньжата водятся?

— Ну, для начала он кое-что наскребет,— предположил я.— Да еще есть оставленное ему наследство. Оно, может, и не так уж велико, но для начала сгодится.

Глава 16

ХАЙРАМ БЫЛ НАГОТОВЕ и поэтому очень важничал.

— Вы видите эти столбики?

Он указал на три колышка, окрашенных красной краской и вбитых в землю в ряд, один за другим.

— Эти колышки помечают вход в туннель. Вы должны будете всего лишь посмотреть на них и сможете туда войти.

Он вручил мне целую связку таких же столбиков.

— Когда вы там выйдете,— сказал он,— не бегите очертя голову, а осмотритесь. Воткните эти колышки вдоль того выхода из туннеля так же, как я воткнул здесь эти три. И тогда вы сможете узнать, где находится этот туннель, когда соберетесь вернуться.

— Но ведь здесь у тебя всего три колышка? — спросил я.

— Я дал вам больше,— важно объяснил Хайрам,— потому что вам надо обозначить место получше. Там ведь по ним могут пробежать разные твари, а здесь этого не случится. Я ваши колья сделал подлиннее и покрепче, чтобы вы могли вогнать их как следует.

— Хайрам,— спросила Райла,— вы думаете, это все, что от нас требуется?

— Конечно, мисс! Тут нет ничего трудного. Вы будьте спокойны. А если вы через несколько дней не вернетесь, я пошлю за вами Баузера. Он приведет вас домой. Помните, мистер Стил, он же вас вывел оттуда?

— Как же,— сказал я.— Спасибо тебе за все, Хайрам!

— Запомни, ты должен оставаться здесь на месте,— сказал Хайраму Бен.— Никуда не отлучайся! Не своди глаз с этого места. Эйза оставил достаточно провианта в холодильнике, и тебе за этим никуда не понадобится ходить.

— Ну а в душевую я могу отлучиться?

— Да, конечно,— ответил Бен.— Но управляйся там как можно быстрее. И не болтай ни с кем о том, что здесь делается. Даже если кто заявится с расспросами. Сюда может припереться Герб. Он унюхал, что мы что-то затеваем, и у него, конечно, появился зуд. Но кто бы что ни спросил, особенно насчет этих колышков, отвечай, что не знаешь!

— Когда мы уйдем,— сказала Райла,— он мог бы даже убрать их!

— Нет, я не могу,— возразил Хайрам твердо,— иначе как же я смогу пойти и спасти вас?

— Мы не нуждаемся ни в каком спасении,— сказал Бен.— Даже если мы немного задержимся, не волнуйся! Не посылай Баузера за нами. И не смей сам туда идти!

— Если я и отправлюсь,— торжественно заявил Хайрам,— то только с отрядом.

— Черт побери, не смей,— рявкнул Бен.— Вообще не предпринимай ничего. Ты просто должен оставаться здесь и ждать!

— Все в порядке, мистер Пэйдж! — ответил Хайрам.

Я посмотрел на двух своих спутников и увидел, что они вполне готовы к старту. Райла была нагружена своей камерой и всем, что к ней прилагалось, у меня и Бена были за спинами рюкзаки, а в руках огромные ружья. Бен еще вдобавок запасся охотничьим ружьем, висевшим на ремне через плечо. Он объяснил, что оно пригодится для обеспечения нам свежего мясного рациона.

— Я никогда не отправляюсь на охоту без того, чтобы не подстрелить какую-нибудь дичь для еды. Живя на воздухе, мы должны иметь и свежее мясцо!

— Но там же будут только ящерицы,— сказал я.— Динозавры-ящеры и другие твари — тоже вроде них.

— А кто тебе сказал, что ящерицы несъедобны? — отпарировал Бен.— И даже динозавры! Я знаю массу людей, которые едят ящериц. И очень много читал об этом. Говорят, у них вкус цыплят...

Мы остановились у «ворот времени» — я впереди, Райла посередине и Бен замыкающим.

— Ну так пошли,— сказал я.— Только запомните одно: за миллионы лет длина суток могла измениться, и там может оказаться ночь. Кроме того, Кошачий Лик мог и не так уж точно все рассчитать. Он нацелился на дистанцию в семьдесят миллионов лет, но могут быть и погрешности в несколько лет. И вы понимаете, что...

— Эйза,— прервал меня Бен,— кончай свою лекцию. Давай двигаться!

Я шагнул вперед, и хотя я не поворачивал головы, но знал, что они следуют за мной. Я прошел вдоль черты, обозначенной колышками, и, когда я миновал последний из них, меня словно кто-то толкнул в спину. Но я сразу же сумел восстановить равновесие и увидел, что нахожусь в другом месте!

— Стойте где стоите! — скомандовал я своим спутникам.— Смотрите в том же направлении. Мы должны установить колышки, и никакого отклонения быть не должно!

Пока я это говорил, я не успел даже толком осмотреться. Все мои мысли были заняты тем, чтобы они в точности выполнили все как надо, ибо я панически боялся отклониться от выхода из туннеля. Я слишком хорошо помнил, в каком пиковом положении я оказался в плейстоцене и как не имел понятия, где же выход.

Вокруг нас была вовсе не ночь, как я предположил, а самый разгар дня, и хотя мы и сами не очень точно знали, куда попадем, по-видимому, это все-таки был поздний меловой период.

Нельзя сказать, что местность так уж сильно отличалась от той, которая окружала нас в Виллоу Бенде. Вокруг, конечно, было намного больше деревьев, но многие из них были хорошо знакомы: клены, березы, дубы, а кое-где и хвойные породы. Но прямо перед нами высилось нечто, похожее на огромный ананас, на вершине которого во все стороны торчало множество папоротникообразных ветвей. Это был древний папоротник — сикад, казавшийся тем более древним, что он рос на этой широте в меловой период среди таких знакомых мне «домашних» деревьев!

— Итак,— сказал Бен,— давайте втыкать колышки!

Я, не оборачиваясь, протянул ему колышек, а сам воткнул в землю на той же оси, где мы стояли, другой. Затем я шагнул вперед и воткнул еще один, а Бен — другой. Мы таким образом воткнули на одной линии шесть столбиков, причем Бен, идя за мной, углублял каждый следующий колышек чуть больше, чем предыдущий.

— Это позволит нам определить направление,— объяснил он.— Более высокие столбики ближе к дому.

— Смотри, сикад! — сказала мне Райла.— Они всегда меня очаровывали! Я купила как-то партию окаменелостей с их отпечатками.

— Чьих? — спросил Бен.

— Таких вот сикадов. Похожих на ненормальный ананас с хохолком.

— Ах, ананас! Ага, вижу! Это что, и вправду ананас?

— Нет, не сказала бы! — ответила Райла.

Мы с Беном сгрузили нашу ношу наземь. Райла подвесила свою кинокамеру на ветку.

— А ну-ка показывайте,— сказал Бен,— где все эти динозавры? Или вы меня одурачили?

— Да везде,— в тон ему ответила Райла.— Взгляните, например, на тот горный кряж. Там их целое стадо!

Бен покосился в ту сторону.

— Да ну, они же совсем маленькие,— сказал он.— Не больше овец!

— Динозавры бывают всех размеров,— пояснила Райла.— Начиная с величины курицы. Эти вот явно травоядные. Но они слишком далеко, чтобы определить их вид.

У нее с Беном, должно быть, зрение было острее моего. Я даже очертаний их почти не видел. И если бы эти твари не передвигались, пасясь, я бы их и вовсе не приметил.

Солнце стояло прямо над головой. Было тепло, но не жарко, и с запада тянул легкий бриз. Мне показалось, что стоит начало июня, когда еще не наступила летняя жара.

Итак, сперва я увидел «домашние» деревья, затем сикад. Теперь я стал присматриваться и к остальному. Земля была покрыта, хоть и не сплошь, карликовыми лавровыми кустами, сассафрасиями* и еще какими-то кустарниковыми растениями. Трава росла редкими участками — грубая, жесткая трава. Ее было немного, совсем не как в плейстоцене, где она сплошь покрывала всю землю, до последнего квадратного дюйма. Меня вообще удивило наличие даже этой травы. В меловом периоде, если верить книгам, травы быть вообще не должно. Она якобы появится много позднее, через несколько миллионов лет! Но она была, и это свидетельствовало о том, как ошибочно мы иногда судим о различных периодах жизни на Земле. Здесь и там, на расстоянии друг от друга, между рощами знакомых деревьев, небольшими участками росли низкорослые пальмы. Мы когда-то учили, я помню, что в переходные моменты между разными геологическими периодами могли встречаться и лиственные породы, и уже вымирающие, более примитивные виды растительности. Здесь как раз они и были перемешаны.

Поскольку растительный покров был не таким густым, каким он станет через миллионы лет, когда разовьются настоящие травы, то почва была неровная, пересеченная множеством трещин, оставленных ручьями от летних ливней. По такой земле было не вполне безопасно передвигаться. В любую минуту можно было оступиться, и мы вынуждены были все время смотреть себе под ноги.

---

* Дерево из семейства лавровых.

Бен нагнулся и взвалил себе на плечи рюкзак.

— Нам следовало бы найти место для стоянки,— сказал он.— И если удастся, поблизости от воды. Тут недалеко должен быть родник. Дома, когда мы были подростками, здесь их было немало, помнишь, Эйза? Потом много деревьев вырубили, землю превратили в пастбища, и большинство родников пересохло.

Я кивнул:

— Но здесь-то мы без труда найдем хотя бы один. Попробую восстановить в памяти географию местности. Река все еще здесь, к западу и югу, но русло ее не то. Посмотри, оно здесь прямое и излучины нет! Река течет там, где потом образовалась ивовая излучина!

— Вижу,— сказал Бен.— Здесь как-то все размыто, непохоже. Но я надеюсь, хоть горы и болота остались теми же? Давай попробуем восстановить их месторасположение.

— На этой древней земле,— подала голос Райла,— ничего такого нет, что бы сильно повлияло на вид ее ландшафта между этой порой и временем Виллоу Бенда. Тут нет внутриконтинентального моря, нет ледниковой активности. Канзасское море лежит во многих-многих милях к западу отсюда. И, за исключением возможных озер, здесь вряд ли имеются крупные водные массы. Исходя из этого, мы можем и не найти здесь много травоядных ящеров.

Я поднял свой рюкзак и вдел руки в его лямки. Райла тоже приладила свою ношу поудобнее, и мы во главе с Беном и в арьергарде со мной двинулись в путь. В зарослях кустарника, попадавшихся нам по дороге, кто-то взвизгивал и улепетывал, прячась поглубже под ветками. Должно быть, подумал я, какие-нибудь маленькие млекопитающие. Может, кролики, может, опоссумы, а может, даже белки? Прячась от рыскающих вокруг плотоядных существ, вечно голодных и жестоких, эти маленькие прыгуны ухитрились выстоять и дожить до тех времен, когда на Земле исчезли огромные массы рептилий!

Бен вел нас к реке, держа курс на запад. Идти было трудновато. Ровной почвы не было. Приходилось все время смотреть под ноги, чтобы не упасть. И при этом почти не оставалось возможности наблюдать за тем, что находилось вокруг. А инстинкт подсказывал, что наблюдать не мешало бы!

Ружье начинало казаться все более тяжелым и неуклюжим. Я держал его неловко и уже начал думать, что черта с два я сумею пустить его в ход, если какое-нибудь истекающее слюной кровожадное существо внезапно ринется на нас. Рюкзак тоже не был подарком, но ружье было хуже.

Черепаха — огромная черепаха — высунула голову размером с бочку из березовой рощицы в сотне шагов от нас. Она качнула головой, помедлила, моргнула, затем неторопливо двинулась к нам. При виде этой шишковатой массы, выползающей из берез, мы похолодели. Бен наполовину вскинул ружье.

Это выглядело похожим на огромную черепаху, но черепахой не было. У него был панцирь как настоящая броня. И оно продолжало двигаться, все время поглядывая на нас и моргая. Перепончатая мембрана закрывала и открывала его глаза. Существо двигалось вперевалку, лишь слегка отрывая короткие ноги от земли.

Справа от меня зажужжала камера Райлы, но я не повернул к ней головы. Я все время смотрел на эту тварь.

— Все в порядке,— произнес я, надеясь, что и в самом деле все в порядке.— Это анкилозавр. Он не хищник.

Но теперь ящер уже выполз из рощи и был виден во всю свою пятидесятифутовую длину. Его волочащийся по земле хвост был увенчан массивной шипастой булавой на конце.

Камера продолжала работать жужжа, и старина-броненосец остановился. Он громко фыркнул на нас, поднял свою страшную булаву и с силой ударил ею по земле.

— Будь я проклят,— сказал Бен,— он же нам грозит!

— Нам это не страшно,— возразил я.— А вот если на него кинется хищник-динозавр, он даст этой дубинкой ему прямо по зубам!

Анкилозавр решил не связываться с нами и пополз в сторону, явно успокоившись. Райла выключила камеру.

— Ну, давайте искать место для лагеря,— предложил Бен.

Спустя полчаса мы нашли подходящее место около родника, бьющего на склоне горы и скрытого лесом, где росли могучие клены и дубы. Они напомнили мне иллюстрации, изображавшие старые английские леса в ранних изданиях Теннисона.

— Великолепно! — сказал Бен.— Теперь мы защищены. Ни один крупный зверь не проползет с легкостью среди этих деревьев.

— Не исключено, что мы преувеличиваем агрессивность плотоядных ящеров,— предположил я.— Может быть, они и не нападут, если мы им попадемся на глаза. Мы же для них выглядим необычно, не похожи на их привычную добычу. Они могут даже отпрянуть от нас! К тому же здесь их может и не быть так уж много!

— Даже если и так,— констатировал Бен,— мы не должны упускать из виду ничего. И будем держаться все вместе. Никто не должен отходить в сторону. И мы не можем поступиться ничем из своей программы. Когда мы разобьем палатки, надо будет потренироваться с ружьями.

Мы быстренько распаковали свои рюкзаки и поставили палатки, примитивно натянув два небольших тента под деревьями. Затем оборудовали очаг, выкопав яму и набрав ворох хвороста, щепок и сухих поленьев. Мы сложили их рядом с очагом.

— Ты и я будем поочередно караулить ночью,— сказал Бен.— Нельзя допустить ни малейшего промаха!

Когда наш лагерь был полностью готов, мы с Беном начали опробовать наши ружья.

— Задача в том,— объяснил он мне,— чтобы не слишком плотно его прижимать. Не напрягайся, расслабься. Прижми приклад к плечу, но не слишком усердствуй. В этом ничего особенного нет, просто ты должен постараться, чтобы приклад не отскочил от твоего плеча и не стукнул тебя по подбородку. Ты сам подайся вперед при выстреле. Не очень сильно, но подайся на него.

У самого Бена проблем с этим не было. Он и раньше имел дело с крупнокaлиберками, правда, не с такими большими, как эти. Что касается меня, то дело обстояло несколько иначе. Я вообще никогда не стрелял из оружия калибром больше двадцати двух, но я хорошо запомнил советы Бена, и дело пошло не так уж плохо. Первый выстрел почти отбил мне плечо и отбросил меня на шаг или два, но я все же не свалился наземь! Второй выстрел оказался удачнее, третий вышел уже вполне приличным. При четвертом, последнем, выстреле я даже не ощутил отдачи.

Огромная одинокая береза, ствол которой мы выбрали в качестве мишени, была вся искорежена нашими пулями.

— Неплохо,— одобрительно заметил Бен.— Ты не поддался и не дал ему навредить тебе. Если бы это случилось, то при каждом выстреле ты бы напрягался и опасался. И тогда тебе не удалось бы попасть даже в широкий сарай на расстоянии тридцати шагов!

— Эйза,— тихо произнесла Райла откуда-то сбоку.

Я обернулся и увидел, что она сидит прямо на земле, скрестив ноги, положив локти на колени, чтобы удержать тяжелый бинокль.

— А ну-ка погляди,— предложила она,— там их довольно много. Небольшими группами и поодиночке. Они сливаются с фоном, и их трудно различить. Смотри повыше, левее той группы из четырех деревьев, на той гряде, что уходит назад от реки.

Она передала мне бинокль, но я не мог удержать его стоя. Я должен был так же, как и она, сесть на землю и использовать свои колени как подпорку для собственных локтей.

Я не сразу понял, на что она хотела обратить мое внимание, но наконец натолкнулся взглядом на что-то подвижное и стал подкручивать регулировочный винт бинокля, чтобы лучше сфокусировать изображение. То, что я увидел, сидело на корточках, отдыхая, откинувшись назад, изогнув колени и опираясь на огромный хвост. Громадное туловище вытянулось почти вертикально, и безобразная голова раскачивалась из стороны в сторону, как бы обозревая все вокруг.

— Как ты думаешь,— спросила Райла,— это тираннозавр?

— Не знаю,— ответил я,— не могу сказать с уверенностью.

Проблема, конечно, заключалась в том, что никто не мог быть стопроцентно уверен ни в чем. Все, что до нас дошло от всех этих динозавров, было лишь костями да еще в немногих случаях окаменевшими останками с небольшими участками уцелевшей шкуры. Наше зрительное восприятие этих существ базировалось на воображении художников, быть может, и превосходном, но отнюдь не претендующем на достоверность в отношении многих деталей.

— Только не рекс,— сказал я.— Передние лапы слишком велики. Может быть, трионихид или другой вид тираннозавра, не дошедший до нас в окаменелостях. Мы же не можем утверждать, что располагаем отпечатками всех видов. Впрочем, кто бы это ни был, это громадный зверь. Он сидит, отдыхает, благодушно озирается вокруг, оценивая, а нет ли еще какой живности, которую можно сожрать.

Я продолжал разглядывать зверя. Если не считать раскачивающейся головы, он был совершенно неподвижен.

— Передние ноги слишком развиты,— повторила Райла.— Это и меня озадачило. Если бы мы попали на несколько миллионов лет назад, я бы рискнула сказать, что это аллозавр. Но теперь-то аллозавров быть не должно? Они же давно вымерли?

— А может, и не вымерли,— предположил я.— Мы ведем себя так, будто постигли всю историю динозавров по найденным окаменелостям. Если мы находим один тип динозавра в старом пласте и не находим его в более позднем, мы объявляем, что он уже вымер! А скорее всего, мы просто впадаем в ошибку лишь потому, что увидели этот тип в более молодых геологических пластах. А аллозавры, может быть, существовали до самого конца!

Я вручил бинокль Бену, показав ему на дальнюю купу деревьев.

— Смотри левее от них.

— Эйза,— сказала Райла.— Я хочу его заснять. Это же первая крупная тварь, которую мы видим!

— Используй телеобъективы,— посоветовал я.— Они сумеют его уловить.

— Я пробую,— ответила она.— Но получается очень нечетко. По крайней мере на глазок. А мне нужно очень ясное изображение! Чтобы убедить ту публику в фирме «Сафари». Они врубятся в это, только если все будет видно отчетливо и с достаточно малого расстояния!

— Мы можем попробовать подобраться поближе,— сказал я.— Он, правда, далековато, но попробовать можно.

— Малый-то смывается! — воскликнул Бен.— Чешет вверх по гряде. Движется быстро. Может, приметил добычу?

— Черт возьми! — огорчилась Райла.— Это все ваша стрельба. Он встревожен.

— А мне он вовсе не показался встревоженным,— возразил я.— Он просто там спокойно сидел. Да и вряд ли стрельба отсюда показалась ему такой уж громкой.

— Но мне же так нужно заснять что-нибудь крупное! — повторила Райла.

— Мы найдем тебе это,— пообещал я, желая ее успокоить.

— Мелких зверей тут довольно много,— отметила она.— Страусовые динозавры и маленькие стада тварей поменьше, размером с индеек. Небольшое количество анкилозавров. Какая-то рогатая мелочь. Все сорта ящериц. Крупные черепахи внизу у реки... Но кого заинтересуют крупные черепахи? Какие-то летающие рептилии, думаю, птерозавры. Несколько видов птиц. Но ничего, абсолютно ничего впечатляющего!

— Не имело смысла гнаться за тем крупным типом,— сказал Бен.— Он передвигался быстро, будто знал, куда спешит. Пока мы достигли бы его исходной позиции, он был бы совершенно вне досягаемости. Мы можем позволить себе небольшую прогулку, если вам угодно. Может, мы кое-кого и поднимем на ноги. Но слишком удаляться мы не должны. Сейчас уже солнце клонится к закату, а мы должны будем вернуться в лагерь до наступления темноты.

— Во тьме мы будем в большей безопасности, чем в любое другое время,— сказал я Бену.— Сомневаюсь, чтобы какая-либо из рептилий стала крутиться вокруг после захода солнца. Они в это время либо спят, либо готовятся ко сну. Они же создания с холодной кровью, и шкала их температурной активности весьма узка. Выползают наружу, лишь когда солнце достаточно греет, и прячутся в свои норы по ночам.

— Возможно, ты и прав,— откликнулся Бен.— Конечно, это так! Ты осведомлен об этом лучше моего. И все же я чувствую себя спокойнее ночью в лагере около доброго костра!

— Мы не можем быть абсолютно уверены в том, что динозавры по ночам не рыщут,— вдруг сказала Райла.— Во-первых, еще не факт, что после захода солнца температура так уж сильно падает. Во-вторых, имеются аргументы, говорящие, что динозавры не обязательно холоднокровны. Существуют довольно убедительные мнения некоторых палеонтологов о том, что кое-кто из них теплокровен!

Она, конечно, была права в том, что такие аргументы и мнения существовали. Я читал об этом, но меня это не слишком убедило. Однако я не стал ей возражать. Ясно, что Райла была с этими суждениями согласна, но сейчас было бы совершенно неуместно ввязываться в научную дискуссию!

Откуда-то с севера вдруг донесся рев. Мы замерли и прислушались. Звуки не приближались, не удалялись, но и не прекращались. Все остальные звуки вокруг исчезли, и в промежутках между воплями неизвестного зверя было абсолютно тихо. До этого мы как-то не очень прислушивались к окружающему нас звуковому фону, но теперь ощутили его отсутствие. А фон этот состоял из пофыркиваний, негромкого птичьего щебета, массы всяких верещаний и писков.

— А может, это наш приятель с горного кряжа? — спросил Бен.

— Может, да, а может, и кто-то другой,— откликнулась Райла.

— Я и не знал, что динозавры издают звуки!

— А никто и не знает. Большинство ученых придерживается мнения, что они существа молчаливые. А вот мы знаем, что они очень даже могут шуметь!

— Если мы вскарабкаемся на вершину нашего холма,— предложил Бен,— то, возможно, и увидим этого крикуна?

Мы так и сделали, но никакого ревуна не обнаружили. Рев прекратился еще до того, как мы добрались до вершины. В бинокль также не удалось увидеть никого достаточно крупного, чтобы быть источником такого звука.

Мы не нашли того крикуна, но вспугнули массу разной живности.

Небольшие стайки страусоподобных динозавров (орнитомимов), похожих на крупных ощипанных птиц, побежали прочь от нас. Маленькие хрюкающие рогатые твари шириной около двух футов в плечах заковыляли в сторону от своих ямок, которые они расковыривали рогами в поисках корневищ и клубней. Под нашими ногами, шурша, проскальзывали змеи. Мы вспугнули стаю гротескных неуклюжих птиц размером с тетеревов или чуточку крупнее. Они возмущенно захлопали крыльями. Выглядели эти птицы очень забавно. Их оперение казалось чем-то ошибочным, случайным и не способствующим нормальному полету.

Немного поодаль мы увидели несколько игуанодонов высотой около шести футов. Судя по известным нам отпечаткам, они должны были быть намного крупнее. Эти выглядели хоть и вялыми, но достаточно страшными существами и, открывая рот, демонстрировали очень приличные клыки. Такие зубы вряд ли предназначались для пережевывания травы или веток. Эти звери, несомненно, были хищниками. Мы довольно близко подошли к ним. Я и Бен держали ружья наготове. Я пытался их расшевелить, но они не проявили никакого интереса. Бросив на нас лишь сонно-подозрительные взгляды, они отвернулись и затопали прочь.

Все послеполуденное время камера Райлы стрекотала почти непрерывно. Полностью использовав одну бобину пленки, Райла перезарядила аппарат. Но, кроме этих игуанодонов, ничего крупного так и не попалось.

Когда мы собирались вернуться в лагерь, Бен посмотрел на небо:

— Поглядите-ка!

Он показал на стаю птиц вдалеке. Их было не меньше сотни, и они темным облаком двигались к востоку.

Я настроил бинокль на фокус, и хотя они были далеко, никаких сомнений быть не могло.

— Птерозавры,— сказал я.— Значит, здесь где-то все же близко большой водоем.

Солнце уже через час должно было скрыться за горизонтом, когда мы вернулись в лагерь. На полпути мы наткнулись на группу из шести страусовых динозавров.

При виде нас они стали неохотно удаляться. Бен передал свое большое ружье мне.

— Подержи-ка минутку! — попросил он.

Он снял с плеча свою маленькую винтовку, но пока прицеливался, «страусозавры» начали улепетывать довольно быстро на своих длинных мощных ногах. Бен вскинул ружье и выстрелил, издав звук, похожий на сильный сухой щелчок. Одно из бегущих животных запрокинулось назад. Оно упало на спину, и его ноги рывком взметнулись в воздух.

— Ужин,— ухмыльнувшись, сообщил Бен.

Он снова перекинул ремень винтовки через плечо и потянулся ко мне, чтобы забрать свое большое ружье.

— Вы засекли это? — спросил он Райлу.

— А как же,— мрачно ответила она.— Это уже вошло в фильм. Первое убийство динозавра.

Бен заулыбался еще шире.

— И вы об этом знаете! — отметил он.

Бен двинулся к убитому динозавру. Он положил на землю большое ружье, и из ножен, укрепленных на ремне, вынул нож.

— Возьмись-ка за ногу,— скомандовал он,— и тяни на себя!

Все еще продолжая держать на весу собственное ружье, я схватил свободной рукой ногу динозавра и потянул к себе. Бен быстро и умело отсек ляжку от туловища.

— Порядок,— произнес он.

Он сам взялся за нее обеими руками и повернул ее сильным винтообразным движением. Она отделилась не полностью, и он еще двумя взмахами ножа закончил дело.

— Я понесу ее,— сказал я.— У тебя же два ружья.

Он хмыкнул:

— Можно было бы взять и вторую ляжку, но этого, пожалуй, хватит. Не стоит брать мяса больше, чем можешь съесть. Это баловство.

— Почему ты думаешь, что это годится в пищу? — спросил я.

— Во всяком случае, мы не отравимся,— ответил он.— А не понравится, выбросим и поджарим бекон.

— Вряд ли мы захотим это выбросить,— заявила Райла.— Это будет вполне съедобно.

— А тебе это откуда известно? — поинтересовался я.

— Но едим же мы кур, не так ли?

— Может, я полный дурак,— пробормотал Бен,— но какое имеют к этому отношение куры?

— Куры близки к динозаврам. На сегодня они к ним ближе всего. Прямые наследники, если пренебречь одним или двумя промежуточными звеньями.

Ну да, конечно, если пренебречь одним или двумя звеньями, подумал я, но снова воздержался от того, чтобы открыть рот. По правде говоря, она ведь не была полностью не права! Я воздержался насчет теплокровности динозавров, воздержусь и тут тоже...

Нам не пришлось эту ляжку выбрасывать. Она оказалась весьма вкусной, слегка напоминая телятину, впрочем, она была слаще и сочнее. Мы съели ее всю.

Подбросив дров в огонь, начинавший слабеть после нашей стряпни, мы уселись вокруг. Бен раскупорил бутылку виски и разлил жидкость в кофейные кружки.

— Немножко согревающего,— сказал он.— Охотничья порция. Всего-навсего, чтобы чуточку расслабиться и стать счастливыми. Чтобы продезинфицировать потроха.

Он роздал нам кружки и убрал бутылку. Мы сидели, потягивая виски, и мир был прекрасен. Нам было уютно возле огня, у нас уже имелся фильм, и все шло как надо. Мы не особенно много говорили. После переходов, совершенных нами, мы порядком устали и говорить не хотелось.

В подлеске, окружавшем наш лагерь, слышалась непрерывная возня и тихие писки.

— Это млекопитающие,— сказала Райла.— Бедненькие маленькие попрыгунчики, они же должны прятаться день-деньской!

— Не такие уж они несчастные,— возразил Бен.— У них все идет великолепно. Они будут жить здесь и тогда, когда все эти динозавры и их потомки начисто вымрут!

— Можно и так посмотреть на вещи,— ответила Райла.

— Нам надо поспать. Я буду дежурить первым,— сказал мне Бен.— А тебя разбужу в...

Он посмотрел на свои часы.

— Вот черт, они показывают четыре. Правильно. Наше время здесь не годится. Ну так я разбужу тебя примерно через четыре часа!

— Но ведь нас здесь трое! — заметила Райла.

— Вы спите спокойно,— ответил Бен.— Мы с Эйзой управимся сами.

Правда, мы натянули палатки, но было так тепло, что в них влезать не хотелось. Мы развернули спальные мешки и легли в стороне от тентов. Я, хоть и очень устал, долго не мог заснуть. День выдался нелегким. Бен сидел около огня какое-то время, затем, захватив большое ружье, направился к краю рощи.

Вокруг нас в роще по-прежнему что-то шныряло, шуршало и повизгивало. Я подумал, что этих млекопитающих здесь значительно больше, чем можно было предположить.

— Эйза,— позвала Райла.— Ты спишь?

— Почти. И ты усни,— ответил я.— Завтра будет трудный день.

Она больше ничего не сказала, и я тоже лежал молча, как бы отдаваясь медленным наплывам дремоты и уговаривая себя поддаться им. И в конце концов мне удалось заснуть, ибо следующее, что я осознал, было то, что Бен трясет меня за плечо. Я откинул верх мешка и встал.

— Все в порядке?

— Пока ничего не произошло,— ответил он.— Уже не так далеко до восхода.

— Так ты продежурил больше, чем собирался! — сказал я.

— Все равно я не смог бы уснуть,— отмахнулся он.— Слишком возбужден. Впрочем, попытаюсь, может, теперь удастся. Если не возражаешь, я использую твой спальный мешок. Нет смысла разворачивать мой.

Он скинул ботинки и влез в мешок, натянув на себя верх. Я отошел к огню, который ярко пылал. Бен успел подбросить несколько поленьев, прежде чем разбудить меня.

Писки и шорохи стали утихать, и вокруг постепенно воцарилось безмолвие. Было еще темно, но в воздухе уже ощущалось приближение рассвета. Где-то за рощей послышался треск. Я предположил, что это птица, вернее, птицы, ибо звук исходил не от одного существа.

Я подхватил ружье и пошел к краю рощи. Все вокруг тонуло во мгле. Бледный лунный серп светил едва-едва. Не было видно никакого движения внизу в речной долине, и все же что-то там передвигалось. Я не мог понять, что же это может быть. То, что двигалось, иногда переставало это делать, затем начинало снова. Я пытался себя убедить, что, если мои глаза привыкнут к темноте, я все же различу, что же там такое.

Минут через десять мне показалось, что я угадываю очертания каких-то темных масс. Я попытался напрячь зрение, чтобы разглядеть их получше. Они оставались темными неясными глыбами, но теперь отбрасывали короткие мимолетные движущиеся отблески, отражая свет луны. Все это время продолжался треск, и мне казалось, что доносится он все же именно со стороны долины и что он издается все большим количеством существ и становится все явственнее. Это был какой-то нереальный обманчивый звук, и трудно было точно определить, откуда же он все-таки исходил. Но я почти мог поклясться, что его издают те самые темные глыбы.

Я присел на корточки и вперил взгляд в ту сторону, но толком все еще не мог ничего разглядеть. Только те смутные массы, которые, казалось, иногда передвигались.

Хотя если и передвигались, то все же никуда не направлялись!

Не могу сказать, сколько времени я провел, сидя так на корточках, но явно немало. Что-то держало меня там, заставляя всматриваться в это движение в долине. Небо на востоке начало светлеть, и за моей спиной в роще сонно щебетнула птица. Я невольно повернул голову к роще, и, когда я вновь посмотрел в сторону долины, мне показалось, что эти черные глыбы стали более отчетливыми. Они оказались крупнее, чем я сперва подумал, и просто кружили на месте, но не все сразу. Одна или две из них двигались, потом останавливались, затем передвигались другие, и тоже — одна или две. Мне показалось, что это пасется стадо гигантских коров, и, подумав об этом, я понял, что эти глыбы именно пасутся! Это — пасущееся стадо. Стадо динозавров!

Пока я обдумывал свое открытие, заря от еще не взошедшего солнца стала разгораться все сильнее, и я внезапно разглядел, что же это было. Ящеры-трицератопсы*. Стадо трицератопсов!

Теперь, когда я уже знал, что это такое, я сумел разглядеть костяной гребень и блеск рогов, растущих прямо над глазами и остро направленных вперед.

Я поднялся медленно и очень осторожно, быть может, даже слишком осторожно, учитывая, что на таком приличном расстоянии я вряд ли им виден, и направился к нашему лагерю.

Я опустился на колени и потряс за плечо Райлу. Она пробормотала:

— Ну что там еще?

— Вставай,— сказал я.— Осторожно. Не шуми. Там стадо трицератопсов.

Райла выпросталась из мешка, все еще не вполне проснувшись.

---

* Крупные травоядные ящеры с носовым рогом, парой рогов на лбу, а также с расширенной в виде воротника задней частью черепа.

— Трицератопсы,— протянула она.— Рога и все прочее?

— Целое стадо. Внизу в долине. Совсем как стадо бизонов. Я не знаю, сколько их там.

Бен тоже приподнялся и сел в своем мешке, протирая глаза кулаками.

— Что там еще за дьявола принесло?

— Трицератопсов,— ответила Райла.— Эйза их обнаружил.

— Это те, у которых прямо на морде растут рога?

— Именно,— подтвердил я.

— Большие зверюги,— заметил Бен.— Скелет одного из них имеется в Музее науки в Сент-Поле. Я видел его несколько лет назад.

Он встал на ноги и поднял ружье.

— Ну так пошли! — сказал он.

— Еще слишком темно,— заметил я.— Надо бы дождаться рассвета. Давайте сперва позавтракаем.

— Ну, не знаю,— возразила Райла.— Я не хотела бы их тоже проворонить. Ты сказал, стадо? Целое стадо? Нормальные трицератопсы, не такие, как те маленькие твари, что нам попадались вчера?

— Большие,— ответил я.— Не могу тебе точно сказать, насколько они велики, но вполне подходяще. Вы вдвоем сходите туда, чтобы на них взглянуть, а я пока поджарю яичницу с беконом. Когда вернетесь, еда уже будет готова.

— Ты будь осторожен,— предупредила Райла.— Не шуми. Не звени посудой.

Они ушли, а я вытащил яйца и бекон, поставил на огонь котелок с кофе и начал стряпать. Уже начало светать, когда я отнес им тарелки с едой и котелок. Трицератопсы все еще оставались в речной пойме.

— Ты когда-нибудь в своей жизни,— сказала Райла,— видел что-нибудь прекраснее этого?

На самом деле это стадо было захватывающим зрелищем. На протяжении почти двух миль вдоль течения реки долина была покрыта этими животными. Они методично объедали низкорослый травяной покров поймы. Там имелись детеныши, не намного превышавшие размером свинью, были и экземпляры побольше, по-видимому, годовалые бычки, но большинство все же составляли крупные особи. С того места, где мы сидели, казалось, что в высоту они достигают пяти футов, а в длину вместе с хвостом — около двадцати. Массивный гребень надо лбом делал голову животного огромной. Именно эти гребни и были источником слышавшегося мне ночью треска.

— Что мы с этим предпримем? — поинтересовался я.

— Мы продвинемся в их сторону,— ответил Бен.— Будем идти медленно, без резких движений и звуков. Если они нас заметят, остановимся. Как только отвлекутся, пройдем еще. Надо проявить большое терпение. Райла будет в середине, мы по бокам. Если они проявят признаки агрессивности, Райла отступит, а мы останемся на месте. А дальше видно будет.

Мы доели завтрак и оставили тарелки и котелок на том же месте, не унося их обратно в лагерь. И начали наше шествие, если можно его так назвать.

— Не имеет смысла,— сказал я,— торчать во весь рост на виду у них.

Бен не согласился со мной.

— Если мы пригнемся или поползем к ним, мы их напугаем. А пока они нас видят, мы, может, и не покажемся им слишком опасными.

Это наше продвижение, наверное, заслуживало бы внимания публики! Мы делали всего пару шагов и останавливались, как только животные лениво отрывались от корма и удостаивали нас взглядом. По-видимому, Бен все же был прав. Они не слишком были озабочены нашим присутствием.

Мы переставали двигаться еще и для того, чтобы Райла отсняла это стадо, панорамируя камерой вверх и вниз, для общих и средних планов. Мы приблизились к ним почти на пятьдесят ярдов, когда они наконец по-настоящему обратили на нас внимание. Два больших самца прекратили пастись и повернулись к нам, подняв головы и угрожающе наставив рога прямо в нашу сторону. Их кинжальные острия смотрели прямо на нас.

Мы застыли. Слева от меня стрекотала камера, но я не сводил глаз с этих самцов, держа ружье на весу. Одним движением я вскинул его к плечу. И как это ни забавно, оно показалось теперь мне почти невесомым, хотя так досаждало раньше, когда я тащил его с собой!

Треск, издаваемый гребнями, прекратился. Все гребни животных вдруг одновременно замерли. Все они, все это стадо, подняли головы и уставились на нас. Целое стадо было в состоянии боевой готовности.

Бен тихо проговорил:

— Начинаем тихо отходить. Медленно. По шажку. Следите за тем, куда ставите ногу. Не оступитесь.

Мы начали отступление.

Один из крупных самцов рванулся вперед на несколько шагов. Я снова вскинул ружье. Но после этого внезапного рывка он остановился и яростно повел головой в нашу сторону. Мы продолжали отходить.

Другой самец тоже ринулся вперед и тоже остановился возле первого.

— Это обманные выпады. Они нас пугают, но не надо их раздражать. Отступаем дальше,— негромко произнес Бен.

Камера продолжала жужжать.

Оба самца не сводили с нас глаз. Когда мы были уже на расстоянии ста ярдов или чуть больше, они отвернулись и вновь побрели к стаду, которое уже снова спокойно паслось.

Бен облегченно вздохнул.

— Это было слишком близко,— сказал он.— Мы слегка переборщили.

Райла опустила камеру.

— Зато удалось здорово заснять,— заметила она.— Это то, что нам как раз и нужно!

— Этого тебе достаточно? — спросил я.

— Думаю, что да,— ответила Райла.

— Ну, тогда давайте возвращаться,— предложил я.

— Отступаем по-старому,— сказал Бен.— Не надо поворачиваться к ним спиной!

Мы еще довольно долго так отходили, потом повернулись и пошли к лагерю.

За нами вновь слышалось потрескивание гребней. Стадо продолжало мирно пастись. Все было снова в порядке. Докучливые посягатели отступили, и трицератопсы вновь могли заняться делом.

Я спросил Бена:

— А почему ты решил, что мы можем к ним приблизиться? Откуда ты знаешь, как могут вести себя динозавры?

— Я не знаю,— ответил он,— а просто действую наудачу. Я подумал, что они вряд ли отличаются от всех других животных, которых мы знаем в свое собственное время...

— Но ведь и в наше собственное время не подойдешь так близко к лосям или горным козлам?

— Нет, разумеется, к ним не подойдешь. Наверное, к лосям или горным козлам сейчас и приблизиться-то совсем нельзя. Теперь все животные знают, кто мы такие есть, и не подпускают нас к себе на выстрел. Вот в старые добрые времена, когда люди не встречались им так часто, к стаду можно было и подойти. Раньше в Африке охотники за бивнями приближались к слонам почти вплотную. На старом американском Западе до массовой охоты на бизонов к их стадам тоже можно было подойти поближе. Существовала лишь некая невидимая линия, которую нельзя было переступать. И большинство старых охотников могло на глазок эту линию рассчитать.

— Выходит, мы эту линию переступили?

Бен покачал головой.

— Не думаю, что это было так. Мы подошли прямо к ней, и они дали нам об этом знать. Если бы мы ее переступили, они бы обязательно напали!

Райла предупреждающе зашикала. Мы остановились.

— Треска нет,— сказала она.— Они перестали трещать.

Мы обернулись и увидели, что именно прекратило этот треск!

Двигаясь по низу холма в какой-нибудь полумиле от нас, в сторону стада направлялось чудовище, при виде которого у меня перехватило дыхание. Это был не кто иной, как старина рекс собственной персоной!

Не могло быть никаких сомнений, это был он!

Он выглядел не в точности так, как его изображали художники двадцатого столетия, но все же очень похоже, и ошибиться было невозможно!

Огромные мускулистые задние конечности, заканчивающиеся мощными когтистыми лапами, решительно переступали, буквально пожирая расстояние и приближая к стаду могучую жестокую тварь с неуемной агрессивностью. Но самой страшной была голова. Она поистине внушала ужас. Возвышаясь почти на двадцать футов над землей, она, казалось, состоит из одной только пасти, в которой в свете ранних солнечных лучей сверкали шестидюймовые клыки. Под нижней челюстью свисал не учтенный ни одним из художников нарост, который украшал эту тварь жутким по красоте радужным ошейником. В свете солнца этот ошейник переливался оттенками голубизны, желтизны, ало-красного, малинового и зеленого. Эти оттенки переходили один в другой, напоминая сияние виденных мной витражей в старинных храмах. Но я с неожиданной досадой подумал, что не могу припомнить, в каких именно церквах я видел такие витражи.

Камера Райлы вновь зажужжала, и я шагнул вперед, оказавшись между ней и этим чудовищным зверем. Уголком глаза я увидел, что Бен тоже шагнул вперед.

— Тираннозавр! — шепнула Райла самой себе. Это прозвучало как молитва.— Слава тебе, Господи, это же тираннозавр!

Внизу, в долине, трицератопсы совсем прекратили свою трапезу. Крупные самцы выстроились перед стадом, почти плечом к плечу, готовясь встретить приближающегося хищника. Они образовали как бы ограду из ярких костяных гребней и наставленных рогов.

Тираннозавр свернул под углом и двинулся в нашем направлении. Он был теперь гораздо ближе, чем на расстоянии полумили, которая нас разделяла, когда мы его впервые заметили. Он выпрямился и помедлил, как бы колеблясь. Ему, по-моему, должно было быть ясно, что это стадо так легко атаковать не удастся. Хотя крупные самцы были намного меньше его ростом, но их рога вполне могли пропороть ему брюхо. Он, конечно, и сам бы мог своими жуткими челюстями искромсать одного или двух из них, но пока бы он добрался до остальных, они бы выпотрошили его самого!

Он стоял на своих мощных ногах, ударяя массивным хвостом по земле и сметая в местах ударов весь растительный покров. Он поворачивал огромную голову из стороны в сторону, будто размышляя, под каким углом ему безопаснее ринуться в атаку.

И тут он, по-видимому, обнаружил нас, ибо круто повернулся на одной ноге, с силой топнув по земле другой. Он двинулся к нам и с каждым шагом оказывался на двенадцать футов ближе!..

Я прижал ружье к плечу и удивился, что его стволы нисколько не трясутся. Не было и намека на дрожь! Бывает, наверное, что, совершая работу, вы делаете ее лучше, чем сами предполагали. Я глядел туда, где небольшие ручки прикреплялись к туловищу. Слегка приспустив ружье и целясь в место, в котором, по моему разумению, должно было находиться сердце, я спустил курок. Ружье с силой ударило мне в плечо, но я даже не услышал выстрела, а мой палец, соскользнув с одного курка, переместился на другой. Во втором выстреле нужды уже не оказалось. Не добежав до меня, тираннозавр отпрянул и опрокинулся. Краем глаза я увидел Бена и легкое облачко дыма из дула его ружья. Мы, должно быть, выстрелили почти одновременно, и двух таких больших пуль оказалось более, чем смог выдержать гигант-динозавр!

— Посмотрите! — завизжала Райла, и я вместе с ее криком услышал грохот, доносящийся слева.

Я повернулся в ту сторону и увидел второго тираннозавра, несущегося прямо на нас. Он был уже слишком близко, чтобы мне успеть спокойно подумать. Он надвигался на нас очень быстро. Ружье Бена громыхнуло, тварь на мгновение покачнулась, но тут же продолжила свой грозный бег вверх по склону холма. Кто-то рядом сказал, что теперь дело за мной. Ружье Бена было пусто, а у меня в одном стволе еще оставался патрон. Голова тираннозавра приближалась, челюсти его начали широко раздвигаться, и шансов сделать приличный выстрел в его туловище не оставалось. Я сам не знаю, как мне удалось это сделать. Времени на обдумывание не было совсем. И то, что я сделал, уверен, было простым рефлексом, естественной защитной реакцией. Я нацелил ружье прямо в середину этой разинутой пасти и спустил курок. Почти надо мной взорвалась голова динозавра, и его туловище завалилось на бок. Я отчетливо расслышал гул от его удара о землю и ощутил колебание почвы под моими ногами. Это хлопнулись на землю восемь тонн плоти не более чем в тридцати футах от меня.

Бен, отскочивший в сторону, чтобы не попасть под эту массу, поднялся во весь рост, загоняя патроны в оба своих дула. За мной невозмутимо стрекотала камера.

— Великолепно,— произнес Бен.— Теперь мы кое-что о них знаем. Проклятые твари охотятся вдвоем!

Второй динозавр был мертв, его голова почти оторвалась от тела. Он еще содрогался и грозно поводил одной из когтистых задних лап. Зато первый динозавр пытался подняться на ноги, хотя после каждой попытки снова падал. Бен спустился по склону, направляясь к нему, и послал еще одну пулю ему в грудь. Она легко вошла в эту гору плоти.

Райла тоже медленно спустилась вниз, снимая мертвых тварей под разными углами, потом выключила камеру и наконец опустила ее. Я открыл свое ружье, зарядил его снова и взял под мышку.

Бен поднялся по склону ко мне.

— Приходится признать, что я слегка промахнулся. Та вторая гадина едва не придавила меня. Ты хлопнул ее прямо в голову. И разнес эту глупую башку напрочь!

— Это было единственное, что мне оставалось делать,— ответил я, вовсе не собираясь хвалиться.

Но я не стал объяснять, что это сработал примитивный инстинкт самосохранения, который был сильнее меня самого. Я совсем не планировал стрелять в голову динозавра и сделал это абсолютно инстинктивно. И не мог бы этого объяснить даже самому себе!

— А у другого, однако же, голова цела! — отметил Бен задумчиво.— Мы бы могли ее отрубить и уволочь!.. Всего лишь в качестве доказательства, а?..

— У нас доказательства уже есть,— возразил я.— У Райлы они имеются в избытке!

— Я понимаю,— не унимался Бен,— но мне просто совестно. Если бы ты помог мне унести эту голову, мы бы на ней здорово заработали!

— Но она же весит не меньше нескольких сот фунтов,— напомнил я.

— Но вдвоем-то...

— Нет,— отказался я.— Нам до наших колышков идти не меньше двух миль. И нам лучше поторопиться унести отсюда ноги!

— Не понимаю, почему?

Я жестом указал на двух мертвых динозавров.

— Пятнадцать тонн мяса,— сказал я.— Все пожиратели падали сейчас устремятся сюда, каждый хищник, который чует зловоние за много миль отсюда. И к ночи оба рекса будут обглоданы до чистеньких скелетов. Мне хотелось бы убраться отсюда еще до начала этого пира.

— Но это дало бы прекрасный материал для фильма!

Я спросил Райлу:

— Тебе хватит того, что ты отсняла? Ты удовлетворена?

Она кивнула.

— Я и мечтать не могла о том, чтобы снять такое. Убийство этих двух гадин. Если это не убедит «Сафари Инкорпорейтед», то уж и не знаю, что еще их сможет убедить!

— Ну и прекрасно,— сказал я тоном, подтверждающим, что все действительно прекрасно.— Мы отправляемся домой!

— Ты просто цыпленок,— буркнул Бен.

— Да, я цыпленок! Мы получили все, за чем сюда явились. И мы должны уйти, пока можем это сделать!

— Я тоже думаю,— примирительно сказала Райла,— что мы должны уходить. Я совсем сбила себе ногти на ногах.

Глава 17

МЫ ВЕРНУЛИСЬ из мелового периода ранним утром в понедельник. А теперь была уже пятница. За эти четыре дня было сделано множество дел. Началось строительство ограды вокруг моих сорока акров: были установлены высокие железные столбы на бетонных основаниях, между ними натянута железная сетка, приваренная к каждому из них. По внутреннему периметру ограды протянулась траншея для укладки электрического кабеля, по которому должен был подводиться ток к прожекторам. Уже был готов фундамент для административного здания и доставлены бревна и доски для его постройки. Мотель Бена тоже начал строиться. Накануне Райла уехала в Нью-Йорк с нашим фильмом, Кортни Маккаллахан, тот юрист из Вашингтона, тоже прилетел в Нью-Йорк, чтобы вместе с «Сафари Инкорпорейтед» участвовать в просмотре. Пленка была проявлена в лаборатории «Сафари», чтобы не привлекать внимания посторонних лиц или фирм.

Я, задрав хвост, носился по делам, причем Бен очень помогал во всем, что делалось. Он наладил массу необходимых контактов, упрашивал и требовал, где было надо, раздобыл бригады рабочих для строек. Большинство рабочих было набрано из сезонных поденщиков, трудившихся обычно на фермах, но Бен нашел и несколько опытных мастеров, под руководством которых дело продвигалось достаточно успешно...

— Вся штука в том,— не раз говорил он мне,— чтобы не медлить и закончить ограду и административное здание как можно скорее, пока люди не начали лезть с расспросами. А как только мы закончим, пусть спрашивают. Мы им покажем нос из-за ограды!

— Но, Бен,— возражал я,— у тебя же полно своих собственных дел! У тебя у самого строительство мотеля и дела твоего банка. Ты же не имеешь прямой заинтересованности в этой стройке!

— Но вы ведь заняли у меня приличную сумму, значит, у банка есть прямой интерес в вашем деле,— отвечал он.— Вы дали мне импульс для начала постройки мотеля и для многих других попутных дел. Я скупил каждый свободный клочок земли вокруг этого участка. Например, ту ферму, что к востоку от вас. Я ее прихватил буквально на днях. Старый Джек Колб думал, что прилично наколол меня, получив за нее больше, чем она, по его разумению, стоит. Я в его глазах выглядел простачком, купившим ее не торгуясь. А чего он уразуметь не мог, так это того, что цена возрастет вдесятеро, если здесь наладится ваш бизнес. Да вы еще взяли меня с собой в ту вылазку к динозаврам. В жизни этого не забуду! Я был бы должен сам заплатить вам за это. А кроме всего, полагаю, что за участие в этой стройке вы выдадите мне какой-нибудь процент из ваших дивидендов?

— Пусть сперва этот бизнес начнется,— говорил я,— а то как бы нам не оказаться погребенными под всеми нынешними хлопотами!..

— Черт возьми,— возражал он,— не вижу, почему такое может приключиться? Это дело — самое грандиозное из всех, которые когда-нибудь предпринимались в мире. Каждый человек, весь белый свет сойдут с ума от ваших замыслов. И у вас с Райлой будет дел больше, чем вы сможете удержать в руках. Но ты не беспокойся, а лучше смотри в оба. Говорю тебе, парень, мы вместе управимся со всем!

...Я сидел на кухне, беседуя с Хайрамом. Мы потягивали пиво. Первый раз с начала работ мне удалось выкроить минутку и вот так посидеть. Я сидел, пил свое пиво и чувствовал себя бездельником, мучительно раздумывая над всем, что еще предстояло сделать.

— Кошкин Лик,— сообщил Хайрам,— очень взволнован всем, что здесь происходит. Он все спрашивает про ограду, а я пытаюсь ему объяснить. Я говорю ему, что когда ее закончат, он сможет сделать много дырок времени. Это его радует. Ему не терпится начать.

— Но он же может делать их, когда захочет? Ведь его-то ничто не может остановить, правда?

— Мне кажется, мистер Стил, он не хочет делать эти дырки просто ради забавы. Их же могут использовать во вред. Сделал несколько штук для Баузера, но они его не очень удовлетворили.

— Да нет, я и не думаю, что он стал бы их делать теперь ради забавы. Впрочем, Баузер неплохо порезвился в этих «дырах»! Из одной он даже приволок домой кость динозавра!

Я направился к холодильнику, чтобы взять еще пива.

— Выпьешь еще? — спросил я Хайрама.

— Нет, благодарю вас, мистер Стил. По правде говоря, я не очень-то люблю эту штуку. Я выпил с вами просто за компанию.

— Я просил тебя узнать у Кошачьего Лика насчет того, как велики могут быть эти «дыры времени»? Люди из «Сафари», возможно, захотят переправить по ним грузовики.

— Он сказал, что с этим проблем не будет. Сказал, что дырки будут так велики, как надо. Можно будет переправить что угодно.

— А он закрыл ту, которую мы использовали? Не хотелось бы, чтобы сюда шастали какие-нибудь динозавры!

— Он закрыл ее,— ответил Хайрам,— сразу после вашего возвращения. И с тех пор она закрыта.

— Ну и прекрасно,— заключил я, вновь принимаясь за пиво.

Было так здорово здесь сидеть, ничего не делая!

По ступенькам крыльца кто-то поднимался. В дверь постучали.

— Войдите! — крикнул я.

Это был Герб Ливингстон.

— Хватай стул,— предложил я.— Сейчас принесу тебе пива.

Хайрам поднялся.

— Я и Баузер пойдем поглядим, что делается вокруг.

— Ладно,— ответил я,— но не выходите за территорию. Ты мне можешь понадобиться.

Баузер тоже поднялся со своей подстилки и пошел за Хайрамом.

Герб сорвал заклепку с пивной банки и бросил ее в мусорный бачок.

— Эйза,— проговорил он,— ты сторонишься меня!

— Не тебя одного,— ответил я.— Я избегаю встречаться с кем бы то ни было.

— Но ведь что-то происходит,— настойчиво произнес Герб,— и я хочу знать, что именно. «Вестник Виллоу Бенда», возможно, и не величайшая в мире газета, но мы здесь имеем только ее, и уже пятнадцать лет я рассказываю людям о всех событиях, происходящих в нашем городке!

— Так вот, Герб,— ответил я.— Запомни, я не собираюсь тебе ничего сообщать. Даже если ты будешь кричать на меня и бить кулаком по столу, все равно ничего тебе не скажу!

— Но почему же? — спросил он.— Мы дружили с детства. Мы знаем друг друга так много лет! Ты, и я, и Бен, и Ларри, и все остальные. Бен-то знает, что здесь происходит! Ты ведь рассказал что-то Бену?

— Ну и спроси об этом Бена!

— Но он тоже не желает ничего говорить. Предлагает спросить у тебя. Он говорит, что весь этот бизнес затеян для кого-то, кто задумал основать здесь звероводческую ферму. Но я понимаю, что все это вовсе не так. Значит, дело в другом. А это другое заключается в том, что ты обнаружил в той старой яме разбившийся космолет! Разбившийся тысячу лет назад. Ну и что же из этого будет следовать?

— Ты пытаешься что-то выудить из меня,— отмахнулся я,— но вряд ли сумеешь узнать что-нибудь путное. У меня, конечно, есть кое-что на уме, это так, но любая публикация может вызвать сейчас совсем нежелательный вой. Когда придет время, я сам тебе все расскажу.

— Когда тебе понадобится реклама, ты это хочешь сказать?

— Возможно, и так.

— Послушай, Эйза, мне не хочется, чтобы газеты больших городов перехватили эту сенсацию. Я не желаю, чтобы они опубликовали ее раньше меня! Чтобы меня обскакали на моем же собственном поле!

— Черт возьми, да ведь тебя обскакивают всю дорогу! — взорвался я.— Во всех важных происшествиях. А чего иного ты можешь ожидать от своей газеты, выходящей раз в неделю? Новости происходят не на недельной основе, а ежедневно. Твоя сила не в освещении крутых событий. Они и не дойдут до тебя вовремя. Люди читают твой «Вестник» потому, что ты пишешь о маленьких новостях, относящихся к городку. И смотри на это именно с такой позиции. Если я потяну то, что затеял, это даст Виллоу Бенду место на карте. Это поможет каждому его жителю. И расцвет бизнеса, и большие прибыли — все это будет здесь. Если только дело удастся, всем станет лучше. Так что же, ты бы хотел преждевременной публикацией лишить шансов и меня, и себя? Ведь такая поспешная публикация может сгубить все!

— Но мне же надо хоть что-нибудь написать! Я же не могу делать вид, что ничего не замечаю!

— Ну и ладно, напиши свое «что-нибудь»! Об ограде, о мотеле Бена, обо всем, что происходит на поверхности. Поразмышляй, к чему бы все это, если хочешь. Ты имеешь на это полное право. В крайнем случае, напиши, что ты говорил со мной и что я не сообщил тебе ничего существенного. Я не могу тебе в этом помешать, но я бы и не хотел препятствовать. Мне жаль, Герб, но больше ничего не могу для тебя сделать!

— Я полагаю,— сказал Герб,— что ты тоже имеешь полное право на умолчание. Но я все же попытался тебя расспросить. Я сделал эту попытку. Ты меня понимаешь, не так ли?

— Конечно, понимаю. Как насчет еще одной баночки пива?

— Нет, спасибо. Некогда. Мы сегодня ночью выпускаем номер. Я должен успеть поместить в нем свой репортаж.

После ухода Герба я еще посидел на кухне, сожалея о том, как я с ним обошелся. Но я не мог дать ему никакого материала для рассказа. Я понимал, что он чувствует, что может чувствовать в такой ситуации любой газетчик. Самое для них страшное — это то, что у них могут перехватить сенсацию. Но прежде чем выйдет через неделю следующий номер его газеты, возможно, новость уже просочится наружу. И тем не менее, говорил я себе, в данный момент я ничем не мог бы ему помочь...

Я встал, швырнул пустую банку из-под пива в мусорный бачок и вышел за дверь. Был уже вечер, но все бригады работали, и я удивился, насколько еще продвинулась ограда. Я поглядел вокруг, не видать ли Кошачьего Лика. Меня бы не удивило, если бы я обнаружил, что он пялится на меня с одной из яблонь. В последние дни он там частенько появлялся. Вместо того чтобы прятаться, как он это делал раньше, теперь Лик норовил быть как можно ближе к нам.

Но в данный момент не было видно ни его, ни Хайрама, ни Баузера. Я спустился к ограде и прошел вдоль нее к месту, где трудились рабочие. Я постоял, поглядел на них, потом вернулся в дом.

У входа стоял полицейский автомобиль, и в одном из моих садовых кресел сидел человек в форме шерифа. Когда я приблизился, он встал и протянул мне руку.

— Я шериф Эймос Редман,— представился он.— Вы, наверное, Эйза Стил? Бен сказал, что я найду вас здесь.

— Рад вашему приезду,— сказал я.— Но каковы его причины?

— Бен сообщил мне, что вам могут понадобиться охранники для патрулирования вокруг этой ограды. Могли бы вы мне рассказать, для чего она строится?

— Единственное, что могу вам сообщить, шериф,— ответил я,— все это совершенно законно.

Его слегка передернуло, как от неудачной шутки.

— Никогда и не подумал бы о противоположном,— возразил он.— Насколько я знаю, вы когда-то были одним из мальчишек Виллоу Бенда. А когда же вы вернулись?

— Меньше года назад.

— Похоже, вы решили тут обосноваться?

— Надеюсь, что так и будет.

— Касательно охранников,— сказал он.— Я разговаривал с полицейской ассоциацией в Миннеаполисе, и они сообщили, что готовы заключить с вами соглашение. Некоторые из членов ассоциации потеряли работу из-за сокращения фондов и могли бы пригодиться вам.

— Рад это слышать. Нам нужен квалифицированный персонал.

— У вас имеются еще какие-нибудь трудности? — поинтересовался шериф.

— Трудности? О, вы, наверное, имеете в виду зевак?

— Вот именно. Тут в ходу довольно забавные толки. В частности, о разбившемся звездолете...

Он внимательно посмотрел, оценивая мою реакцию.

— Да, шериф,— признался я как бы нехотя.— Полагаю, здесь может оказаться инопланетный корабль. Не здесь именно, а в лесу и под тоннами земляных наносов.

— Черт меня подери! — воскликнул он.— Если это так, то на вас нахлынут толпы любопытных. Я теперь понимаю, зачем вам понадобилась ограда. Я велю своим ребятам послоняться здесь и понаблюдать за порядком. И если вам понадобится помощь, вы знаете, где меня найти!

— Благодарю,— сказал я.— Но я полагаю, вы понимаете, что эта информация о космолете некоторое время не должна разглашаться?

— Разумеется,— важно заверил он меня.— Это останется сугубо между нами!

Когда я входил в дом, зазвонил телефон. Это была Райла.

— Где ты был? — спросила она.— Не могла к тебе дозвониться!

— Выходил прогуляться. Я не ожидал услышать тебя так скоро. Все ли в порядке?

— Эйза, не то слово! Больше чем в порядке! Мы просмотрели фильм сегодня вечером. Он изумителен! Особенно тот эпизод, где вы с Беном одолеваете тираннозавров. Люди сидели на краешках стульев. Это было так захватывающе! А тот треск, который издавали трицератопсы! Он был таинственным, как предсказание... Господи, даже не знаю, как его охарактеризовать. Он был из другого мира. И от него по спине пробегали мурашки. «Сафари» уже разинула пасть, но мы не пожелали с ними пока разговаривать...

— Как не пожелали разговаривать? Во имя Христа, Райла, в чем дело? Зачем же мы рисковали жизнью?

— У Кортни появилась одна сумасшедшая идея. Он не дал мне вступить в переговоры, сказал, что это потерпит. Мы завтра прилетаем.

— Мы?

— Кортни и я. Он хочет переговорить с нами обоими. Сегодня вечером он улетел в Вашингтон, но утром вернется в Нью-Йорк и захватит меня.

— Захватит тебя?

— Да, у него собственный самолет. Я ведь, кажется, забыла тебе об этом сказать.

— Да, ты забыла. Это так.

— Мы приземлимся в Ланкастере. Это небольшой самолетик, и тамошнего поля вполне для него хватит. Я тебе сообщу точное время попозже.

— Я вас заберу оттуда.

— Возможно, это будет после полудня. Я тебе еще позвоню.

Глава 18

КОРТНИ МАККАЛЛАХАН был гораздо моложе и крупнее, чем я предполагал. Странно, каким мы рисуем воображаемый портрет человека еще до знакомства с ним. По-моему, этот портрет диктуется звучанием имени. Мне лично носитель имени Маккаллахан представлялся в виде маленького гнома, учтивого, круглолицего, с белоснежными волосами и неторопливой грацией движений.

А на деле он оказался довольно массивным мужчиной, не то чтобы очень уж молодым, но моложе, чем мне представлялось. Его волосы вились и начинали приобретать серо-стальной оттенок, а лицо казалось высеченным из крепкого куска дерева, причем с применением не слишком острого топора. Руки его были толщиной почти с мое бедро. Я почувствовал к нему какую-то безотчетную приязнь.

— Как дела с оградой? — спросил он после первых приветствий.

— Идут вовсю,— сказал я.— Мы закончим ее к следующему уик-энду. Во всяком случае, не позднее субботы или воскресенья.

— Движетесь ускоренным маршем, да?

— Темпы стройки не моя заслуга,— ответил я.— Это дело рук Бена.

— А что, этот Бен надежный малый?

— Он был моим другом большую часть моей жизни.

— Если вы позволите мне сказать свое мнение,— сказал Кортни,— то я считаю, что вы с Беном вели себя блистательно в том поединке с тираннозаврами. Так мужественно не дрогнуть перед этими тварями! Боюсь, я бы не смог им противостоять!

— У нас были громадные ружья,— ответил я,— к тому же бежать было просто некуда!

Мы пошли к машине, Райла шла за мной. Она обеими руками схватила мою кисть и сжала ее.

— Я тоже,— ответил я на ее невысказанные слова.

— Я забыла сказать тебе о пленке,— произнесла она.— А ты забыл меня спросить. Она надежно упрятана. В сейфе Нью-Йоркского банка.

— Как только дело потребует внимания публики,— заявил Кортни,— мы объявим аукцион на эту пленку. И продадим права на ее прокат как можно дороже!

— Я не уверен,— откликнулся я,— что нам захочется ею торговать...

— Мы будем торговать чем угодно,— сказала Райла,— если цену дадут подходящую.

Я выехал с территории паркинга при аэродроме. На ней было совсем мало машин. На летном же поле, кроме авиетки Кортни, находился всего один самолет. А в ветхом ангаре стояло еще несколько частных машин.

Проехав милю или две от летного поля, мы оказались вблизи от небольшого торгового центра: супермаркет, скобяная лавка, хозяйственные товары, магазин мужской одежды, несколько других лавчонок...

— Давайте въедем туда и припаркуемся,— предложил Кортни,— только подальше от других машин.

— Конечно, если вам это угодно,— ответил я.— Но зачем?

— Пожалуйста, окажите мне эту любезность,— попросил он.

Я въехал на территорию центра и нашел место для парковки на самом краю автомобильной стоянки. По соседству с нами машин не было. Я включил мотор и пересел на заднее сиденье.

— Для конспирации,— объяснил Кортни.— Меня бросает в дрожь при мысли о возможном подслушивании.

— Ну что ж, давайте! — сказал я.

Я взглянул на Райлу и понял, что она удивлена не меньше моего.

Кортни устроился поудобнее и приступил к изложению дела.

— Я провел бессонную ночь, обдумывая ваше положение,— сказал он.— Оно во многих аспектах показалось мне весьма уязвимым. О, насколько я могу судить, с правовой точки зрения в вашем проекте все в порядке! Он, разумеется, уникален и вполне законен. А беспокоит меня вот что: вас может догола раздеть Государственная налоговая инспекция. Если все пойдет как надо, в чем я уверен, вы сделаете кучу денег. А если кто-то делает эту кучу денег, то он, с моей точки зрения, должен попытаться оставить себе столько, сколько сможет, конечно, не нарушая при этом законы...

— Кортни,— вмешалась Райла,— но я не совсем понимаю...

— А вы соображаете, сколько может у вас отобрать налоговая инспекция? — спросил Маккаллахан.— С каждого миллиона долларов?

— Лично я имею об этом лишь приблизительное представление, всего лишь приблизительное.

— Вся беда в том,— пояснил он,— что у нас нет тех лазеек, которыми пользуются крупные корпорации. Они изыскивают возможности укрывать часть доходов или создавать параллельные счета, находя способы их защиты от обложения налогами. Конечно, мы бы могли зарегистрировать вас как корпорацию, но это потребовало бы массу времени, да и привело бы к ряду новых трудностей. Однако имеется один выход, который представляется мне блестящим, и я бы хотел знать, как он понравится вам. Если вы обоснуете ваш бизнес вне пределов Соединенных Штатов, у вас этих проблем не возникнет. Налоги на доходы не могут касаться иностранного бизнеса.

— Но мы же должны оставаться в Виллоу Бенде,— запротестовала Райла.— Ведь наш бизнес осуществим только там!

— Не торопитесь,— ответил Кортни.— Давайте немного помозгуем. А что, если вам использовать ваши возможности перемещений во времени и обосновать свою резиденцию в прошлом? За тысячу лет до наших дней или даже за миллион? Выбрав для этого наиболее подходящее прошлое? Я полагаю, что в любом случае должно быть выбрано время, предшествующее возникновению США, но еще лучше, если это будет время, когда в Европе и не помышляли о существовании Америки... Правда, если в наше время можно было бы отыскать уединенный остров, на который не претендует ни одна сильная страна... А впрочем, не представляю, где такой остров может быть, да есть ли вообще такое место на Земле? Но если бы оно и нашлось, это было бы совсем не близко от Виллоу Бенда. Совсем другое дело — удаление во времени! Вы бы могли в этом случае оказаться на расстоянии пешего хода от Виллоу Бенда.

— Не знаю,— пробормотал я.— Ведь мы бы все равно поселились на земле, которая со временем станет частью этого государства!

— Да, я понимаю вас,— ответил Кортни.— И налоговая служба тоже может попытаться привести этот аргумент. Они могут затеять тяжбу, но если это произойдет, мы сумеем доказать, что национальный суверенитет любой страны не распространяется на прошлые эпохи.

— Но ведь ферма в Виллоу Бенде — это реальное место, где мы можем осуществлять свой бизнес? — спросила Райла.

— Отнюдь нет, если вы поселитесь в другом месте! И все должны быть абсолютно убеждены, что у вас лично в Виллоу Бенде нет ни бизнеса, ни офиса. Вы могли бы уговорить Хайрама и это существо, Кошачий Лик, переселиться вместе с вами в другое время?

— Не знаю,— ответил я.

— Но ведь Виллоу Бенд здесь останется, не так ли? — спросила Райла.

— Всего лишь как ваше американское агентство,— возразил Кортни.— У вас должен быть человек, исполняющий обязанности вашего агента. В этом качестве мне представляется наиболее подходящим ваш друг Бен. Временная дорога, или туннель, или канал, как бы вы его ни называли, должен быть всего лишь входом в вашу резиденцию, где вы и будете осуществлять свой бизнес и расположите все выходы в дальнейшие временные измерения.

— Но налоговая служба попытается наложить лапу и на это! — заметила Райла.

— Конечно, они могут попытаться. Но, оценивая ситуацию трезво, не думаю, чтобы они это затеяли. Особенно если Бен откупит эту ферму у вас за приличную цену еще до того, как вы начнете свой «временной» бизнес. Вот в чем загвоздка всего дела! Даже имея основания для неуплаты налогов, вы не можете осуществлять никакой иной бизнес в США. Вот почему я вчера отказался вести переговоры с фирмой «Сафари». Если они захотят вести эти переговоры, пусть явятся в вашу новую резиденцию!

— Но ведь я с самого начала договаривалась с «Сафари»,— неуверенно произнесла Райла.— Да мы еще и фильм им показали!

— Да, здесь имеются немного щекотливые моменты,— согласился Кортни,— но я думаю, их можно отрегулировать. И я полагаю, что следует еще успокоить власти и доказать им, что никакой бизнес здесь не осуществляется. А что касается вчерашнего отказа от переговоров, то я берусь объяснить фирме, что мы всего лишь отказались оформить это немедленно.

— Но нам все равно придется заключить с ними контракты? — спросила Райла.

— Они могут быть составлены в Нью-Йорке или любом другом месте, где базируется второй участник сделки, но это будет контракт между американской фирмой и неамериканской компанией. Это общепринятая процедура. Но вы должны, вы просто обязаны иметь неамериканский адрес. Так где же вы могли бы расположить свою резиденцию?

— В одном из самых поздних межледниковых периодов,— сказал я.— Возможно, в сангамоне*. Климат хороший, природа близка к родной...

— Какие опасности? Фауна?

— Мастодонты,— ответил я.— Саблезубы. Разные медведи. Пещерные волки. Но приспособиться можно. Это, скорее всего, звучит страшнее, чем выглядит на самом деле.

— Мы бы могли назвать наше новое обиталище Мастодонией,— предложила Райла.

— Превосходно,— согласился Кортни.— Это название несет в себе понятие и иного времени, и иного места!

— Но мы что же, должны оставаться там все время? — забеспокоилась Райла.— Не думаю, что такая перспектива приводит меня в восторг.

— Не все время,— ответил Кортни,— но достаточно много для того, чтобы честно назвать это место домом. Вы сможете часто навещать Виллоу Бенд и путешествовать, где вам вздумается. Но бизнес ваш целиком должен осуществляться в Мастодонии. Я даже тешу себя идейкой о том, чтобы вы там провозгласили себя государством и пригласили Соединенные Штаты и другие страны для ознакомления и организации представительств. Но этих представительств должно быть не более двух или трех. А впрочем, я не уверен, что это так уж осуществимо. Но если бы это в конце концов удалось, скажите, есть ли шанс уговорить некоторых ваших соседей по Виллоу Бенду переехать туда?

— Возможно,— сказал я.— Впрочем, уверенности нет.

— Но ведь это очень заманчиво! Свободная земля в полное владение. Никаких налогов. Простор для деятельности. Прекрасные охота и рыбалка...

— Но я же еще ничего не знаю,— повторил я.

— Ну ладно, это мы обсудим потом.

— А как насчет денег и банков? — поинтересовалась Райла.— Куда мы станем девать все те деньги, которые к

* Третий межледниковый период в Северной Америке.

нам, по вашим словам, поплывут? Естественно, не в американские же банки мы их поместим, где налоговая инспекция может на них покуситься?

— Это легко осуществить,— ответил Кортни.— Откроете счет в Швейцарии. Например, в Цюрихе. Ваши клиенты смогут переводить деньги на ваш швейцарский счет. Они, конечно, могут часть оплачивать наличными, чтобы вы сумели выдавать Бену его проценты и иметь фонд для других срочных платежей. Но если вы надумаете это делать, вам следует открыть счет немедленно, так, чтобы дело выглядело чистым. Если вы откроете счет раньше, чем начнут поступать перечисления по сделкам о перемещениях во времени, то вы сможете отшвырнуть подальше каждого, кто попытается обвинить вас в сокрытии доходов. Первоначальный взнос в банк должен быть достаточно ощутимым, чтобы никто не мог заявить, что это всего лишь символический депозит.

— Я только что продала свою долю в экспортно-импортном бизнесе моему компаньону в Нью-Йорке,— сказала Райла.— Его первый платеж, который составит сто тысяч, поступит через день-два. Но мы не можем ждать. Я выдам чек на банк Бена, и он одолжит нам эти сто тысяч. Мы уже прилично задолжали, но, я полагаю, он пойдет и на это.

— Вот и прекрасно,— одобрил Кортни.— Сто тысяч — это то, что надо, прежде чем вы отбудете в Мастодонию, и при этом в оставленном вами адресе будет указано «Мастодония»! Итак, как я понял, вы одобрили мое предложение?

— Оно кажется мне немного слишком хитроумным,— отметил я.

— Конечно, затея хитроумна. Но в целом она вполне легальна! Возможно, что кому-нибудь захочется это оспорить, но у нас будут достаточно веские аргументы.

— Половина всего мирового бизнеса построена на хитроумии,— сказала Райла.

— Даже если нас вызовут в суд и мы проиграем по нескольким пунктам,— добавил Кортни,— все равно будет не хуже, чем то, что мы имеем сейчас, а скорее всего, намного лучше. У нас должен быть достаточный выбор вариантов бизнеса, если это понадобится. Я никогда не начинаю дела, не имея «хитроумных» идей. И в суд являюсь только для того, чтобы выиграть. Впрочем, насчет суда это всего лишь гипотеза. У человека, имеющего резиденцию вне Америки, совсем другое положение. Он не подвержен никакой государственной регуляции, никакому давлению, не обязан заполнять отчетные формы, на него нельзя завести досье!

— Все говорит в пользу того, что предложение правильно,— сказала Райла.— Честно говоря, я и сама беспокоилась по поводу налоговых обязательств.

— Ну, ты-то встречалась с подобными вещами,— вставил я,— а я — нет...

— Итак, вы почти немедленно отправитесь в Мастодонию,— заключил Кортни,— и обоснуете там резиденцию. Я полагаю, что поначалу это мог бы быть дом на колесах...

— Я позабочусь об этом,— обещала Райла,— пока Эйза съездит в Цюрих.

Она повернулась ко мне:

— Насколько я помню, ты говоришь по-французски?

— Немножко,— ответил я.— Достаточно, чтобы меня поняли. Но ты сама должна была бы...

— Я не говорю по-французски,— отрезала Райла.— Только по-испански и немного по-немецки, но совсем немного. И вот почему в Цюрих следует поехать тебе. Я же останусь здесь и прослежу за всем, что должно осуществляться тут, на месте.

— Похоже, что вы владеете ситуацией,— отметил Кортни.— Поэтому я предоставляю дальнейшие действия вам. Звоните мне по самому малому поводу. Не ждите больших осложнений, обращайтесь сразу, как только возникнет вопрос. И вот что, Райла, необходимо, чтобы Эйза получил нотариально заверенную доверенность от вас, прежде чем он отбудет. И еще — не делайте Бена вашим агентом раньше, чем обоснуете вашу резиденцию в Мастодонии.

— Один вопрос,— сказал я.— Если мы достаточно разозлим власти, не решат ли они объявить нас «персона нон грата», то есть нежелательными личностями, и запретить нам передвижение взад-вперед между Мастодонией и Виллоу Бендом? Или даже закрыть временной туннель в Мастодонию?

Кортни помедлил.

— Полагаю, они могут попытаться предпринять что-нибудь в таком духе, но тогда мы им объявим сущую войну, вплоть до передачи вопроса в ООН. Впрочем, вряд ли до такого дойдет, да они и сами вряд ли захотят с этим связываться.

— Я думаю, что так оно и будет,— согласился я.— Решение принято! Странно, что мы проворачиваем такие дела в столь короткие сроки...

— Сам план определяет сроки действий,— отметила Райла.— Нельзя же возразить на столь разумные и веские соображения!

— Ну-с, в таком случае,— произнес Кортни,— вы можете отвезти меня обратно на летное поле.

— Вы что, даже не заедете на ферму? — удивилась Райла.— Я думала, вам хотелось познакомиться с Беном?

— В другой раз,— сказал он.— Я изложил вам все, что хотел, и так, чтобы никто другой не смог этого услышать. Теперь начнутся горячие денечки, и времени терять нельзя!

Он радостно потер руки.

— Это начинает становиться чертовски занятным! — воскликнул он.— Занятнее, чем все, что я делал в своей жизни до сих пор!

Глава 19

НА ОБРАТНОМ ПУТИ ИЗ ЦЮРИХА самолет сделал посадку в Лондоне. Я купил там газету и увидел в ней кричащий заголовок: «ЗАГАДОЧНЫЕ АМЕРИКАНЦЫ ПУТЕШЕСТВУЮТ ВО ВРЕМЕНИ!»

Я взял несколько других газет. Рассудительная «Таймс» толковала об этом спокойно, но все остальные вопили об этом буквально взахлеб.

Большинство фактов было перепутано, но суть, в общем, не искажалась. Райла и я выглядели некоей таинственной парой. Местопребывание Райлы установлено не было, но, по слухам, она проживала в каком-то месте, именуемом Мастодонией. Никто точно не знал, где эта Мастодония располагается, но некоторые догадки весьма близко подходили к истине. Муссировалась версия о том, что я нахожусь за пределами США, но никто не мог указать, где именно. Впрочем, газетчиков это не останавливало: они выдвигали, на мой взгляд, довольно фантастические догадки. Был проинтервьюирован Бен, который подтвердил, что он наш американский агент, но ничего больше не сообщил. Герберт Ливингстон, представитель Бена по общественным связям, тоже весьма лаконично сообщил, что любые заявления сейчас были бы преждевременными и что сам он пока ничего больше сказать не может. Я изумился, каким это образом, черт побери, Герб вдруг стал нашим «представителем по общественным связям», или, попросту говоря, рекламным агентом? И вся эта история базировалась на данных неких «авторитетных источников», хотя ни единым словом не упоминалось, каких именно. Между тем «Сафари Инкорпорейтед», каким-то образом со всем этим связанная, по словам газетчиков, не отрицала, что существует фильм об охоте на динозавров, состоявшейся в эпоху, удаленную от нашей на семьдесят миллионов лет назад. Цитировалось заявление некоей кинокомпании о том, что она крайне заинтересована этой лентой. Фирма «Сафари» своего интереса и не думала скрывать. Ни в одной публикации имя Кортни Маккаллахана не было упомянуто, что делало для меня вполне ясным то, откуда пошла «утечка» информации.

Четыре известных физика, один из которых — нобелевский лауреат, также были проинтервьюированы. Каждый из них с разной степенью апломба заявил, что перемещаться во времени никак нельзя.

Но каждая из публикаций опиралась на предположение, что в деле замешана машина времени, ибо о ее отсутствии знало всего пять, вернее, шесть человек! Повидимому, в это количество осведомленных теперь входил и Герб Ливингстон.

В газетах буквально агонизировали так называемые «научные популяризаторы», на все лады варьировавшие предполагаемую форму и принципы действия такой машины. И лишь в одной из статей этого рода автор снизошел до упоминания имени Герберта Уэллса!

Первый же взгляд на буквально орущий заголовок в первой из купленных мной газет заставил меня крайне напрячься, но довольно скоро, пробежав глазами остальные статьи, я почему-то успокоился. Пока о наших возможностях перемещений во времени знало не очень много народу, это представлялось мне тайной немного мальчишеской и отчасти глуповатой. Но ситуация резко изменилась, когда об этой тайне затрубил весь мир. Я поймал себя на том, что озираюсь вокруг, чтобы проверить, не опознан ли я? Но такое предположение было довольно наивным, поскольку пока в лондонских газетах не появилось ни моей фотографии, ни снимков Райлы. Но это же не могло продолжаться и впредь: в бульварных газетенках наверняка очень скоро будут опубликованы наши фотографии. Поэтому, хотя в этих предварительных публикациях не говорилось о том, кто мы такие, газетчики, несомненно, докопаются до всего, и тогда уж снимков не избежать!

Я понял, что ужасно хочу снова оказаться в Виллоу Бенде, где я буду в относительной безопасности от вторжения внешнего мира в мою жизнь. И предстоящие часы полета до дома вдруг ввергли меня в панику, повинуясь которой я совершил нелепый поступок — купил в магазинчике аэропорта темные очки. Я никогда их раньше не носил, даже во время раскопок, и поэтому надеть их сейчас казалось мне глупостью. И все же я это сделал, так как они давали мне хоть и символическое, но ощущение защищенности.

Первым моим порывом было выбросить все купленные газеты, чтобы ни малейшим намеком не выдать моего интереса ко всей этой истории. Но, подумав о том, как Райла и Бен сумели отбиться от любопытных, я свернул все эти газеты трубкой и взял их под мышку.

Мой сосед по полету, надутый американец средних лет, на мой взгляд, смахивающий на банкира (хотя, возможно, никаким банкиром он и не был!), тоже обзавелся газетой, торчавшей из кармана его куртки. Он не проявил ни малейшего желания к общению со мной, за что я был ему от души признателен. Впрочем, после того как стюард принес нам ужин, он немного оттаял и снизошел до меня, как бы вдруг обнаружив мое присутствие.

— Читали эту галиматью о том, что кто-то перемещается во времени? — спросил он.

— Да, что-то такое заметил,— отозвался я.

— Но вы же знаете сами, что это невозможно? Удивляюсь, как могут газеты опуститься до этого? Ведь журналисты, знаете ли, не такие дураки! Они-то должны знать, что к чему?

— Погоня за сенсацией,— предположил я.— Надо же поместить броский материал, чтобы обеспечить спрос на газеты...

Он не ответил, и я подумал, что беседа исчерпана, но через несколько минут он произнес, обращаясь не столько ко мне, сколько ко всему свету:

— Опасное дело, знаете ли! Шныряние по времени может привести к массе неприятностей. Даже изменить историю. Мы не можем этого допустить! Вполне довольно и того, что есть, безо всякой этакой кутерьмы!

За всю остальную дорогу он не сказал больше ни слова. Поистине мне попался наилучший из всех возможных попутчиков!

Я все время ощущал какую-то тревогу и никак не мог с этим совладать: думал о том, готова ли ограда, работают ли прожектора на ней, набран ли штат охранников. Кортни Маккаллахан, если он и в самом деле запустил всех этих репортеров, конечно, должен был быть полностью уверен, что в Виллоу Бенде все готово...

Время шло, и я наконец заснул и не просыпался до тех пор, пока мы не приземлились в аэропорту Кеннеди.

Я вопреки логике допускал, что в «Кеннеди» меня могут ожидать репортеры. Но кто же мог знать, что я лечу этим рейсом? Едва добравшись до киоска с газетами, я схватил «Нью-Йорк таймс» и увидел на первой полосе мои с Райлой фотографии. Они были давние, но нас все же можно было узнать.

Я обсудил сам с собой, стоит ли звонить Райле или Бену, либо в Вашингтон Маккаллахану, и решил, что не стоит. Раз тут нет никаких журналистов, стало быть, их может не оказаться и в Миннеаполисе. Райла и Бен знают, каким я рейсом могу прибыть туда, и будут ждать меня в аэропорту.

Но их там не оказалось. Вместо них меня встречал Элрод Андерсон, управляющий супермаркетом в Виллоу Бенде. Я чуть было не прошел мимо него, поскольку почти не был с ним знаком, но он схватил меня за локоть и сообщил, кто он такой, после чего я его признал.

— Бен не может отлучиться, Райла тоже,— сообщил он.— Там, в Виллоу Бенде, видимо-невидимо репортеров, и, если бы Бен или Райла выехали, газетчики бы от них не отстали. Бен позвонил мне и попросил вас встретить. Он сказал, что только так вы сможете увернуться от них. Я привез вам старую одежду, чтобы вы переоделись, и даже накладные усы.

— Не уверен, что нацеплю эти усы,— пробормотал я.

— И я подумал, может, не захотите,— сказал Элрод,— но все же захватил их. Они вполне приличные, выглядят как натуральные. Там собралась толпа зевак, и все время прибывают новые. Не понимаю, что они ожидают там увидеть? Некоторые уже выражают разочарование, поскольку и впрямь смотреть не на что. Кое-кто приехал с домиками-фургонами, будто собираясь тут надолго засесть. Бен уже сдает под кемпинг ту ферму, которую недавно купил. Она к востоку от вашей, совсем рядышком. Он еще устроил там же большой паркинг для других машин. Бен нанял рабочих, чтобы оборудовать все это. А сторожит эту стоянку старый Хромой Джонс. Он не имел работы почти тридцать лет, да ведь он и мастер увертываться от нее! Должно быть, сейчас он кое-что сгребает с выручки в свой карман. Но вряд ли сумеет с этим улизнуть. Бен его поймает, как пить дать! Бен же один из самых крутых хозяев, каких я только видел на своем веку!

— Надеюсь, ограда уже готова? — спросил я.

— Ха! — ответил Элрод.— Еще пару дней назад. И здание тоже готово. А над входом висит большой плакат: «Бен Пэйдж, агент Ассоциации Времени». А что же это все-таки значит? Я думаю, во времени-то расхаживаете вы сами, а не кто другой. Так что же, выходит, и Бен приложил к этому руку тоже?

— Бен — наш агент,— ответил я.— В Штатах, а может, и во всей Северной Америке.

— Но ведь и вы там присутствуете? Во всяком случае, хоть сколько-то еще пробудете? И эта ваша женщина, Райла, тоже там. Почему же не вы этим руководите?

— Дело в том, что мы там больше не живем,— объяснил я.

— Как так не живете? А где же вы живете?

— В Мастодонии.

— О, Господи! — воскликнул Элрод.— Я же читал об этом! А где же эта самая Мастодония?

— Она в прошлом. Удалена на сто пятьдесят тысяч лет назад. Там живут мастодонты. Отсюда и название.

— А места там приличные?

— Должно быть,— ответил я.— Я их еще не видел.

— Вы же там живете! Как же вы не видели?

— Это место выбирали Райла и Хайрам. Они отбыли туда, когда я улетел в Европу.

— А Хайрам тут при чем? — изумился Элрод.— Он же пустой малый и никогда не был способен ни на что путное.

— Он сделал для всего этого дела исключительно много,— ответил я.

Утреннее солнце уже вовсю обогревало автомобильную стоянку аэропорта. Была прекрасная погода, в небе не виднелось ни облачка.

Элрод сел за руль и откинулся на сиденье.

— Бен велел доставить вас к паркингу возле ограды. Сказал, чтобы вы смешались с толпой туристов и подошли к воротам. Шериф отрядил несколько своих людей для охраны и установил что-то вроде пароля. Но вы просто скажите охраннику свое имя, и он вас пропустит. У меня тут пара изношенных брюк, холщовая куртка и старая фетровая шляпа. Вам лучше переодеться в них, прежде чем мы туда доедем. Если сделать это здесь не мешкая, то никто и не признает вас. Подумают, что вы какой-нибудь чужак и пришли поглазеть, как и другие. По-моему, лучше и усы приклеить!

В пяти милях от города мы свернули на проселочную дорогу и остановились на время, пока я переодевался. Но усы приклеивать я не стал. Не смог себя заставить.

Глава 20

РАЙЛА И БЕН ЖДАЛИ МЕНЯ, а Герб Ливингстон маячил на заднем плане. В первой комнате нового офиса, пахнувшего свежими опилками, за столами восседало с полдюжины человек, по-видимому пока не особенно занятых делом.

Райла устремилась мне навстречу, и я сжал ее в объятиях. Я никогда не радовался так встрече с кем бы то ни было. Там, снаружи, увиденное меня устрашило — вдоль всей дороги были припаркованы машины, множество их оккупировало и стоянку Бена, везде торчали палатки с гамбургерами и сувенирами, суетились торговцы воздушными шарами. И люди, люди повсюду, группками и поодиночке, не совсем уверенные в себе, но странно возбужденные. Все вместе напоминало то ли деревенскую ярмарку, то ли карнавал...

— Я волновалась за тебя,— сказала Райла,— и очень ждала твоего возвращения. А где же твоя собственная одежда?

— В машине Элрода,— ответил я.— Эти лохмотья дал мне он.

Бен энергично потряс мне руку.

— Здесь кое-что изменилось после твоего отбытия, а? — отметил он.

Герб приблизился, чтобы тоже пожать мне руку.

— Ну и как идут дела с «общественными связями»? — не удержавшись, съязвил я.— Прочитал об этом в лондонских газетах.

— Да ну, какого черта,— вмешался Бен.— Мы же все равно должны иметь кого-то, кто бы отбивался от «новость-жокеев», роящихся вокруг! Герб как раз тот человек. Он с ними прекрасно управляется.

— Они воют о пресс-конференции,— кротко сообщил Герб,— но у меня пока что кишка тонка, чтобы с ними встретиться! Мы не хотели ничего предпринимать, пока ты не вернешься. Я только слегка подбрасывал им кое-что. Ничего по существу, просто какие-то мелочи. А что мне им сказать о твоем возвращении?

— Скажи им,— сказал Бен,— что он вернулся и сразу же отбыл в Мастодонию. Это то, что мы должны все время подчеркивать. Его и Райлы здесь нет, они живут в Мастодонии.

— Вот подожди, скоро увидишь нашу Мастодонию! — сказала Райла.— Она так прекрасна! Так дика и прекрасна! Мы позавчера переместили туда передвижной дом и уже все в нем наладили. У нас есть еще два четырехколесных тягача-вездехода.

— А Хайрам где? — спросил я.

— Хайрам с Баузером пребывают в Мастодонии.

— А Кошачий Лик?

— Он тоже туда отправился. Там под горой растут дикие яблони, и он избрал их своей резиденцией. Хайрам говорит, Лику там нравится. Он удивляется, почему тот так долго торчал здесь и никогда не путешествовал сам во времени?

— А пошли-ка в мой кабинет,— предложил Бен.— Там у меня есть удобные кресла и бутылочка, которую необходимо откупорить! Мы же должны обмыть твое прибытие!

Мы расселись по креслам, которые были вполне удобны, и Бен разлил спиртное по стаканам.

— Ты удачно съездил? — спросил Герб.

— Думаю, что да,— отозвался я.— Мой французский норовил мне не подчиниться, но я его укротил. В Цюрихе никаких проблем не возникло. Я не особенно опытен в этих делах, но, полагаю, все сошло хорошо.

— Это же швейцарцы! — заметил Бен.— Они всегда готовы принять ваши денежки!

— А я вот о чем хотел спросить,— сказал я.— Кто все это налил в уши газетчикам? Этот информационный взрыв произошел намного раньше, чем должен был, на мой взгляд...

— Это сделал Кортни,— ответила Райла.— Разумеется, не самолично, а через тех, кого он считает спецами по утечке информации. В основном он сделал это из-за «Сафари». Они давили на Кортни, так как их сильно перевозбудила перспектива охоты на динозавров. Они хотели знать, на что могут рассчитывать, прежде чем выйти на переговоры с нами. Спортсмены, естественно, ухватятся за возможность охоты на динозавров, но фирма хотела бы все же иметь определенные гарантии. Им нужно заполучить несколько перспективных и надежных клиентов еще до начала переговоров с нами насчет продажи им лицензий.

— Но ведь еще слишком рано говорить о лицензиях!

— Мы пару дней не общались с Кортни, но они уже собираются с ним об этом говорить.

— Тут ошиваются один или два «разведчика»,— сообщил Бен.— Сегодня утром какой-то тип интересовался, не можем ли мы отправить его на территорию государства инков до прихода туда конкистадоров. Он якобы интересуется древней культурой инков, но, скорее всего, его просто манят их сокровища. Я посоветовал считать их навеки утерянными. Еще явился с предложением некий горный инженер. Хочет попасть в Черные горы Северной Дакоты в период до начала «золотой лихорадки». Он абсолютно уверен в приемлемости своих намерений и собирается снять пенки с золотых месторождений. Признался, что денег у него нет, но обещал нам долю в прибылях. Он мне даже понравился, и я его взял на заметку, пообещав переговорить с тобой. Потом пожаловали еще члены комитета от нескольких церковных общин. Эти намереваются обсудить возможности отправки людей в эпоху Иисуса. Я так и не смог узнать, каковы их истинные намерения. Они предпочитают умолчание. Может, расколются потом, когда с ними побеседуешь ты?

Я покачал головой.

— Уволь. Не желаю ничего знать об этом. Все это достаточно щекотливые вопросы, и я предпочитаю ни с чем таким не связываться. Когда кто-то пожелает влезть в любую историческую ситуацию, то вы должны будете предпринять столько мер безопасности, что либо прогорите со своим бизнесом, либо окончательно запутаетесь!

— Но ты должен знать,— сказал Герб,— что такие вопросы неизбежно будут возникать. Каждый, кто сможет себе позволить оплатить это, захочет поприсутствовать при распятии.

— Но дело в том,— откликнулась Райла,— что почти никто не сможет выплатить сумму, которую мы за это установим! Такая цена отобьет всякую охоту к туризму в эти эпохи. Этим «туристам» придется преодолевать слишком большие трудности...

— Я полагаю,— заметил Бен,— что мы должны заключать сделки по мере поступления приемлемых заявок. Будем выпалывать «сорняки» типа вылазок к инкам, но отнесемся с полным пониманием к любым нормальным предложениям.

Мы долго еще говорили о разных разностях, наслаждаясь покоем и воздавая должное напиткам. Мотель Бена был построен и готовился к принятию клиентов. Он по размерам превысил то, что было заложено в проекте, и планировалось построить еще один корпус. Паркинг уже приносил доход. Многие жители городка выразили желание сдавать комнаты приезжающим. Нас занимал вопрос о том, достаточен ли штат полицейских, охраняющих ограду и ворота. Пока что этим были заняты люди шерифа, но надо было поскорее заменить их постоянным штатом. Герб передал функции редактора газеты своему помощнику и планировал ежедневно издавать информационные буклеты объемом в четыре или шесть страниц для удовлетворения любопытства ожидаемого потока посетителей, первые волны которого были уже налицо. Такой наплыв публики кое-кого в городе и раздражал, ибо, как они полагали, он таил в себе угрозу установившимся традициям. Но уже тут и там различные общественные организации, главным образом женские, начали планировать регулярные ужины с жареными цыплятами, утренники с земляничным мороженым и другие такие же мероприятия, призванные укрепить местный бюджет.

Мы покончили с выпивкой, и Райла сказала мне:

— А теперь — в Мастодонию! Умираю от желания показать ее тебе!

Глава 21

В МАСТОДОНИИ БЫЛА ВЕСНА, все вокруг дышало красотой. Передвижной дом стоял на вершине невысокого холма на расстоянии не более полумили от того места, куда нас вывел временной туннель из Виллоу Бенда. Прямо под домом у подножия холма виднелась роща диких яблонь, охваченных ярко-розовым пламенем цветения. В длинной ложбине, уходящей от холма, росли отдельными группами и другие цветущие деревья. Лужайки между ними были покрыты морем цветов, и все пространство вокруг оглашалось разноголосым пением множества птиц.

Рядом с домом были припаркованы два вездехода. Над дверью был развернут козырек, а неподалеку врыт в землю большой садовый стол с ярко расцвеченным тентом — зонтом, укрепленным на шесте, воткнутом в середину стола.

Поистине наш новый дом имел весьма праздничный вид!

— Мы купили большой дом,— сказала Райла,— шесть спальных мест, прекрасная гостиная и кухня со всей необходимой утварью.

— Тебе здесь нравится? — спросил я.

— Нравится? Эйза, да разве ты сам не видишь? Это же убежище, о каком можно только мечтать: «хижина у озера, охотничий домик на горе...». Да здесь же намного лучше! Ты ведь здесь обретаешь подлинную свободу. Никого вокруг, ты понимаешь? Абсолютно ни-ко-го! Чтобы добраться до Северной Америки, людям из Азии придется ждать еще тысячу веков. Конечно, на Земле где-то уже есть люди, но еще не на этом континенте. Здесь ты в таком одиночестве, какое только мыслимо!

— Ты уже обследовала окрестности?

— Нет, мне не хотелось без тебя. Да одной было бы и страшновато. Вот я и ждала тебя. Ну а как тебе здесь нравится? И нравится ли?

— Ну конечно, очень нравится! — ответил я.

И это было абсолютной правдой. Мне понравилась Мастодония. Что же касается идеи одиночества и личной независимости, то, по-моему, эти вещи следовало бы проверить на деле. И привычка к ним должна была еще взрасти в нас.

Невдалеке кто-то крикнул, и потребовалось несколько секунд, чтобы я мог сообразить, кто же здесь может кричать. И я увидел их, их двоих, Хайрама и Баузера, огибающих склон холма над рощей цветущих яблонь. Они бежали к нам. Хайрам несся неуклюжим петляющим галопом, а Баузер восторженно подскакивал, сопровождая каждый прыжок отчаянно-приветственным лаем.

Позабыв о всякой чопорности — да ее в этом мире и быть не могло! — мы побежали им навстречу. Баузер, мчавшийся первым, бросился лизать мне лицо в невероятном собачьем ликовании. Хайрам, запыхавшись, поравнялся с нами.

— О, мистер Стил,— сказал он, переводя дух,— мы все время караулили у входа, а тут решили немножко прогуляться и прозевали ваш приход! Мы спустились вниз, чтобы посмотреть на одного из слонов.

— Слонов? Ты имеешь в виду мастодонтов?

— Я думаю, так будет вернее,— ответил Хайрам.— Наверное, эти создания зовутся так. Я пробовал запомнить это слово, но не смог. Но все-таки мы видели настоящего красивого масто... похожего на слона. Он подпустил нас совсем близко. Я думаю, мы ему понравились.

— Смотри у меня, Хайрам,— сказал я строго.— Ты не должен подходить близко к мастодонту! Он может выглядеть достаточно мирным, но если вы подойдете слишком близко, неизвестно, что он выкинет. Это относится и к большим кошкам, особенно тем, у которых длинные острые зубы. Понял?

— Но этот слон... мастодон... так хорош, мистер Стил! Он движется так медленно и кажется таким печальным! Мы назвали его Стиффи*, потому что он так медленно ходит. Он еле плетется...

— Во имя Христа,— сказал я,— запомни, что старый, отбившийся от стада самец только и ищет, над кем бы покуражиться. У него вполне может оказаться премерзкий норов!

— Это правда, Хайрам,— подтвердила Райла.— Вы держитесь поосторожнее с таким животным. И с любым другим животным, которое вам здесь повстречается. Не пытайтесь завязать с ними дружбу.

— Даже с сурками, мисс Райла? —поинтересовался он.

— Ну, я полагаю, с сурками-то можно. Это безопасно,— сказал я.

Мы вчетвером направились к нашему передвижному дому.

— У меня есть комната, совсем моя,— сообщил Хайрам.— Мисс Райла сказала, это моя комната и ничья больше. Она сказала, Баузер может там спать со мной.

— Войдем и посмотрим,— сказала Райла.— Мы вместе все осмотрим, и потом вы можете выйти во двор.

— Во двор?

— Туда, где стол на лужайке. Я называю это двором. Когда ты все осмотришь внутри, выходи и погляди, как там снаружи. А я приготовлю ленч. Достаточно ли будет сандвичей?

— Это прекрасно!

— Мы поедим на воздухе,— сказала Райла.— Мне все время хочется любоваться этой страной. Я никак не могу на нее наглядеться.

---

* Тугой, негибкий.

Я прошелся по нашему новому дому. Мне впервые доводилось видеть жилище подобного типа, но я знал, что многие люди жили в таких и были очень даже довольны.

Особенно мне понравилась гостиная — просторная, удобно обставленная, с широкими окнами, толстым ковром на полу, с подставкой для ружей у двери и книжными полками, заставленными книгами, которые Райла перевезла сюда из моей маленькой библиотеки. Все здесь было гораздо респектабельнее, чем в моем доме на ферме. Я должен был это признать.

Выйдя из дома, я спустился вниз по холму, сопровождаемый шаркающим рядом Хайрамом и скачущим впереди Баузером.

Холм был не особенно велик, но достаточен для того, чтобы обеспечить хороший обзор окружающей местности. Внизу справа несся поток, та самая речка, что текла здесь в меловом периоде и делала то же самое в двадцатом веке, пересекая Виллоу Бенд. В течение миллионов лет местность изменилась лишь слегка. Мне показалось, что этот холм немного выше, чем он был в меловом периоде и, возможно, выше, чем он будет в двадцатом веке. Но я не мог бы это утверждать с полной уверенностью.

Долина реки ясно просматривалась, ее местами пересекали лишь заросли цветущего кустарника и низкорослых деревьев, но другие холмы почти сплошь заросли лесами. Я поискал глазами, нет ли каких-нибудь пасущихся стад, но ничего не заметил. Никаких признаков живых существ, кроме двух крупных птиц, возможно орлов, парящих в небе...

— Он там,— возбужденно произнес Хайрам.— Там он, Стиффи! Вы видите его, мистер Стил?

Я посмотрел в направлении вытянутого пальца Хайрама и увидел мастодонта прямо над холмом, в долине. Он стоял на опушке рощицы из небольших деревьев, обдирая их листву хоботом и отправляя ее в рот. Даже на таком расстоянии было видно, какой он облезлый. Он, казалось, был совсем один. По крайней мере, в поле зрения не виднелось никаких других мастодонтов.

Райла позвала нас, и мы вернулись к вершине холма. На «дворовом» столе были расставлены блюда с грудами сандвичей и печенья. Еще радовали глаз маринованные огурчики, банка с маслинами и большой кофейник. Баузеру предназначалась изрядная порция мяса, нарезанного кусочками, чтобы ему было легче их прожевывать.

— Я закрыла зонт,— сказала Райла,— чтобы солнышко нам светило. Оно здесь так прекрасно!

Я взглянул на свои часы. Они показывали пять часов пополудни, хотя здесь, судя но солнцу, был всего лишь полдень. Райла рассмеялась.

— Ты забудь о часах,— сказала она.— Здесь никаких часов не требуется. Я свои оставила на ночном столике в первый же день. Но они, наверное, еще идут.

Я кивнул. Эта мысль мне понравилась. Мне это вполне подходило. Ведь на земле не так уж много мест, где бы человек мог избавиться от тирании времени!

Мы ели под лучами солнца, не торопясь и наблюдая, как лениво уходит полдень и удлиняются тени от западных холмов, наползая на реку и речную долину.

Я мотнул головой в сторону реки.

— Там ведь должна быть недурная рыбалка?

— Завтра,— сказала Райла.— Завтра отправимся рыбачить. Возьмем одну из машин и поедем обследовать окрестности. Тут многое можно увидеть!

Ближе к вечеру мы услышали далекий трубный зов. Это могли быть и мастодонты. В полночь меня разбудил новый звук.

Напряженно вытянувшись в постели, я ждал, пока он снова повторится, этот злобный глухой вопль со стороны северного холма. Кошка, вне сомнений, возможно саблезубый тигр, а может, и кто другой из этой же кошачьей породы...

Я сказал себе, что начинаю зацикливаться на мысли о саблезубе, что заворожен им, буквально жажду его появления. Но лучше бы мне изгнать эту навязчивую мысль из головы, ибо в этом мире сангамона могут попадаться самые разные представители отряда кошачьих!

Этот крик сам по себе был достаточно грозен, но меня он почему-то вовсе не напугал. Я чувствовал себя в безопасности. Рядом спала Райла, абсолютно не потревоженная воплями, доносящимися с севера.

Утром, после завтрака, мы запаслись ленчем, захватили два семимиллиметровых ружья и несколько удочек, уложили все это в один из вездеходов и отправились на разведку — я и Райла на переднем сиденье, Хайрам с Баузером на заднем.

Через семь миль мы заметили издали и объехали стадо мастодонтов. Их было около дюжины. Они подняли головы, чтобы посмотреть на нас, захлопали ушами, попытались принюхаться, подняв хоботы, но совершенно не сдвинулись с места.

В полдень мы остановили машину у реки, и я забросил удочки. Не более чем через пять минут я вынул три крупные форели, которых мы тут же запекли на костре, разожженном из плавника. Пока мы уплетали рыбу, на голый крутой утес, вдающийся в реку с противоположного берега, выскочило шесть волков. Они внимательно всматривались в нас. Мне показалось, что они значительно крупнее обычных волков, и я подумал: не пещерные ли это? Проехав дальше, мы вспугнули оленя, который проскакал мимо нас. Потом мы увидели на каменистой гряде крупного рыжеватого кота. Это был скорее всего кугуар, но никак уж не саблезуб!

Домой мы вернулись перед самым закатом, здорово уставшие, но полные восхищения. Это были самые лучшие каникулы в моей жизни!

В течение следующих двух дней мы совершали и другие поездки, выбирая разные направления. Мы увидели немало мастодонтов, одно немногочисленное стадо бизонов, значительно превышающих размерами своих потомков с исторических равнин Запада. У этих были громадные, разнесенные в стороны рога. Мы нашли болото, с которого при виде нас тучей взмывали вверх утки и гуси. А чуточку поодаль от болота мы сделали свое величайшее открытие, ибо там обосновалась колония бобров, не уступавших размерами медведям. Они трудились над постройкой плотины, которая и послужила причиной образования болота, ставшего прибежищем тех уток и гусей. Мы издали наблюдали за бобрами, замерев в совершенном восторге.

— Один бобер — один меховой жакет,— заметила Райла.

Я потерял всякое представление о времени. Я забыл обо всем, полностью отдавшись щедрой фантастике изумительных открытий, блаженному безделью и созерцанию бесконечных, избавленных от измерения часами дней.

Но идиллии пришел конец на третий день, когда мы вернулись из очередной поездки. Нас поджидал Бен, сидевший за столом во дворе. Перед ним стояли стаканы и бутылка, тоже ожидавшие нас.

— Выпивка подана,— сообщил он.— Начинается бизнес. Кортни завтра вылетает на встречу с «Сафари». Они готовы к переговорам. Кортни говорит, они полны нетерпения. И вовсе не притворяются, а на самом деле полны нетерпения!

Глава 22

Я ПРОСНУЛСЯ на следующее утро со смутным чувством беспокойства, причины которого мне были непонятны. Оснований для него вроде бы не было. Я выбрался из постели, пытаясь не разбудить Райлу. Но мои старания оказались напрасными, и, когда я хотел выскользнуть из спальни, она спросила:

— Что случилось, Эйза?

— Да, наверное, все в порядке,— ответил я.— Пойду-ка посмотрю.

— Но только не в пижаме! — категорично заявила она.— Вернись и оденься. Сегодня должны объявиться люди из «Сафари», причем, может быть, совсем рано. Их время ведь на пять часов опережает наше!

И я был вынужден одеться с очень неприятным ощущением, что теряю время. Потом я вышел наружу, стараясь не подать вида, что страшно спешу.

Но стоило мне открыть входную дверь и бросить взгляд во двор, как я отпрянул назад и схватил одно из семимиллиметровых ружей, стоявших в подставке у двери.

Прямо под холмом, не более чем в пятистах футах от меня, стоял тот самый мастодонт, которого Хайрам называл Стиффи. Это, несомненно, был он, и вид у него был еще более облезлый, чем когда я смотрел на него издали.

Он казался каким-то удрученным, с безвольно повисшим между двумя большими бивнями хоботом. Несмотря на то что росту в нем было не менее девяти футов, ничего величественного он собой не являл. Прямо перед ним, в каких-нибудь пятидесяти футах, стоял Хайрам. Рядом с ним вовсю вилял хвостом Баузер, выражая наилучшие в мире намерения.

Хайрам что-то внушал этой громадине, а мастодонт в ответ похлопывал одним ухом, не таким большим, как у вислоухих африканских слонов, но все же немалым.

Я оцепенел, сжимая ружье обеими руками. Мне страшно было окликнуть Хайрама или Баузера, поэтому не оставалось ничего другого, как держать ружье наготове. Где-то на задворках памяти всплыло, что в далеком будущем, в девятнадцатом веке, старый Карамоджо Белл убьет сотни африканских слонов из-за бивней, стреляя из ружья, не превышающего калибром то, что я держу в руках. Но, даже зная это, я все же надеялся, что мне не придется стрелять. К тому же большинство выстрелов Карамоджо было нацелено в мозг, а тут я абсолютно не имел понятия, куда надо целиться, чтобы попасть в мозг.

Стиффи постоял еще, а потом сделал движение. Я подумал, что он собирается пойти на Хайрама, и поднял ружье. Но он не пошел никуда, не сделал ни шага. Он просто поднял одну ногу, потом другую и стал мерно переступать на месте. Он это делал так, словно что-то причиняло ему страдание и он пытался переместить свой вес с одной точки опоры на другую. Эти движения, медленные и довольно осторожные, заставляли его тушу слегка колыхаться, и это было самое нелепое зрелище из всех, какие я видел: этот дурацкий «слон», стоящий перед Хайрамом и мягко покачивающийся взад и вперед.

Я быстро шагнул вперед, но, подумав, не решился сделать еще один шаг. Пока все обстояло мирно, хотя кто мог знать, не разозлит ли его какая-нибудь малость? У меня же было ружье, и при необходимости я мог бы послать в старого Стиффи три или четыре заряда. И все же я продолжал надеяться, что этого не понадобится.

Хайрам потихоньку, шаг за шагом, продвигался вперед, но Баузер уже с места не сдвинулся. Господи, я бы мог поклясться, что у Баузера больше здравого смысла, чем у Хайрама!

Но ведь я мог это предотвратить. Я мог прогнать эту тварь раньше, чем вышел Хайрам! Я же столько раз велел ему оставить этого мастодонта в покое, а он вышмыгнул наружу, пока я валялся в постели да еще потратил столько времени на переодевание. Я опоздал его перехватить! И, коря себя, я все же прекрасно знал, что Хайрам иначе и не мог себя вести. Он же разговаривал дома с сурками и синичками, у него был знакомый медведь-гризли, и с ним он «беседовал» тоже. Пусти его в меловой период — он попытается завязать дружбу с динозаврами!

А теперь Хайрам был уже совсем близко от животного и уже тянул к нему руку. Тот прекратил свое раскачивание. Баузер оставался на месте и хвостом уже совсем не вилял. По-видимому, он был обеспокоен не меньше моего. Я перевел дух и продолжал наблюдать, раздумывая, не следует ли все же окликнуть Хайрама. Впрочем, было слишком поздно звать его назад. Если бы мастодонт сделал малейший выпад, это было бы концом Хайрама.

Мастодонт подогнул хобот и слегка подался вперед, опираясь на носки ступней. Хайрам замер неподвижно. Стиффи фыркнул, вытянул хобот и провел его кончиком сверху вниз, вдоль тела Хайрама, как бы желая обследовать, чем от него пахнет. Движение это было очень мягким и деликатным. И тогда Хайрам погладил этот любознательный хобот, проведя рукой вдоль него, туда и обратно, слегка его почесывая. А этот большой глупый зверь издал звук, похожий на блаженный стон. Ему это понравилось! Тогда Хайрам сделал еще один шаг вперед, потом еще один и оказался прямо под головой Стиффи, которую тот наклонил. Хайрам поднял обе руки и стал почесывать до смешного маленькую нижнюю губу своего могучего нового друга. Мастодонт заурчал от наслаждения.

Этот чертов зверь был таким же ненормальным, как сам Хайрам, да, пожалуй, Хайраму было до него далеко!

Я облегченно вздохнул, надеясь, что это не преждевременно. Непохоже было все же, что дела пойдут хуже. Стиффи все еще торчал там, а Хайрам все еще почесывал его. Баузер, не скрывая некоторого отвращения, повернулся, подошел и уселся около меня.

— Хайрам,— произнес я так тихо, как только мог,— Хайрам, послушай меня!

— Вы не должны волноваться, мистер Стил,— негромко откликнулся он.— Стиффи — мой друг!

С тех пор как я вернулся в Виллоу Бенд и возобновил знакомство с Хайрамом, я только и слышал это от него. Любая тварь была ему другом. У Хайрама врагов не было!

— Ты все же поостерегись немного,— сказал я.— Он ведь дикое животное и при этом ужасно велик!

— Но он же говорит со мной,— возразил Хайрам.— Мы разговариваем друг с другом. Я знаю, что он мой друг!

— Ну, тогда попроси, чтобы он ушел отсюда. Пусть он держится на расстоянии, подальше от этого холма. А иначе, ты же должен понимать, он может нечаянно наткнуться на наш дом и опрокинуть его. Объясни ему, что, если он это сделает, я выпущу в него четыре заряда из двух стволов.

— Я уведу его в долину,— сказал Хайрам,— и объясню, что он должен там оставаться. Я пообещаю приходить туда, навещать его.

— Ты это сделай,— согласился я,— а потом возвращайся как можно скорее. Ты мне должен кое в чем помочь.

Он протянул руку и приложил ее, подталкивая, к плечу Стиффи, а тот повернулся и пошел вперед, принюхиваясь и фыркая, тяжело переставляя свои огромные ступни. Он спускался по склону холма, и Хайрам шел рядом.

— Эйза,— позвала из двери Райла,— что там происходит?

— Стиффи задумал к нам прийти,— ответил я,— но Хайрам увел его назад, на его собственное место...

— Но ведь Стиффи — это же мастодонт?!

— Вот именно,— подтвердил я.— Но он еще и приятель Хайрама.

— Тебе лучше войти в дом и побриться,— предложила Райла.— И, Бога ради, расчеши волосы! К нам идут люди.

Я поглядел вниз. Пять фигур передвигались гуськом, в линию. Предводительствовал ими Бен. Он был в бутсах, брюках хаки и охотничьей куртке. Да еще при ружье. Остальные были в обычных деловых костюмах, и все несли в руках кейсы или портфели.

Я увидел среди них Кортни, остальные трое, должно быть, представляли фирму «Сафари». Они ужасно развеселили меня, эти степенные деловые типы, шествующие с символами своего бизнеса там, где все дышало нетронутой первозданностью.

— Эйза! — строго сказала Райла.

— Слишком поздно,— откликнулся я.— Они же сейчас будут здесь. Считай, что тут у нас новый фронтир*. Пусть примут меня таким, какой я есть.

Я провел ладонью по подбородку, и меня оцарапала щетина. Я сильно зарос, и вид у меня, скорее всего, был не слишком опрятный!

Бен подошел первым и пожелал доброго утра. Остальные выжидающе оставались стоять, все так же в линейку, как они шли по туннелю. Кортни выступил вперед и произнес:

— Райла, вы знаете этих джентльменов?

— Да, конечно,— отозвалась она.— Но никто из них не встречался с моим компаньоном, Эйзой Стилом. Вы, надеюсь, извините его вид? У нас тут были небольшие неурядицы с мастодонтом и...

Джентльмен с военной выправкой, стоявший в конце цепочки, воскликнул:

— Простите меня, мадам, но, выходит, я не ошибся? Мне показалось, что вниз по склону шли вместе мастодонт и человек. Мужчина держался за хобот мастодонта, как если бы он вел его за поводок!

---

* Форт на границе передвижения первых поселенцев в США.

— Это был всего лишь Хайрам,— ответила Райла.— У него свои особые отношения с животными. Он уверяет, что может с ними говорить.

— Выходит, Хайрам и здесь уже взялся за свое,— отметил Бен.— Не так уж долго пришлось дожидаться!

— Он ведь здесь уже несколько дней,— сказал я.— Этого вполне достаточно.

— Никто не видел ничего подобного! — продолжал волноваться старый вояка-джентльмен.— Глазам своим не поверишь! Это же совершенно невероятно!

— Эйза,— произнесла Райла,— наш неверующий друг — это майор Хеннесси. Майор, это мой компаньон Эйза Стил.

— Очень рад,— сказал Хеннесси.— Должен заметить, у вас здесь настоящая база!

— Нам она нравится,— ответил я.— Позднее, если у вас найдется время, мы покажем вам окрестности.

— Невероятно! — не унимался майор.— Абсолютно невероятно!

— Мистер Стюарт,— продолжала представлять мне гостей Райла.— Мистер Стюарт — председатель совета «Сафари Инкорпорейтед», и мистер Бойл... Если не ошибаюсь, мистер Бойл, вы — генеральный управляющий?

— По вопросам организации экскурсий,— подсказал Бойл.— Я занимаюсь разработкой проблем сафари на динозавров. Это оказалось совсем не просто!

«И окажется гораздо сложнее, чем ты предполагаешь»,— ответил я ему мысленно. Этот субъект почему-то вызвал у меня неприязнь с первого взгляда.

— Теперь, когда мы все познакомились,— произнес Стюарт,— почему бы не перейти сразу к делу? Мне бы хотелось остаться здесь, на воздухе. Это так вдохновляет!

Хеннесси ударил себя в грудь.

— Вы только понюхайте этот воздух! Он абсолютно чист! Никаких вредных выбросов. Я не дышал таким воздухом много лет!

— Прошу вас, присаживайтесь,— сказала Райла.— Я принесу кофе.

— Не беспокойтесь, пожалуйста,— произнес Бойл.— Мы уже имели ленч. Мистер Пэйдж к тому же перед самым нашим выходом к вам напоил нас кофе.

— Но мне самой хочется позавтракать,— немного резко отпарировала Райла.— И я думаю, Эйзе тоже!

— Ну что ж, пожалуй,— сказал майор.— Мы будем рады составить вам компанию. Спасибо большое!

Они расселись вокруг стола и пристроили свои чемоданчики на земле рядом с собой. Лишь один Стюарт поставил свой кейс на стол и начал вынимать из него документы.

— Ты должен внимательнее следить за Хайрамом,— сказал мне Бен.— Возможно, с мастодонтом все обойдется, но ведь здесь есть еще и другие звери?

— Я пытался ему втолковать,— ответил я.— И буду говорить еще и еще, но...

Райла принесла поднос с чашками, а я зашел в дом за кофе. На разделочном столике лежал нарезанный кофейный кекс, и я его тоже прихватил.

Когда я подошел к дворовому столу, все уже сидели вокруг и были готовы к переговорам. Места за столом почти не оставалось, и я пристроил свой стул сбоку.

Майор обратился ко мне:

— Так вот она, Мастодония! Изумительна, должен отметить! А не могли бы вы сказать, как вам удалось выискать такое восхитительное место?

— В основном умозрительно,— ответил я.— Мы предполагали, что так должно быть именно в этом времени. Правда, это предположили не столько мы, сколько геологи. Это эпоха сангамон, она является промежуточным временем между так называемыми иллинойским и висконсийским ледниковыми периодами. Мы выбрали это время, поскольку чувствовали, что оно наиболее нам подойдет по ландшафту и климат в нем окажется идеальным. Правда, мы еще не вполне в этом уверены, поскольку совсем недавно сюда прибыли.

— Удивительно! — воскликнул майор.

— Мистер Маккаллахан,— прервал его Стюарт,— вы готовы приступить?

— Конечно,— ответил Кортни.— Что бы вы хотели сказать?

— Вы понимаете,— произнес Стюарт,— чего мы от вас ждем. Нам бы хотелось получить права для наших сафари в меловом периоде.

— Только не права,— поправил его Кортни.— Мы не собираемся продавать вам права. Мы предлагаем всего лишь лицензии на ограниченное время.

— Что вы под этим подразумеваете, Кортни? Какое еще «ограниченное время»?

— Я имел в виду, скажем, лицензии на один год,— ответил Кортни.— Разумеется, с возможностью возобновления.

— Но такая система нас не устраивает! Мы же должны привлечь к этому большие средства! Нам понадобится дополнительный штат...

— На год,— отрезал Кортни.— Для начала.

— Вы даете нам всем новую пищу для размышлений...

— А что же тогда вы здесь написали? — Кортни жестом указал на разложенные перед Стюартом бумаги.

— Здесь все указано так, как мы предполагали. Мы же новички в этом бизнесе с меловым периодом! К тому же...

— Все, что мы можем вам предложить,— непреклонно заявил Кортни,— это лицензия. Если вы ее приобретете, то остальное уже ваше дело. Это не значит, что мы не будем вам помогать советами или участием в пределах наших возможностей. Но это уже на основе не контракта, а всего лишь нашей доброй воли!

— Давайте оставим эти придирки,— вмешался майор.— Мы хотим отправлять людей на сафари. И не на одно, а на много разных. Именно на много разных сафари, пока не померкла новизна всей этой затеи. Насколько я знаю спортсменов, а я-то их знаю, для каждого из них важно быть среди первых, кто отхватит динозавра. Но мы не желаем наваливать одно сафари на другое. Нам надо держать охотничью зону настолько чистой, насколько это удастся. Поэтому нам нужен не один временной канал, а несколько.

Кортни вопросительно посмотрел на меня.

— Это возможно,— подтвердил я.— Столько, сколько вам понадобится, и отстоящих друг от друга, скажем, на тысячу лет. Мы могли бы разделить их еще тщательнее или, наоборот, сделать интервалы несколько меньшими.

— Вы понимаете, конечно,— добавил Кортни, обращаясь к майору,— что каждый временной канал будет стоить вам дополнительной суммы?

— Мы были бы готовы,— произнес Стюарт,— заплатить вам порядка миллиона долларов за три временных туннеля.

Кортни покачал головой.

— Миллион за лицензию на год. И, скажем, по полмиллиона за каждый дополнительный туннель после первого.

— Но ведь мы, о Господи, и разориться так можем!

— Не думаю, чтобы это случилось,— ответил Кортни.— Не могли бы вы, к примеру, сообщить, сколько вы запросите за двухнедельное сафари с каждого клиента?

— Мы приехали сюда не для того, чтобы обсуждать это,— кисло заметил Стюарт.

— А зачем тогда вы приехали? У вас же была пара недель для принятия всех вариантов решений. При наличии такого шквала публикаций у вас уже давно готов список очередников на поездки!

— Вы позволяете себе высказывать экономические нонсенсы,— отпарировал Стюарт.

— Не говорите со мною так,— отмахнулся Кортни.— Вы же еле сводите концы с концами и прекрасно знаете, что я тоже это понимаю. К концу двадцатого столетия охота выдохнется совсем. А иначе зачем было бы делать вам тот «шаг в сторону» и придумывать всякие там «фотосафари»? И зачем вам были бы эти игры с запретами? А вот теперь у вас появился шанс вернуться в настоящий бизнес. К тому же шанс неограниченный. Столетия незапрещенной охоты. Новые неведомые звери. Завораживающая игра... Если некоторые из ваших клиентов выразят желание пойти на титанотериев, или мамонтов, или еще на дюжину больших и страшных зверей, вам надо будет лишь сказать нам слово, и мы вас туда отправим!

— Я не вполне уверен,— произнес Стюарт,— что мисс Эллиот и мистер Стил смогут настолько усовершенствовать свою машину времени...

— Мистер Стюарт,— вмешалась Райла,— но я же пыталась вам объяснить, а вы то ли не расслышали, то ли не поверили. Никакой машины нет!

— Нет машины? Но как же тогда...

— А вот так,— мягко ответил Кортни.— Это наш производственный секрет, который не подлежит оглашению!

— Они нас доставят, Стюарт,— сказал Хеннесси.— И это не пустые слова. Они правы. Никто другой не сможет это сделать. Мисс Эллиот действительно говорила нам, что никакой машины у них нет. Она об этом говорила с самого начала. А вот почему мы не точим карандаши и не беремся за расчеты? Возможно, наши друзья хотели бы просто получать отчисления от наших прибылей. Например, двадцать процентов?

— Если вы хотите пойти по такому пути,— ответил Кортни,— тогда пятьдесят процентов от вашего дохода. Не менее. Поэтому вам имеет смысл все же оплатить лицензию. Это будет значительно выгоднее для вас.

Я сидел, слушая все это, и у меня слегка пошла кругом голова. Можно болтать о миллионах долларов, и это ничего особенного не будет означать — просто какие-то цифры. Но, когда речь идет о вашем собственном миллионе баксов, тут дело принимает несколько иной оборот!..

Я встал и пошел к вершине холма. Не уверен, что они заметили мой уход. Баузер выполз из-под дома и пошел за мной. Хайрама нигде не было видно, и я уже волновался за него. Я же велел ему сразу вернуться, а он все еще не показывался. Стиффи медленно брел по долине, направляясь к реке, наверное чтобы попить. Но Хайрама рядом не было. Я с вершины оглядел все вокруг. Никаких признаков Хайрама.

Я услышал сзади себя неприятнейший звук. Это приближался Бен в своих бутсах. Они при ходьбе издавали такой свист, будто он скользил по траве стадиона. Он подошел, встал рядом и тоже поглядел вокруг. Вдалеке, в долине, виднелись какие-то подвижные пятна. Мастодонты. А может, бизоны...

— Бен,— спросил я его,— а миллион долларов — это много?

— Это очень большая наличность,— ответил он.

— У меня в голове это как-то не укладывается,— признался я.— А они там все еще толкуют о миллионе или даже о еще большей сумме?

— У меня это тоже не слишком укладывается,— ответил Бен.

— Но ты же банкир, Бен!

— Да нет, я всего лишь деревенский парень,— сказал он.— И ты тоже. Поэтому мы и не можем осознать.

— Ты деревенский парень,— произнес я.— А ведь мы с тобой отмахали немалый путь с тех пор, как вместе шлялись по этим холмам!

— И всего лишь за последние несколько недель,— подтвердил Бен.— Но ты чем-то еще озабочен, Эйза. Что тебя тревожит?

— Хайрам,— ответил я.— Он же должен был вернуться сразу, как отведет Стиффи.

— Стиффи?

— Это мастодонт.

— Да появится он,— сказал Бен.— Никуда не денется. Просто, наверное, встретился с сурком.

— А ты понимаешь,— спросил я,— что весь наш бизнес пойдет прахом, если с Хайрамом что-нибудь случится?

— Конечно, понимаю,— ответил Бен,— но с ним ничего не должно приключиться. Он пока что в полном порядке. Да он сам наполовину дикое животное.

Мы еще постояли и поглядели вокруг и не обнаружили никакого Хайрама.

Наконец Бен проговорил:

— Пойду-ка посмотрю, как там идут дела...

— Ты иди туда,— сказал я,— а я схожу поищу Хайрама.

Я нашел его через час, когда он вышел из яблоневой рощи под домом.

— Где ты был, черт побери? — накинулся я на него.

— Я имел хорошую, долгую беседу с Кошкиным Ликом, мистер Стил,— ответил он.— Со всеми этими разведками, в которые мы ездили в последние дни, я совсем его забросил. Я боялся, что ему стало одиноко!

— Ну, и стало ему одиноко?

— Нет,— сказал Хайрам.— Он говорит, что нет. Но он очень хочет начать работу. Он желает провести несколько дорог времени. И удивляется, почему мы так долго тянем.

— Хайрам,— сказал я серьезно.— Мне надо с тобой поговорить. Может быть, ты не вполне это понимаешь, но во всей нашей затее ты очень важная персона. Ведь только ты один можешь разговаривать с Кошачьим Ликом.

— Баузер тоже может с ним говорить.

— Превосходно! Может, это и так, но мне же это ничего не дает. Я ведь не могу разговаривать с Баузером!

Я обрисовал ему ситуацию. Я объяснил все это как можно понятнее и тщательнее. Можно сказать, я ему прочертил все как на диаграмме. Он обещал вести себя лучше...

Глава 23

КОГДА МЫ С ХАЙРАМОМ подошли к дому, Райла и Кортни сидели за столом. Остальных не было. Не было и одной из наших машин.

— Бен повез их на прогулку,— объяснила Райла.— Мы беспокоились о тебе. Куда ты девался?

— Я искал Хайрама внизу, в долине.

— Я не поехал с ними,— сказал Кортни,— так как хотел кое-что обсудить с вами.

— Налоговая инспекция? — спросил я.

— Нет, не она. Инспектора пока сидят тихо и выжидают, чем обернутся дела с «Сафари»...

— Ну и как закончились переговоры? Я надеюсь, дело сделано?

— Еще нет, но это не займет много времени. Они дрогнули, и мы схватили их за горло.

— Миллион за лицензию,— сообщила Райла,— и по четверти миллиона за каждый временной канал. Они хотят всего четыре канала. Это составляет два миллиона, Эйза,— сообщила Райла.

— И всего за год,— добавил Кортни.— Они пока еще не знают точно, но в следующем году цены могут подскочить. К тому времени «Сафари» уже полностью будет у нас на крючке!

— А сейчас это только начало,— отметила Райла.

— Но вот о чем я хотел с вами поговорить,— сказал Кортни.— Бен, кажется, уже говорил вам о церковной группе?

— Да,— ответил я.— Интересующейся временем Христа.

— Двое из них на днях посетили меня,— продолжил он.— Бен посоветовал им обратиться ко мне, а я ничего об этом и не знал, черт возьми! Я так и не понял, чего они добиваются. Интересоваться-то интересуются, но карты свои не торопятся раскрывать. Сейчас трудно сказать, имеет ли смысл тратить на них время.

— Мне это совсем не по душе,— отметил я.— Дело очень уязвимое. Во всех случаях мы должны ограждать себя от возможности любых неприятностей. Нам нужно строжайше следить за собственной репутацией. Не пускать никого ни в такую эпоху, ни в такую страну, посещение которой может вызвать побочный эффект.

— Я того же мнения,— согласилась Райла.— Эта затея особой прибылью и не пахнет, зато головной боли в ней хоть отбавляй.

— И я так же думаю,— подтвердил Кортни.— Они вернутся для продолжения переговоров, и я попытаюсь их охладить. Но есть и еще кое-что, вызывающее мое беспокойство. Сенатор Эйбл Фримор. Он не то из Небраски, не то из Канзаса, не запомнил. Он пытался договориться о встрече через моего секретаря, и тот пока что его отвадил. Но вы же не можете долго отваживать сенатора Соединенных Штатов, не так ли? И по-видимому, в ближайшие дни мне предстоит узнать, чего ему надо от нас.

— А вы сами ничего не предполагаете? — спросила Райла.

— Ничего конкретного. Знаю, что он подвизается в области сельского хозяйства и одержим идеей помощи бедным, попранным в правах фермерам. Но это не все — у него еще три вида «сердечных ран». И какую из них он собирается с нашей помощью вылечить, понятия не имею. Боюсь, что ничего хорошего у него на уме нет...

— Что-нибудь еще? — поинтересовался я.

— Практически пока больше ничего. Еще слишком рано. Все остальные предпочитают выжидать. Конечно, многие заинтригованы, но, естественно, и скептицизма пока что полно. Ждут, хотят посмотреть, как пойдут дела.

А вот когда после первого сафари появятся динозавры-трофеи, тогда начнется обвал. Но до этого максимум, на что мы можем рассчитывать, это искатели приключений и жулики. Вот, к примеру, тот горный инженер, который возжелал направить свои стопы в страну Черных гор и выскрести оттуда золото. Денег у него, правда, нет, но он готов отдать нам половину своей легкой добычи, а скорее всего, половину того, что он признает добытым... Это одна из разновидностей очаровательных пиратов, и он, пожалуй, мне даже понравился! Крайне беспринципен и в этом не очень-то отличается от многих других. Кстати, как у вас там, Райла, насчет визита в Южную Африку и сбора алмазов, валяющихся прямо на земле?

— Да, я носилась с такой идеей,— засмеялась Райла,— ведь особых усилий это не потребовало бы. Но, может, там никогда алмазы и не валялись на земле? Хотя идея была так заманчива!

— Этот бизнес с «Сафари»,— заметил Кортни,— на сегодняшний день наиболее перспективный и наименее хлопотный из всего, что мы бы могли предпринять. Его нетрудно контролировать, и жульнических лазеек в нем нет. Но вот что меня удивляет — ни один из ваших ученых коллег и интеллектуалов все еще не проявил интереса. Никто не захотел ознакомиться с техникой и мотивами творчества доисторических наскальных и пещерных художников либо понаблюдать, как трудились и играли неандертальцы, как проходили марафонские состязания или битва при Ватерлоо...

— Они желают сперва получить гарантии,— сказала Райла.— Сидят с чванным видом в своих академических берлогах и твердят друг другу, что этого не может быть...

— Ах да,— вспомнил Кортни,— есть еще кое-что, чем уже попахивает. Я совсем упустил это из виду! Это — генеалогисты, те, что за плату могут проследить любые семейные корни. Имеются сведения, что они намереваются расширить свои штаты, а следовательно, и увеличить стоимость услуг. И не с целью тщательнее изучить генеалогические древа по письменным источникам, а чтобы смотаться в прошлое, пообщаться с предками, а может, и разжиться их изображениями. Прапрапрапрадедушка Джейк, болтающийся на веревке за конокрадство, и прочее в этом же роде! Они пока что петляют где-то поодаль, но вскорости заявятся, как пить дать! — Он помолчал и продолжил: — Могут всплыть и другие «клиенты». И вы не способны и вообразить, что им еще придет в голову. Нельзя точно спрогнозировать, какое направление мыслей могут возбудить путешествия во времени у обычной публики и что в них может оказаться полезным для реализации... Мне представляется, что мы услышим голоса нефтехимиков, угольщиков и металлургов. В прошлом ведь столько природных ресурсов!

— Я думала об этом,— сказала Райла.— И это меня беспокоит. И вот чего я не могу понять: ведь эти ресурсы и сейчас имеются, и ничто не мешает нам их вытаскивать наружу. Я даже не задаю вопроса, а просто рассуждаю. И если мы выгребем их в прошлом, то что же произойдет с девятнадцатым и двадцатым веками? Будут ли все эти минералы на месте, а если нет, то как же без них сможет обходиться промышленность? А может, все эти проблемы временных парадоксов всего лишь та классическая тема, на которую все так любят разглагольствовать?

— Райла,— ответил Кортни,— я ничего этого просто не знаю. Но полагаю, что мы еще не научились правильно думать. А все наши рассуждения на эту тему направлены всего лишь на то, чтобы приспособить все к нашим потребностям. Что же касается настоящего момента, то у меня полно других дел и я не желаю забивать себе голову ничем иным...

Глава 24

ИТАК, НАЧАЛСЯ ПЕРИОД ОЖИДАНИЯ. «Сафари» нам сказала, что может пройти от десяти дней до двух недель, пока прибудет первая из их партий. Мы совершили несколько поездок по нашим окрестностям и увидели немало мастодонтов и бизонов. Нашли еще одну колонию крупных бобров, повстречали несколько медведей и кошек, но ни одна из них не была саблезубым тигром. Я уже подумывал о том, не начали ли они вырождаться, а может, уже и вымерли? Впрочем, вряд ли такое было возможно.

Однажды Райле показалось, что она приметила глиптодонта, одного из гигантских доисторических броненосцев, но когда мы подъехали к указанному ею месту, никаких следов глиптодонта не нашли. Мы искали диких лошадей, а они все никак нам не попадались. Зато было много волков и лисиц.

Мы хотели выбрать место для разбивки сада. Райла считала, что он должен быть посажен на целине. Но поблизости не оказалось ни одного подходящего участка.

Еще мы попытались провести телефонную линию между офисом Бена и нашим домом, чтобы он мог нас предупреждать о попытках проникновения кого-нибудь в Мастодонию. Кабель-то мы протянули, но связь не заработала: сигналы не сумели преодолеть преграду, разделяющую Мастодонию и двадцатый век.

Я получил от Бена нужное мне количество стальных кольев с выкрашенными в красный цвет верхушками. Я вбил их в землю вдоль тех полос, которые предполагалось использовать для постройки Кошачьим Ликом туннелей в меловой период. Деревянные колышки Хайрама были неплохи для первого раза, но стальные все же казались надежнее и долговечнее. Они не могли быть так легко поломаны, как деревянные. Я сделал четыре такие полосы для четырех временных каналов, и у меня осталось вполне достаточно стержней для разметки дальних концов туннелей.

Хайрам был весь поглощен общением со Стиффи и Кошачьим Ликом. Когда он не навещал одного из них, то, стало быть, был с другим. Баузер его обычно сопровождал. Меня несколько беспокоили эти пешие вылазки Хайрама, и я поначалу воображал всякие непредвиденные неприятности, но поскольку ничего не происходило, то я стал сам себя уговаривать, что волнуюсь понапрасну. И все же я не мог быть вполне спокойным.

Однажды ранним утром я сидел во дворе за столом с банкой пива. Райла в доме была занята приготовлением салата к обеду. Кругом все дышало покоем, впрочем, как и всегда. На склоне холма показался Хайрам, поднявшийся наверх. Я с ленцой наблюдал за ним, ища глазами Баузера. Он шел чуть поодаль и вел себя так, словно вынюхал в траве что-то интересное.

И вдруг Хайрам издал вопль ужаса и наклонился вперед, как бы споткнувшись. Он упал на колени, затем подскочил и заметался, как если бы его нога попала в капкан. Баузер бросился к нему, прижав уши. Я вскочил с места и опрометью кинулся вниз, криком позвав Райлу.

Хайрам начал истошно кричать, издавая вопли один за другим, почти без перерыва. Он сидел на земле, подавшись вперед и держа вытянутую левую ногу обеими руками. Рядом с ним Баузер, накинувшийся на что-то в траве, вздернул голову и дико замотал ею. У него в зубах было что-то зажато, и он болтал этим из стороны в сторону. Одного взгляда было достаточно, чтобы я понял, что же это такое!

Я подбежал к Хайраму, схватил его за плечи и заставил лечь на спину.

— Оставь ногу в покое! — закричал я.— Лежи смирно!

Хайрам перестал бессмысленно вопить и проговорил сквозь рыдания:

— Оно ударило меня, мистер Стил, оно ударило меня!

— Не двигайся,— снова приказал я ему,— лежи смирно!

Он лежал, но вовсе не смирно. Он ужасно стонал.

Я выхватил из кармана складной нож и разрезал штанину на его левой ноге. Когда я отогнул материю, то увидел темнеющий кровоподтек и две точечные ранки, из которых сочилась алая кровь.

Я углубил ножом надрез на штанине и завернул ее повыше, как можно плотнее.

— Эйза,— с ужасом проговорила за моей спиной Райла,— Эйза, Эйза, Эйза!

— Найди палку,— велел я ей,— любую палку, чтобы затянуть ею жгут.

Я снял ремень, отрезал от него полоску вдоль петель и затянул ею ногу Хайрама повыше раны. Райла склонилась над ним с другой стороны, глядя мне в лицо. Она протянула мне палочку, кусок сухой ветки. Я просунул его в петлю жгута и повернул.

— Держи ее,— бросил я Райле.— Держи покрепче.

— Я знаю,— ответила она и добавила: — Это была гремучая змея. Баузер убил ее!

Я кивнул. Мне еще явственнее об этом поведала сама рана. Никакая другая змея на этой широте Северной Америки не могла бы оставить такой след от укуса.

Хайрам как будто немного успокоился, но все еще стонал.

— Держись,— сказал я ему,— сейчас будет больно.

Я не дал ему возможности возразить, а просто подготовил его. Я должен был это сделать.

Сделав ножом на его ноге глубокий надрез, я соединил им две точечные ранки. Хайрам взвыл и попробовал сесть, Райла свободной рукой толкнула его обратно.

Я приложился ртом к надрезу и стал отсасывать кровь, ощущая ее теплоту и солоноватость. Отсасывал и сплевывал, отсасывал и сплевывал и молил Бога, чтобы в рот мне не попали кусочки живой ткани. Об этом не следовало думать, ибо будь даже там эти кусочки, я бы все равно не перестал делать то, что делал...

— Он теряет сознание,— пробормотала Райла.

А я все отсасывал и сплевывал, отсасывал и сплевывал. Подошел Баузер и удрученно уселся рядом.

Хайрам застонал.

— Приходит в себя,— сказала Райла.

Я остановился на мгновение, потом снова продолжал отсасывать кровь, пока наконец не решил, что достаточно. Я наверняка отсосал по меньшей мере порядочную часть яда. Присев на корточки, я дотянулся рукой до палочки, немного ослабив жгут. Но сразу же затянул его снова.

— Сходи и разверни одну из машин в сторону Виллоу Бенда,— сказал я Райле.— Мы должны отвезти его туда, чтобы там ему оказали помощь. Я подтащу Хайрама вверх.

— А ты сможешь и тащить его, и держать жгут?

— Попробую.

Я обратился к Хайраму:

— Закинь руки мне за шею и держись как можно крепче! Повисни всей тяжестью. Я могу поддерживать тебя лишь одной рукой!

Он сомкнул руки вокруг моей шеи, и я помог ему подняться. Мы начали ковылять вверх по склону. Он оказался тяжелее, чем я мог предположить. Опередив нас, Райла помчалась к одной из машин. Она развернула ее и ждала нас, сидя за рулем. Я втащил Хайрама на заднее сиденье и сел рядом с ним.

— Баузер, ко мне,— скомандовал я.

Баузер впрыгнул внутрь. Машина уже шла вперед.

Когда мы оказались у офиса и Райла просигналила, из дверей стали выскакивать люди. Первым до нас добрался Герб.

— Укус змеи,— сказал я.— Гремучей. Срочно звони в «Скорую помощь»!

— Дай-ка я поддержу его,— произнес Бен,— а ты ступай возьми из нижнего ящика моего стола бутылку виски. Ты еще не дал ему что-нибудь выпить?

— Я не уверен, что это можно...

— Какого черта, а я уверен! Если оно не поможет, то и не повредит. Я думаю, виски всегда полезно!

Я сходил за виски и принес его в комнату, где на диване был распростерт Хайрам. Герб вернулся от телефона.

— «Скорая» уже в пути,— сказал он.— Там с ними специалист по противоядиям. Он им сразу же займется. Но доктор сказал, что виски не надо.

Я поставил бутылку на стол.

— Хайрам, как ты? — спросил я его.

— Болит,— ответил Хайрам.— Все болит. Мне ужасно больно!

— Мы сейчас отвезем тебя в госпиталь,— сказал я.— Там о тебе позаботятся. Я поеду с тобой.

Герб схватил меня за локоть и оттащил в сторону.

— Я не допущу, чтобы ты туда поехал,— сказал он.

— Я должен. Хайрам — мой друг. И он этого хочет!

— Но ведь здесь все кишит газетчиками! Они последуют за каретой «Скорой помощи». А в госпитале ты окажешься для них великолепной мишенью.

— Ну и черт с ними! Хайрам — мой друг!

— Эйза, будь благоразумен,— взмолился Герб.— Я же сделал из тебя и Райлы таинственных личностей. Затворников, избегающих всяческой рекламы. Людей исключительных. Нам необходим такой ваш имидж. И чем дольше он удержится, тем лучше для дела.

— Сейчас важен не имидж, а помощь Хайраму!

— Но чем же ты сможешь ему там помочь? Держать его за руку? Ждать, пока доктора будут орудовать над ним?

— Это тоже помощь,— сказал я.— Просто быть с ним.

К нам подошел Бен.

— С Хайрамом поеду я,— сказал он.— Герб прав.

— Там должен быть кто-то из нас. Я или Райла. Лучше я.

— Райла? — запротестовал Герб.— Но она же будет взвинчена, истерична...

— Райла истерична?!

— Да нет,— сказал Бен.— И газетчики не смогут так надавить на нее, как на Эйзу. Если она скажет, что не желает с ними разговаривать, то сделает это короче и резче, чем он. Уж она-то сумеет это сделать...

— Ты — ублюдок! — заорал я.— Оба вы ублюдки!

Но это не подействовало на них. В конце концов я остался, а Бен с Райлой поехали в карете «Скорой помощи». Мне было ужасно плохо. Я чувствовал, что утратил самоконтроль, что больше не владею собой, что страшно возбужден и напуган. И ведь я остался. Они-таки одолели меня, Бен и Герб...

— Эта история даст им возможность опубликовать свежий аншлаг,— сказал Герб.

Я объяснил ему, куда он может отправиться со своим аншлагом, и обозвал его вурдалаком. Потом схватил бутылку, которую мы не использовали для Хайрама, и ушел с нею в кабинет Бена, где угрюмо к ней приложился. Но спиртное мне не помогло. Я даже не стал допивать виски.

Затем я позвонил Кортни и рассказал ему, что случилось. После того как я кончил говорить, на другом конце линии повисло молчание. Потом он спросил:

— Но ведь сделано все как надо, не так ли?

— Не знаю,— ответил я.— Я жду вестей.

— С Ликом может говорить только один Хайрам, да?

— Вот именно.

— Послушайте, Эйза, да днях «Сафари» уже прибудет к вам для отправки людей в меловой период. Нельзя ли предпринять что-нибудь? Я думаю, временные каналы еще не открыты?

— Попытаюсь поговорить с Ликом сам,— ответил я.— Он может слышать меня, но я-то его не слышу. Я ведь не смогу его понять.

— Но вы ведь попробуете поговорить, да?

— Попытаюсь,— обещал я.

— Я появлюсь у вас в ближайшие дни. Тот сенатор, о котором я вам говорил, пожелал побеседовать с вами. Не со мной, а именно с вами. Я его должен к вам доставить.

Я не стал его спрашивать о том, знает ли он, что этому сенатору надо. Мне это было как-то ни к чему.

— Если Хайрам не поправится,— сказал я,— то никого и привозить не надо. Если это произойдет, мы кончены. Вы ведь осведомлены обо всем и сами, не так ли?

— Я вас понимаю,— ответил он.

В его голосе прозвучала искренняя грусть.

Герб принес мне несколько сандвичей и кофе. От Райлы и Бена пока не было ни звука. Мы с Гербом немного поговорили, потом я вышел в заднюю дверь. Баузер ждал меня там, и мы зашагали через лужайку к моему старому дому. Мы уселись на заднем крыльце, и Баузер прижался ко мне. Он понимал, что случилась беда, и пытался чем-то успокоить меня.

Мой сарай стоял на месте, и его кривобокая дверь все еще покачивалась на своих петлях. Курятник тоже был на месте, и в нем даже продолжали жить куры. Они с кудахтаньем расхаживали по двору, как и раньше. А в углу около курятника по-прежнему высилась клумба с кустом роз, тем самым, из которого пялился на меня Кошачий Лик, когда я вышел ночью поймать лису. А вместо того прогулялся в плейстоцен!

Все это было таким знакомым, но в то же время и чуточку чужим. Непривычность остального окружения накладывала свой отпечаток и на сарай, и на курятник, и даже на розовый куст. Вокруг участка стояла высокая ажурная ограда, и над ней с внутренней стороны странно горбились прожектора. Вдоль ограды расхаживали патрульные, а снаружи вокруг нее кучками толпились люди. Многие еще подходили и глазели внутрь на нас с Баузером. Я удивился, зачем они все прибывают. Поистине здесь не на что было смотреть!

Я погладил Баузера по голове и заговорил с ним:

— Ты помнишь, Баузер, как здесь было хорошо раньше? Как ты пытался выкопать сурка, а я уволакивал тебя домой? Как мы по вечерам выходили, чтобы запереть курятник? Как Хайрам приходил к тебе в гости почти ежедневно? А ту синичку на передней лужайке помнишь?

Я подумал, а вдруг синичка и сейчас еще там, но не пошел это проверить. Побоялся, что не найду ее.

Я поднялся по ступенькам и зашел в дом, придержав дверь, чтобы и Баузер мог войти. Сел на стул около кухонного стола... Мне хотелось походить по дому, но я не сделал этого. Дом был абсолютно безмолвен и пуст. Кухня тоже, но я все продолжал в ней сидеть. В ней будто еще что-то оставалось от старого дома. Она была моим любимым местом, почти гостиной, и я в ней проводил так много времени...

Солнце клонилось к закату, и в дом вползли сумерки. Снаружи зажглись прожектора. Мы с Баузером вышли и снова сели на ступеньки крыльца. В дневном свете это место выглядело странным и чужим. Но с наступлением ночи, когда прожектора осветили все вокруг, оно стало похоже на видение из дурного сна...

...Райла нашла нас все еще сидящими на ступеньках.

— С Хайрамом все обойдется,— сказала она.— Но он еще довольно долго пробудет в госпитале.

Глава 25

НА СЛЕДУЮЩЕЕ УТРО я отправился к Кошачьему Лику. На привычном месте его не оказалось, и я обошел всю яблоневую рощу под нашим передвижным домом. Я прошел все тропинки, звал его тихим голосом, силился разглядеть в чаще ветвей. Его не было видно нигде. В течение нескольких часов я точно так же обследовал и другие рощи вокруг холма.

Когда я вернулся домой, Райла сказала:

— Я бы пошла с тобой, но побоялась его спугнуть. Он же тебя знает довольно давно, а я для него всего лишь посетительница.

Мы сидели за дворовым столом совершенно подавленные.

— А вдруг мы его не найдем? — ужаснулась Райла.— Может, он знает, что стряслось с Хайрамом, и прячется, не желая показываться, пока Хайрама нет?

— Не найдем, так не найдем,— махнул я рукой.

— Но ведь «Сафари»...

— Ну и подождет «Сафари»! Ведь даже если Лик и отыщется, я не знаю, как с ним общаться!

— А может, он вернулся в Виллоу Бенд,— предположила Райла,— в сад около старой фермы? Это же была его излюбленная резиденция, не так ли? Если он знает о Хайраме, так, может, хочет быть к нему поближе?..

И в саду Виллоу Бенда я его нашел сразу же. Он висел на одной из яблонь у самого дома и таращился на меня своими огромными кошачьими глазами. Он даже улыбался мне!

— Лик,— сказал я,— Хайрам получил травму, но он поправится. Он вернется через несколько дней. Лик, ты можешь мне подать знак, моргнуть, например? Можешь закрыть глаза?

Он закрыл глаза и открыл их вновь, еще раз закрыл и открыл.

— Прекрасно,— сказал я.— Я хочу поговорить с тобой. Ты можешь меня слышать, а я тебя — нет. Но попробуем поговорить по-другому. Я буду задавать вопросы. Если ты захочешь ответить «да», закрой глаза один раз, если «нет» — закрой их дважды. Ты меня понял?

Он закрыл глаза и открыл их.

— Ты понял, что Хайрам вернется через несколько дней?

Он просигналил «да».

— И ты готов вот так пообщаться со мной? Говорить со мной, закрывая глаза?

— Да,— подтвердил Лик.

— Это не слишком удобный способ, не так ли?

Лик моргнул дважды.

— Ну хорошо. Так вот, в Мастодонии... а ты знаешь, какое место мы так назвали?

— Да,— ответил Лик.

— Так вот, там, в Мастодонии, нам надо, чтобы ты проложил четыре временных туннеля. Я уже установил их границы стержнями, выкрашенными в красный цвет. На первом из них в каждом ряду красным флажком отмечено начало вхождения во временной туннель. Ты понимаешь меня?

Лик просигналил, что понимает.

— Лик, ты уже видел эти стержни и флажки?

Лик ответил, что видел.

— Ну тогда, Лик, слушай внимательно. Первый временной туннель должен увести на семьдесят миллионов лет назад. Следующий должен вести во время, ближе к нам от первого на тысячу лет, то есть на семьдесят миллионов минус одна тысяча лет...

Лик не стал дожидаться моего вопроса о том, понял ли он, и сам просигналил «да».

— Третий канал,— продолжил я,— должен вести во время, ближе к нам еще на тысячу лет, а четвертый — на тысячу лет ближе, чем третий. Хорошо?

Лик подтвердил, что понял.

Мы еще раз прошлись по заданию, чтобы я был спокоен, что он все сделает как надо.

— Так ты построишь эти каналы? — спросил я.

Он моргнул один раз и исчез. Я еще стоял там, идиотски вперившись в место, где он только что был. Я предположил, что он, в соответствии с моим заданием, уже переместился в Мастодонию и уже строит туннели. Во всяком случае, мне очень хотелось так думать.

Я нашел Бена в его кабинете, где он сидел, задрав ноги на стол.

— А знаешь ли, Эйза,— объяснил он мне,— это самая лучшая работа из всех в моей жизни. Мне она по душе!

— Но ведь у тебя полно дел в твоем банке?

— А-а, я скажу тебе то, что говорю не всякому: банк работает сам по себе. Конечно, я еще им руковожу, но это лишь рутинная работа. Я всего лишь беру на себя самые ответственные решения и подписываю наиболее важные бумаги.

— В таком случае, почему бы тебе не прихватить тот большой тяжелый ствол и не прогуляться в меловой период вместе со мной?

— В меловой? Да что ты, Эйза, в самом деле?

— Надеюсь, хотя не вполне уверен. Это следует проверить. Я бы предпочел это сделать в твоей компании. Я ведь еще «цыпленок», и мне одному идти не стоит.

— А те «слоновые» ружья еще на месте?

Я кивнул.

— Но мы идем не на охоту, имей в виду! Еще не время. Мы просто проверим туннели.

Райла отправилась с нами. Мы сперва хотели взять машину, но потом решили, что лучше пойти пешком.

Я полностью подготовился к тому, чтобы избежать случайностей. Мы прошли первую полосу, ограниченную стержнями. Но ничего особенного с нами не случилось. Мы попали прямо в меловой период. Там шел дождь, вернее, надолго зарядивший ливень. Мы вбили в землю захваченные с собой стержни, затем прошли немного вперед, чтобы еще раз проверить, где находимся. Стайка глупых «страусозавров» поскакала прочь при виде нас.

Остальные три канала тоже были в полном порядке. Ни в одном из них дождя не оказалось. И, насколько я мог отметить, в каждом из этих каналов местность оставалась почти неизменной. В течение тысячи лет ничего особенно не менялось, во всяком случае на первый взгляд. Возможно, если бы мы пробыли подольше в каждом из этих времен, я бы и заметил изменения. Но мы почти не задержались там. Всего лишь воткнули наши стержни и вернулись.

Правда, в четвертом времени Бен ухитрился подстрелить небольшого анкилозавра длиной в шесть или семь футов. Должно быть, это был первогодок. Большая пуля из Бенова ружья почти напрочь снесла голову животному.

— Имеем жаркое из динозавра,— порадовался Бен.

Чтобы оттащить тушу в Мастодонию, потребовались усилия всех нас троих. Там нам пришлось прибегнуть к помощи топора, чтобы рассечь броню анкилозавра. Когда мы сделали это по периметру его туловища, оказалось возможным отделить панцирь, хотя и это далось совсем не легко. Бен отрезал «палицу» на конце его хвоста в качестве трофея. Я выволок из-под дома жаровню и развел в ней огонь.

Пока Бен поджаривал толстые ломти мяса, я спустился по холму в яблоневую рощу и обнаружил там Кошачий Лик.

— Я пришел, чтобы поблагодарить тебя,— сказал я.— Твои туннели превосходны!

Он моргнул своими глазищами не то четыре, не то пять раз.

— А не мог бы я сделать для тебя что-нибудь? — спросил я.

Он моргнул дважды, что означало «нет».

Тот страусовый динозавр, которым мы лакомились во время нашей первой разведывательной вылазки в меловой период, был весьма недурен по вкусу, и я полагал, что шашлык из «анки» нас разочарует. Они, эти анкилозавры, ведь такие противные на вид! Но никакого разочарования не последовало. Я накинулся на мясо, как волк, только поражаясь, до чего же много могу съесть!

Потом мы отчистили панцирь от остального мяса, запрятав несколько ломтей в свой холодильник и завернув остальное Бену, чтобы он отнес это домой.

— Завтра устрою прием с деликатесами из динозавров,— сказал он.— Может быть, приглашу кое-кого из этих лихих журналистов, пусть отведают. И напишут об этом в своих репортажах. Это же прекрасный материал!

Мы оттащили панцирь с клочками оставшегося на нем мяса под гору и опалили его на огне. Если бы его оставить так, вся округа провоняла бы на несколько суток. Но через два дня, прогулявшись вниз, я обнаружил, что кто-то, скорее всего волки или лисицы, дочиста обглодал панцирь и поистине совершил работу идеальных уборщиков мусора. От анкилозавра остались лишь разбросанные вокруг пластины панциря.

Когда Бен ушел, Райла и я, умиротворенные, еще не скоро легли спать. Мы долго сидели за столом, взирая на свои владения. Я взял винтовку и пошел с Баузером поискать гремучих змей. Но мы не нашли ни одной.

На холм с визитом явился Стиффи. Он подковылял довольно близко к нам, поднимая хобот, фыркая в нашу сторону и хлопая ушами.

Я уже знал, что надо сделать, чтобы он не попытался любовно усесться нам на колени. Пока Райла держала ружье, прикрывая меня, я пошел к нему медленно, слегка покачиваясь. Он меня обнюхал, и я, вытянув руку, пощекотал ему хобот. Он заурчал и застонал от наслаждения. Я приблизился еще и почесал ему нижнюю губу. Он это особенно оценил. Он сделал все, чтобы показать мне, как ему это нравится. Я отвел его вниз в долину и велел там оставаться и, черт побери, держаться подальше от нас! Он дружелюбно забормотал. Я боялся, что он пойдет меня провожать, но он не стал этого делать.

Мы просидели весь вечер, наблюдая, как на мир спускаются сумерки. Райла спросила:

— А ведь тебя что-то беспокоит, правда, Эйза?

— Хайрам перевернул все во мне,— ответил я.

— Но он же поправляется! Потерпи еще несколько дней, и он к нам вернется.

— Он ясно показал мне, как зыбко наше положение,— объяснил я.— Весь этот временной бизнес основан лишь на Хайраме и Кошачьем Лике. Не дай Бог, если что-то случится с одним из них. Мы тогда...

— Но ты же великолепно управился с Ликом! И наши временные туннели в полном порядке. Если что и пойдет не так, то мы все равно их уже имеем, а значит, и имеем бизнес с «Сафари» как основу всего дела. Конечно, со временем могут всплыть еще какие-нибудь трудности, но ведь уже есть возможность большой спортивной охоты...

— Райла, ты удовлетворена всем этим?

— Ну, пожалуй, не вполне, но все же мы владеем сейчас гораздо большим, чем раньше, не так ли?

— Я размышлял над всем этим...— сказал я.

— И что же ты надумал?

— Пожалуйста, постарайся меня понять,— попросил я.— Вникни в то, что я скажу. В тот день, когда ты отвезла Хайрама в госпиталь, я побывал в старом доме на ферме. С Баузером. Мы послонялись там немного и посидели на крыльце, как делали это раньше. Мы и в дом зашли, но дальше кухни я пройти не смог. Я поразмышлял за кухонным столом над тем, что вдруг произошло в моей жизни. И у меня появилось ощущение потерянности. Независимо от того, что я проделал и как далеко ушел вперед, я все равно чувствовал себя каким-то потерянным. Все так сильно изменилось вокруг...

— И тебе эти перемены не по душе?

— Дело в другом. Попробую тебе объяснить. Теперь все, что мы делаем, превращается в деньги, чего раньше со мною никогда не бывало. Мы можем путешествовать во времени, а это раньше никому не удавалось. И все же... Я думаю, мое уныние вызвано этой историей с Хайрамом и ощущением нашей уязвимости...

Она взяла мою руку своими ладонями.

— Понимаю,— сказала она,— я понимаю...

— Так ты тоже ощущаешь это?

Она покачала головой.

— Нет, Эйза. Я — нет. Вспомни, я же всего-навсего «приблудный толкатель». Но я вполне понимаю, как ты можешь все это воспринимать. И я чувствую себя немного виноватой. Я втравила тебя во все эти дела. Подтолкнула.

— Да я и сам легко «подтолкнулся»,— ответил я.— Не обвиняй себя ни в чем. Ничего нет такого, в чем бы можно было тебя упрекнуть. Просто дело в том, что я любил ту ферму. И когда я вгляделся в нее в тот день, то ощутил потерю...

— Пошли пройдемся,— предложила она.

Мы спустились, держась за руки, по склону холма, и все вокруг нас дышало покоем Мастодонии. Где-то поодаль от холмов послышался жалобный крик козодоя, и мы остановились, завороженные. Я никак не ожидал услышать здесь этот звук, я никак не мог предположить, что здесь водятся козодои! Этот крик для меня был зовом дома, он воскресил давние воспоминания и погрузил меня в те летние дни, когда с лугов неслось свежее благоухание только что скошенного сена и воздух звенел колокольчиками коров, возвращающихся на пастбища после дойки...

Прислушиваясь к крику козодоя, я вдруг почувствовал волну какого-то странного успокоения, овеявшую меня.

Мы вернулись в наш передвижной дом и позвали внутрь Баузера. Он прошествовал в свою с Хайрамом комнату. Было слышно, как он устраивается на покрывале, по-своему расправляя его перед сном. На кухне я вынул графин с «манхэттеном» и отнес его в гостиную. Мы посидели там со стаканами, расслабившись и слегка приобщаясь к цивилизованному миру.

— Ты помнишь тот день, когда я появилась на ферме? — спросила Райла.— После двадцати лет отсутствия вдруг снова возникла перед тобой?

Я кивнул. Еще бы не помнить! Я думаю, что запомнил эту встречу до каждой ее минуты.

— Пока я подъезжала к Виллоу Бенду,— сказала она,— я спрашивала себя, не пожалею ли об этом впоследствии? И с тех пор я еще не раз спрашивала себя об этом. А вот теперь, Эйза, я могу сказать, что ни разу не пожалела о своем приезде и что я теперь совсем перестала себя об этом спрашивать. И дело не в путешествиях во времени, и не в занятности всего этого, и даже не в деньгах. Дело в тебе. Я совершенно не жалею о том, что вернулась к тебе!

Я отставил свой стакан и подсел к ней на диван. Мы сидели рядком, в обнимку и еще долго оставались так, похожие на пару глупых детей, вдруг обнаруживших, что они любят друг друга.

Я был благодарен ей за услышанное и подумал, что мог бы и сам сказать ей то же самое, но у меня не находилось слов, чтобы связно изложить, что я чувствую. И все же я сказал ей то, что у меня было на сердце:

— Я люблю тебя, Райла. Наверное, я полюбил тебя в тот самый день, когда увидел впервые!

На следующий день сразу после полудня заявился Кортни за рулем одолженного ему Беном автомобиля. Рядом с ним восседал сенатор Эйбл Фримор.

— Я доставил сенатора в ваши руки,— произнес Кортни.— Старина ни за что не захотел говорить со мною. Он желает иметь дело только с вами и решил самолично «посмотреть в зубы коню». Еще должен сообщить, что подали признаки жизни налоговые инспектора. Они пожелали повидать меня, но я решил, что их нельзя совместить с сенатором.

— Ни в коем случае,— подал голос гость.— Как человек со здравым смыслом, я предпочитаю от этой публики держаться как можно дальше!

Он был немного тщедушен для человека, имеющего лицо истинного фермера, красновато-обветренное под редеющей белой шевелюрой. Он стоял рядом с машиной, внимательно разглядывая окружающий ландшафт.

— Так вот она, Мастодония,— констатировал он.— Кортни мне обрисовал ее. Так когда же вы начнете делить ее на участки?

— Мы вовсе не собираемся этого делать,— ответила Райла,— ибо не считаем ее своей собственностью.

— Я должен вам сообщить,— произнес Кортни,— что «Сафари» прибудет завтра. Бен передал мне, что туннели готовы. Рад, что вы с этим справились.

— И без особого напряжения,— ответил я.

— Мне бы хотелось побыть здесь у вас и засвидетельствовать отправку первой партии на сафари. Сенатор тоже выразил такое желание. У вас найдется место, чтобы оставить нас переночевать?

— У нас есть, кроме нашей спальни, еще две,— ответила Райла,— и мы будем вам рады. Но одному из вас придется разделить комнату с Баузером.

— А как по-вашему, я имею шанс отправиться с ними? —спросил сенатор.— Только чтобы окинуть все взглядом. Быстрый обзор местности, и я сразу же возвращаюсь...

— Это может решить только фирма «Сафари»,— ответил я.— Вы должны будете обговорить это с руководителем одной из групп.

Сенатор посмотрел на Кортни.

— А вы как на это смотрите? Если они позволят, вы пойдете туда?

— Не знаю,— ответил Кортни.— Я видел фильм. Там весьма кровожадные твари. Мне следует это обдумать...

Сенатор обошел дом, внимательно изучая его окрестности, затем устремился к дворовому столу. Райла принесла кофе. Он, усаживаясь, принял из ее рук чашку.

— Благодарю вас, дорогая,— произнес он.— Я, старый парень с фермы, получаю эту чашку в награду за труды...

Мы уселись тоже, и Райла налила кофе и нам.

— Я полагаю,— заявил Фримор,— что мог бы немедленно приступить к изложению сути вопроса. Это не предложение, и ничего слишком тяжеловесного я не подразумеваю. Ничего, что следовало бы улаживать с сенатом или правительством. Это всего лишь несколько вопросов, неотступно одолевающих мой мозг...— Сенатор пролил несколько капель кофе на стол и вытер их растопыренной ладонью, немного отвлекшись на эту процедуру.— Я боюсь,— сказал он,— как бы вы не посчитали меня старым глупцом, бросающимся в атаку на тени. И все же есть проблемы, которые приносят мне много бессонных ночей. Из них особенно важны две. И как бы мне представить их вам в наиболее ясном свете, чтобы вы не сочли их вздорными?

Он сделал паузу, как бы взвешивая аргументы. Но я был уверен, что никакой надобности во взвешивании у него не было. Это был всего-навсего риторический трюк. Слишком часто и в течение слишком многих лет он ораторствовал в сенате!

— Если подойти просто,— продолжал он,— у нас имеются две заброшенные проблемы: это положение сельского хозяйства в мире и наличие огромных масс обнищавшего населения, значительная часть которых проживает в нашей собственной стране. Они неудачники, их не используют, и они пребывают на самом дне социальной среды.

Мы, разумеется, способны произвести столько пищи, чтобы накормить население всей Земли. Но когда люди голодают, уже встает проблема не поставок, а распределения в чистом виде. И я боюсь, что недалек и тот день, когда даже возможность поставок продовольствия тоже начнет иссякать. Метеорологи говорят нам, и, скажу вам, весьма убедительно, что по крайней мере все Северное полушарие, если не весь мир, вступает в цикл более холодной и засушливой погоды. Последние шестьдесят лет мы имели самые благоприятные за несколько столетий погодные условия, но уже сейчас тенденция к ухудшению явно ощущается. На огромных площадях посевов выпадает гораздо меньше осадков и становится все холоднее. Если это похолодание будет продолжаться, то времени на созревание урожая может не хватить. А это означает, что продовольствия станет меньше. И сократись оно хотя бы на десять процентов в течение нескольких лет, сразу возникнут области, обреченные на массовый голод. За последние шестьдесят лет беспримерного улучшения погоды мир достиг больших социальных и экономических успехов. Но и население мира тоже росло. На снижение этого роста нет никаких особых надежд. Вот и выходит, что всего несколько избранных областей экономического бума вынуждены будут облегчать участь все нищающего человечества.

Вы понимаете, конечно, к чему я клоню. Ваш разум опережает мои слова. Моя концепция поначалу может вызвать негативную реакцию, но открытая вами возможность перемещений во времени позволит осваивать обширные сельскохозяйственные регионы, которые будут с лихвой компенсировать падение производства продовольствия, о котором я говорил. То падение, что связано с ухудшением метеорологических факторов Земли.

Это лишь одна из проблем. Вы помните, я сказал, что их две. Другая заключается в том, что часть нашего населения в течение всей своей жизни терпит нужду. Огромные массы таких несчастных скапливаются в гетто больших городов, да и во множестве мест в сельскохозяйственных районах. Это не считая отдельных людей, которым попросту не везет и которых тоже немало везде.

Мне представляется, что всех этих людей можно было бы с помощью вашего открытия переместить в прошлое, где они нашли бы возможность поправить свое положение. И насколько я могу судить, они явились бы новым поколением пионеров, осваивающих новые земли, которые стали бы их собственностью. Это земли с нетронутыми природными богатствами, и там они смогли бы жить гораздо лучше. Я с прискорбием должен признать, что далеко не все из них смогут стать пристойными пионерами. Их бедность и приниженность, их отрицательное отношение к обществу, их повышенная жалость к самим себе могут воспрепятствовать им и не дать встать на собственные ноги. И весьма возможно, что эти люди не сделаются лучше, чем сейчас...

— Хотя, по крайней мере,— вставил я,— вы сможете от них избавиться...

Сенатор бросил на меня негодующий взгляд.

— Молодой человек,— произнес он.— Это несправедливый и даже недостойный выпад с вашей стороны!

Кортни вмешался:

— На словах то, что вы сказали, выглядит значительно проще, чем окажется на деле. Потребуются очень большие вложения. Вы же не сможете просто засунуть этих людей в какое-нибудь другое время и объявить им, что оно, мол, ваше! И правительство, и общество обязаны будут взять на себя ответственность за них. Им должны будут обеспечиваться приличные стартовые условия. И я предполагаю, что многие из них вовсе не захотят никуда перемещаться, попросту откажутся от этого. Конечно, какие-то преимущества эта идея дать может. Вы уменьшите расходы на пособия бедным, хотя подозреваю, что на реализацию вашей идеи денег понадобится еще больше. Но как бы там ни было, вы не сможете сильно сэкономить на социальных расходах, просто так отправив людей в унылое дикое пространство и объявив им, что умываете руки!

Сенатор мотнул головой.

— Кортни, вы меня рисуете каким-то людоедом! Не можете же вы предполагать, что я эти факторы попросту отмел? Программа, если ее можно будет так назвать, должна весьма тщательно прорабатываться. Первоначальные расходы, возможно, и превысят то, что вы называете «экономией». И превысят, скорее всего, в несколько раз. Но гуманитарный аспект проблемы должен соизмеряться с экономическим... Я еще не говорил об этом ни с кем. Об этом первыми узнали вы трое. И прежде чем я уеду, мне нужно получить от вас несколько ответов. Я полагаю, что, несмотря на все хитроумие вашего изобретения, качество перемещений во времени вы обеспечиваете вполне надежно. И вы, предлагая себя как службу перемещений, делаете на этом бизнес. У меня же твердое личное убеждение, что ваше дело должно стать общественным предприятием, подверженным регулированию и управлению. Но, действуя в своей Мастодонии, вы достаточно удалены от возможности управления. Я даже не предполагаю, что понятие «Мастодония» будет признано как нечто суверенное...

— А мы убеждены, что оно будет признано,— ответил Кортни.— По моим ощущениям, его суверенитет никак нельзя будет опровергнуть!

— Вы просто блефуете,— возразил сенатор,— и все переводите на язык судебных крючкотворов. Возможно, так оно и будет, как вы говорите. Но это понятие не означает ни «здесь», ни «там». И все, чего я от вас сейчас добиваюсь,— это ответа на вопрос, насколько сочувственно вы бы отнеслись к такого рода программе и на какое сотрудничество с вами мы могли бы рассчитывать?

— Мы не можем дать вам никакого ответа,— сказал Кортни наиболее важным и сумрачным адвокатским тоном, на какой он был способен.— Мы можем принять к рассмотрению лишь конкретные предложения и тщательно их изучить. Вы отдаете себе отчет в том, что, призывая нас к поддержке ваших предложений об использовании обширных временных пространств, вы лишь провоцируете нас на продажу более выгодных лицензий на то же самое другим клиентам?

— Я отдаю себе отчет вот в чем,— отозвался Фримор,— я понимаю, что суть вопроса в том, что кто-то в обществе деградирует. И я спрашиваю вас, можете ли вы подключиться к моей программе социального спасения? Готовы ли вы принести дар обществу? Нелишне отметить, что, если вы потребуете за это нечто вроде гонорара и обратитесь за этим к другим клиентам, моя программа будет обречена. Она не сможет ни на что опереться. Мои предложения достаточно дорогостоящи и без выплаты денег за лицензии Ассоциации Времени. Это не предусмотрено бюджетными ассигнованиями.

— Если вы апеллируете к нашей совести,— ответил Кортни,— то мы очень хотели бы соответствовать вашим ожиданиям. Но на данном этапе никаких обязательств мы на себя взять не можем.

Сенатор обратился ко мне:

— Если такая программа будет принята, то в какой исторической эпохе можно было бы ее осуществить? Прямо здесь? Непосредственно в Мастодонии?

Райла рванулась вперед, не дожидаясь моего ответа.

— Только не в Мастодонии! —выпалила она.— Здесь обосновались мы сами. И мы этого места никому не уступим!

Глава 26

ПЕРВАЯ ГРУППА приехала сразу после полудня. Они поместились в двух тяжелых грузовиках и трех четырехколесных вездеходах. Их было двадцать пять человек. Оборудование прибыло в Миннеаполис на арендованном грузовом самолете, в котором летели и многие члены экспедиции. Трое клиентов прилетели обычным рейсом, без груза. Из Миннеаполиса группа сафари двинулась к Виллоу Бенду. Перед входными воротами их облепили репортеры и телевизионщики с камерами.

— Пресс-конференция, или как вы ее там назовете, задержала нас больше чем на час,— сказал мне Перси Эспинволл, руководитель экспедиции.— Однако я не смог им отказать и постарался быть как можно любезнее. Там, в Нью-Йорке, люди ведь ждут максимальной информации о нас!

— То, через что вы прошли сегодня,— заметил я,— ерунда по сравнению с тем, что ожидает вас по возвращении, особенно если вы принесете с собой несколько приличных голов-трофеев.

— Стил, я рад случаю пообщаться с вами,— сказал он.— Я надеялся, что мы некоторое время там пробудем вместе. Вы можете рассказать мне, каких неожиданностей нам следует остерегаться? Ведь вы один из троих, побывавших в меловом периоде!

— Мы пробыли там чуть больше суток,— ответил я.— И увидели немало представителей фауны того времени. Но местность просто кишит необычными зверями, и далеко не все из них попали в поле зрения наших палеонтологов. Вы видели фильм, снятый Райлой?

— О да! Хорошая работа. Пожалуй, чуточку жутковатая...

— Ну, тогда вы видели почти то же, что и мы. Вы запаслись крупнокалиберными ружьями?

— Шестисотками. Теми же, что были у вас.

— Учтите одно,— посоветовал я.— Не дожидайтесь, пока ваши клиенты будут готовы выстрелить. Если какая-нибудь тварь двинется на вас и вы ни в ком из охотников не будете уверены, бейте по ней сами! А каковы ваши клиенты? Что за публика?

— Публика вполне надежная,— ответил Эспинволл.— Слегка староваты, ни мой взгляд, но все имеют приличный опыт охоты. Например, в Африке, до того как охотничьи зоны стали там иссякать... У этих людей есть полевой опыт, они не бахвалы и вполне дисциплинированны. Скажем, Джонатан Фридли и его жена. Он добыл в свое время самые крупные из виданных мною бивней. Фридли — председатель совета стальной компании. Потом еще Горас Бриджес. Он президент химической корпорации. Все трое — весьма респектабельные люди. Другие — не хуже.

— Ну, тогда у вас не будет с ними особых проблем.

— Надеюсь. И если даже я сам кого-то из зверей подстрелю, они не будут в претензии и поймут.

— С вашей группой жаждет пойти сенатор Фримор. Он уже говорил об этом с вами?

— Да, он налетел на меня почти с бегу. Я категорически отказал. Не могу взять на себя ответственность. Я бы рад пойти ему навстречу, но подставлять свою шею под удар мне ни к чему. Ему это очень не понравилось. Он выразил легкое негодование. Но я тоже не имею права брать случайных попутчиков, подобных тем, что голосуют на дорогах... Вот если бы захотели пойти вы...

— Нет, благодарю вас,— ответил я.— Сюда должны прибыть и другие группы от вашей фирмы, и мне надо оставаться на месте. Кроме того, я ведь там уже побывал.

— Я вынужден вас оставить,— сказал он,— мне надо еще раз проверить оснастку. Рад был нашему знакомству!

Я протянул ему руку и произнес:

— Удачи вам, Эспинволл!

Я проследил за тем, как они въезжали в туннель, одна машина за другой в ряд, и как по очереди исчезали из виду, пересекая невидимую границу времен.

Райла отвезла сенатора и Кортни обратно в Виллоу Бенд. Сенатор был весьма не в духе.

Я спустился в яблоневую рощу поглядеть на Кошачий Лик и нашел его оседлавшим дерево на западном краю рощи. Я рассказал Лику, что первый из туннелей уже использован и что в ближайшие дни будут задействованы и остальные. Я спросил, доволен ли он, и Лик моргнул утвердительно. Было чуточку нелепо беседовать с ним таким вот образом. Ведь единственное, на что я был способен, были наводящие вопросы, в ответ на которые он моргал по системе «да—нет». И все же, несмотря ни на что, это была хоть какая-то беседа, и я, стоя перед ним, явственно ощущал исходящее от него дружелюбие, да и он, наверное, чувствовал мою к нему симпатию! Он смотрел на меня как бы полуулыбаясь и тем выказывал мне свое расположение.

Я пытался представить себе, чем же он являлся по своей сущности, и выстроил для себя некую умозрительную схему, согласно которой он, в нашем понимании слова, не был «существом». Он не имел ни тела, ни плоти вообще, и я не мог понять, из какого же вещества он состоял.

Но я все же обнаружил в своем отношении к нему нечто новое. До сих пор я воспринимал его просто как пришельца, чужака, необъяснимого и не подлежащего пониманию. А теперь вот я вдруг понял, что отношусь к нему как к персоне, как к конкретной личности, как к другу! Конечно, все это — в тех пределах, которые определялись возможностями нашего общения.

Я размышлял о тех пятидесяти тысячах лет, которые он здесь провел, и пытался представить себе, чем же они для него были? Я силился вообразить, чем бы они были для меня самого, разумеется, если бы я, вопреки здравому смыслу, мог прожить столько. Но я понял, что эти рассуждения неправильны, ибо отождествлять себя с Кошачьим Ликом я никак не мог хотя бы потому, что мы являли собой совершенно разные формы жизни. Я припоминал то, что узнал о его повадках в последние несколько лет: о неразумных играх в «охотника и дичь» с Эзрой и Рэнджером, о конструировании забавы ради туннелей времени для Баузера (представляю, сколько походов в прошлое совершил мой Баузер!), о случайных беседах Лика с Хайрамом, вернее, о попытках что-то рассказать ему, хотя тот не очень-то мог сообразить, что же ему хотят сообщить. Стало быть, такое общение вряд ли могло принести Лику какое-нибудь удовлетворение! Но ведь все это происходило совсем недавно, в последние лишь годы. А раньше его наверняка могли наблюдать и другие люди (вернее, он им сам являлся), и это, несомненно, их пугало. Я предполагал, что в более далеком прошлом он, должно быть, общался и с индейцами, и с их давними предками. А может, они принимали его за божество или за духа своего племени? Видел ли он мамонтов, мастодонтов и древних предков бизонов?.. Я сперва стоял, потом сел на землю под деревом. Кошачий Лик спустился вниз, и теперь мы были с ним лицом к лицу!

Я услышал, как наверху к дому подъехала Райла, вернувшись из Виллоу Бенда, поднялся и сказал Лику:

— Я навещу тебя завтра или послезавтра, и мы поговорим подольше.

Райла привезла известие о том, что Бен снова разговаривал с религиозной группой и что они завтра заедут в Виллоу Бенд. Бен их приведет к нам для собеседования. Он все еще никак не возьмет в толк, чего же им от нас надо.

Из госпиталя, как она узнала, сообщили, что Хайрама пока не выписывают. Бен побывал в Ланкастере, чтобы повидать его, и говорит, что вид у него неважнецкий. Хайрам справлялся сперва о Баузере, потом о нас двоих и о Кошачьем Лике. Еще интересовался, как идут дела у Стиффи. Но, задав эти вопросы, он больше ни о чем говорить не пожелал...

Бен привел к нам этот самый комитет религиозных общин на следующий день. Их было трое, но говорил с нами лишь один из них. Двое остальных просто сидели рядом, покачивая головами или кивая в знак солидарности со своим говорящим коллегой по фамилии Хотчкисс.

Этот Хотчкисс был не из тех людей, кто склонен попусту терять время. Это был крупный мужчина с лицом, словно сошедшим с фрески о Страшном Суде. Оно было вытянуто острым углом, как волчья морда. На таком лице улыбка была бы чем-то совершенно чужеродным, да он, на мой взгляд, вряд ли позволял себе когда-нибудь улыбнуться!

Он сразу же перешел к изложению сути дела. Обычные вежливые пассы были сведены до минимума. Нисколько не усомнившись в возможности перемещений во времени, он, по-видимому, принял их за абсолютную данность. Не спрашивал он и о принципах их осуществления, его интересовало не это. Он спросил всего-навсего, каких гарантий мы *не даем* при осуществлении этих перемещений...

— Нас интересует,— заявил он,— приобретение прав или лицензий, называйте это как хотите, на тот период, который охватывается житием Иисуса Христа. Это должны быть исключительные права. Для нас и никого более.

— Я говорил вам,— сказал Бен,— когда мы встретились с вами впервые, что мы готовы рассмотреть любое законное предложение, но не способны дать вам никакого ответа, пока не вникнем в истинный смысл вашей заявки. Вы просите исключительное право на довольно большой кусок истории, и мы должны знать, не возникнут ли там по вашей вине какие-нибудь парадоксы.

— Какие еще парадоксы? — осведомился Хотчкисс.

Бен проявил крайнюю предупредительность и терпимость.

— Отрезки истории,— пояснил он,— могут быть использованы для многих целей. И поэтому нам совершенно необходимо знать, в каких целях и каких географических рамках вы собираетесь использовать названное вами время. Внедрение пришельцев из будущего в исторически известное время должно сопровождаться выполнением обязательств, полностью гарантирующих от изменения хода истории, то есть от парадоксов. Ни один из людей, живущих в то время, не должен даже заподозрить в вас пришельцев. Все «посетители» должны быть одеты как те люди, должны знать их обычаи и язык, должны быть осведомлены обо всем, что в то время происходило...

— Можете не продолжать,— прервал его Хотчкисс.— Мы не собираемся заниматься никакими исследованиями и посещениями.

— Но если вы не хотите ни исследовать, ни посетить то время...

— В этом именно и состоит суть нашего подхода,— отрезал Хотчкисс.— Мы вовсе не хотим туда проникнуть, но не желаем, чтобы это сделал и кто-нибудь другой! Вот зачем нам нужны эти исключительные права!

— Не понимаю,— вмешался я.— Это же та временная область, в которой, как мне кажется, для любого богослова столько интересного материала! Ведь едва ли ктонибудь знает достоверно...

— Именно в этом и заключается суть,— отрубил Хотчкисс.— Вы попали в самую точку наших соображений. Ведь историческая достоверность личности Христа всегда была под вопросом. О Нем лично очень мало известно. Имеется лишь одно или два упоминания историков, да и те могут оказаться поздними вставками в тексты. Мы не знаем ни точной даты, ни места Его рождения. Принято повсеместно считать, что Он родился в Вифлееме, но даже по этому поводу имеются сомнения. То же относится к любому отрезку Его жизни. Некоторые исследователи вообще ставят под вопрос, существовал ли такой человек? Но в течение веков предания, связанные с Ним, были приняты, обрели почву, структуру, стали самим существом христианской веры. И мы желаем сохранить ее в том же виде. Любая попытка заглянуть в это прошлое может разрушить здание Учения, возводившееся в течение веков. И может привести к неподобающим последствиям. Что случится, по-вашему, если обнаружится, что Он родился не в Вифлееме? Что тогда делать с Рождеством? А что, если не найдется доказательств Поклонения волхвов?..— Он остановился и оглядел нас.— Вы понимаете меня? — вопросил он.

— Мы можем понять вашу точку зрения,— ответил я.— Но нам хотелось бы над ней поразмышлять...

— Прежде чем вы решите — дать нам просимые права или нет?

— Да, что-то в этом роде,— подтвердил я.— То, что вы просите, может у многих вызвать ощущение захлопнутой перед их носом двери.

— Никоим образом не разделяю вашего мнения,— отпарировал Хотчкисс.— Оно подразумевает лишь то, что наша вера слаба. Но истина заключается в том, что наша вера самодостаточна, и настолько, что мы допускаем безупречность христианства, даже зная, как мало известно о Господе и что даже это малое может оказаться недостоверным. И вот что нас пугает: история, известная нам сейчас, может быть разнесена на кусочки «исследователями». Ведь даже само христианство разорвано на лоскутки. Благодаря своему открытию вы держите в руках устрашающую по мощи возможность. И мы хотим вам хорошо заплатить, чтобы вы ее не использовали.

Райла вдруг спросила:

— А нельзя ли уточнить, кто это «мы»? Вы употребляете это местоимение. Так кто же под ним подразумевается?

— Мы — это комитет,— ответил Хотчкисс,— составленный в срочном порядке. В него вошли те, что раньше других осознали опасность, узнав об открытии возможности перемещений во времени. Мы получили реальную поддержку или обещание поддержки от большого числа христианских общин. Мы также развиваем контакты с теми, от кого ожидаем дополнительной поддержки...

— Вы имеете в виду поддержку финансовую?

— Да, мадам, финансовую поддержку. Это начинание требует денежных вложений. Я полагаю, они понадобятся и для оплаты лицензии.

— И в весьма ощутимом количестве,— заметила Райла.

— Если мы вообще решим продать такую лицензию,— добавил я.

— Обещайте мне лишь одно,— произнес Хотчкисс.— По крайней мере, уведомьте нас, если вы получите другие предложения по этой эпохе. А в том, что они поступят, я нисколько не сомневаюсь! Дайте нам возможность узнать о содержании таких предложений.

— Не уверен, что мы могли бы дать вам такое обещание,— ответил Бен.— Скорее, наоборот, я уверен, что мы не можем вам этого обещать. Но само ваше предложение мы рассмотрим.

Стоя у порога дома и глядя, как они с Беном отбывают в Виллоу Бенд, я вдруг ощутил какой-то страх. Их позиция, их точка зрения были почему-то неприемлемы для меня, но я не мог бы четко проанализировать или определить, почему у меня возникло чувство отвращения. Ведь я и сам полагал, что определенные области истории должны оставаться «заповедными» и вхождение в них будет запретным. И значит, я, вопреки тому, что испытываю сейчас, должен был бы с симпатией отнестись к этим визитерам. Ведь многое из того, что погребено в прошлом, должно так и оставаться в нем погребенным!

— Эйза, о чем ты задумался? — спросила Райла.

— Не по душе мне все это,— сказал я.— Не знаю сам почему, но они мне антипатичны.

— Я ощущаю то же самое,— подтвердила Райла.— Они говорят о «хорошей оплате». Но я не думаю, чтобы эти люди были горазды на что-нибудь путное. Назовем им миллион, и они падут бездыханными...

— Поглядим,— заключил я.— Мне вообще претит иметь с ними какие бы то ни было дела. Они произвели на меня впечатление нечистого. Хорошо бы узнать, что по этому поводу скажет Кортни.

Еще две группы сафари прибыли и отправились в меловой период. Четвертая заехала через четыре дня после них.

Стиффи неуклюже взобрался на холм с визитом к нам. Райла предложила ему пучок салата-латука и несколько морковок, завалявшихся в холодильнике. Он с удовольствием зачавкал морковью, а салат отверг. Я отвел его обратно в долину, слушая его пыхтение и бурчание всю дорогу.

Я снова пошел к Кошачьему Лику. В Мастодонии его не оказалось, он почему-то расположился почти на земле в саду старой фермы. Мы немного побеседовали, хотя это было и не очень легко. Зато «посидели» вместе, испытывая взаимную симпатию, и это, по всей видимости, его вполне устраивало. Странно, но такое «общение» стало удовлетворять и меня самого. Контакт с ним каким-то образом улучшал мое самочувствие. И у меня возникало довольно занятное чувство, что Лик пытается говорить со мной... Я не знаю, чем именно это чувство вызывалось, но впечатление, что он пытается наладить мысленную связь, становилось все сильнее...

Мне вспомнилось, как мальчишкой я частенько ходил поплавать в речушке Тоун Крик*. Это название казалось забавным, ибо никаких форелей там и в помине не было. Возможно, в дни первых поселенцев-пионеров впервые появившиеся здесь белые люди и увидели в этой речке форелей. Она впадала в основную реку Виллоу Бен-

* Форелевый проток.

да чуть повыше городка и была совсем небольшой, почти струйкой. Но перед впадением в реку Тоун Крик образовала заводь, в которой нам наши родители, пока мы были слишком малы для плавания в реке, разрешали плескаться. Глубина заводи не превышала трех футов, и течения там почти не ощущалось. И мы, детишки, любили, забавы ради, делать вид, что тонем. Те летние ленивые дни были так прекрасны, хотя еще больше мне запомнилось в них другое: как я один пытался удержаться на плаву в более глубоких участках заводи, а потом заплывал в мелководье у самого ее края и оставался лежать там неподвижно — голова на песчаном берегу, а туловище вытянуто под водой.

Хорошо было лежать так, иногда забывая, что у тебя есть тело! Вода была достаточно глубока, чтобы оно в ней висело как бы в невесомости и чтобы его можно было совсем не ощущать. В той заводи было полно рыбьей мелюзги, мальков длиной всего в два-три дюйма, и когда я там оставался достаточно долго и не двигался, они начинали тыкаться в кончики пальцев на моих ногах, словно целуя их своими крошечными ротиками. Я думаю, их привлекала шелушащаяся кожа, а может, и маленькие струпья. У нас же всегда на ногах были эти струпья, поскольку мы шлялись босиком и вечно саднили ноги, натыкаясь на какие-нибудь колючки. И наверное, рыбешки считали эти запекшиеся корочки и отшелушивающиеся кусочки кожи весьма желанным дли себя лакомством! Но как бы то ни было, лежа там, я явственно ощущал их нежные прикосновения к моим ногам, и в особенности к кончикам пальцев. Мне хотелось смеяться, как от щекотки, и все мое нутро бывало охвачено какой-то искристой радостью от столь сокровенной близости к этим крошечным тварям!

И вот теперь в присутствии Кошачьего Лика со мной начинало происходить что-то очень похожее. Я начинал чувствовать, как какие-то мельчайшие создания тычутся в мой мозг, нежно прикасаясь к его клеточкам, в точности так, как рыбешки тыкались в кончики пальцев. В этом ощущении содержалось что-то потустороннее, но оно вовсе не было пугающим, и мне, так же как тогда с рыбками, хотелось смеяться, но уже оттого, что Лик и я можем так близко соприкасаться!

Я твердил себе, что у меня всего лишь разыгрывается воображение, и все же теперь всегда при встрече с Ликом ощущение маленьких существ, тычущихся в мой мозг, становилось все явственнее...

Выйдя из сада, я зашел к Бену в офис. Он «висел» на телефоне, что не помешало ему при виде меня расплыться в улыбке.

— Это Кортни,— сообщил он.— Там объявилась кинокомпания с побережья с весьма серьезными намерениями. Они хотят снять видовой фильм об истории Земли, начиная с предкембрийской эры и до наших дней!

— Это всего лишь прожекты,— усомнился я.— Разве они соображают, сколько им на это понадобится времени?

— Сдается мне, что соображают,— ответил Бен.— Похоже, что эта идея их захватила целиком. Они желают сделать добротную вещь и не остановятся ни перед чем.

— И все же вряд ли они понимают, что их ждет. Например, отправляясь в ранние периоды формирования земной суши, они должны запастись изрядным количеством кислорода, ибо до самого силурийского периода в атмосфере Земли свободного кислорода почти не было. Он появился лишь около четырехсот миллионов лет назад. Я уж не говорю о многом другом, что очень трудно учесть!

— И все же я думаю, что они не пренебрегают этими вещами. У них была обстоятельная беседа с Кортни. По-видимому, они достаточно серьезно собираются подготовиться к этим съемкам.

— И Кортни полагает, что этот интерес подлинно научен? Я склонен предположить, что киношники постараются, во-первых, поменьше потратить на всю эту затею, во-вторых, сделать из своего фильма беглый обзор, использовав в качестве фона какой-либо из доисторических периодов. В этом есть что-то крайне амбициозное. Ибо, если это делать всерьез, это обойдется в биллионы. Им же понадобится научный штат, масса специалистов, способных проанализировать и объяснить, что запечатлела их пленка!

Бен сказал:

— Насчет цены ты абсолютно прав. Кортни считает, что затея потребует весьма увесистой бюджетной дотации.

Но как бы там ни было, новость была очень даже приятная, и я искренне ей обрадовался, ибо пока что у нас в активе было всего лишь одно стоящее дело — все тот же бизнес с фирмой «Сафари»!

— Что нового у Кортни с «Комитетом Иисуса»? — спросил я.

— Я спрашивал его. Он пока не очень занимает этим свою голову. И сомневается, что они вообще окажутся платежеспособными. Там замах на широкую поддержку церкви, но вряд ли на деле это осуществимо!

— Они попросту фанатики,— заметил я.— А фанатики никогда особого достатка не имели. Мне кажется, мы должны от них отписаться.

Спустя четыре дня после этого разговора вернулась третья группа сафари. Они появились на несколько дней раньше запланированного срока. У них оказалась очень недурная добыча: с полдюжины крупных трицератопсов, три головы тираннозавров, немало других трофеев. Они бы пробыли до конца обусловленного времени, но один из клиентов-охотников заболел, и группе пришлось вернуться.

— Его одолела медвежья болезнь, лихорадка страха,— объяснил мне их руководитель.— Он уже никак не мог себя сдержать. А стрелок он совсем неплохой, но страх оказался сильнее его. Господи, да на меня это тоже находило. Стоит увидеть, как это чудовище с пастью, полной зубов, надвигается на тебя, как твои кишки сразу начинают течь! Теперь-то, когда мы вернулись целыми, он воспрял духом. Теперь он снова великий охотник, бесстрашный, отважный, с железными нервами. Таким он предстанет перед репортерами, как только выйдет из ворот.

Он ухмыльнулся.

— Так стоит ли его опровергать? Пусть играет свою роль сколько влезет. Это же совсем неплохо для бизнеса!

Райла и я проводили группу к туннелю в Виллоу Бенд под холмом и дождались, пока они исчезли в его «жерле».

— Эти трофеи поработают сами за себя,— заметила Райла.— Стоит им только появиться на экранах телевизоров и в газетах, ни у кого не останется и тени сомнения, что путешествия во времени — это реальность! Нам уже не понадобится ничего доказывать.

На следующее утро, еще до того как мы встали, к нам постучался Герб. Я надел халат и домашние туфли.

— Чего там еще, черт возьми? — буркнул я.

Герб помахал номером миннеаполисской «Трибьюн» перед моим носом. Я выхватил газету из его руки. Там на первой полосе был помещен снимок нашего отважного охотника, красующегося рядом с установленной на подпорке головой тираннозавра. Заголовок над шестью колонками текста трубил о возвращении группы, впервые побывавшей на таком сафари.

На расстоянии нескольких дюймов от этой публикации, в нижней части газетной полосы, виднелся другой заголовок над двумя колонками, гласивший:

«РУКОВОДИТЕЛИ ЦЕРКОВНОЙ ГРУППЫ
ОБЪЯВЛЯЮТ ДИСКРИМИНАЦИЮ
ПУТЕШЕСТВИЯМ ВО ВРЕМЕНИ»

Первый параграф второй статьи был таков:

«Нью-Йорк, Н.-Й. Доктор Элмер Хотчкисс, глава Независимого комитета христианских церквей, обязавшийся наложить запрет на непосредственное изучение времени Христа, сегодня заявил, что Ассо-циацияВремени отказалась продать комитету права на блокирование указанного отрезка истории...»

Я опустил газету и сказал:

— Но, Герб, ты же знаешь, что это неправда! Мы ведь им не отказывали!

Герб просто трясся от возбуждения.

— А ты что, не понимаешь? — воскликнул он.— Это же создает видимость полемики. И пока истечет сегодняшний день, все церковные общины и все богословы мира сплотятся в единый фронт. Эйза, мы и не мечтали о такой рекламе!

В гостиную вошла Райла.

— В чем дело? — спросила она.

Я передал ей газету.

У меня внутри все как будто оборвалось и возникло ощущение безнадежности...

Глава 27

ХАЙРАМ ЕЩЕ НАХОДИЛСЯ В ГОСПИТАЛЕ, и я снова навестил Кошачий Лик в старом саду. Я говорил себе, что делаю это исключительно для того, чтобы он не чувствовал себя одиноко. Ведь Хайрам почти каждый день с ним разговаривал, а поскольку его нет, кто-то же должен это делать!

Но где-то на задворках моего сознания гнездилась мысль о тех «маленьких рыбках», которые поклевывали мой мозг, и я почему-то надеялся, что, как только я увижусь с Ликом, они возобновят этот «клев».

Меня немного коробило от мысли, что, возможно, Лик меня разыгрывает. В то же время я вполне допускал, что он и в самом деле хочет нащупать возможность контакта, и мне очень не хватало уверенности в этом.

Я думал о том, что если это ощущение посещало и Хайрама, то, наверное, существует какой-нибудь странный код, который может стать ключом к восприятию этого языка. Может, этот же код помогал Хайраму разговаривать с Баузером и синичкой, если он и вправду с ними мог говорить?

Увидев Кошачий Лик, я не стал долго тянуть со своим вопросом, тем более что «рыбки» оказались тут как тут и «клев» возобновился.

— Лик,— спросил я,— ты что, пытаешься говорить со мной?

Он моргнул один раз, и это означало «да».

— Скажи мне, ты полагаешь, что это тебе удастся?

Он моргнул три раза, быстро-быстро, удивив меня, ибо я не очень-то врубился, что он хотел этим сказать. Но я все же решил, что он хотел сказать «не знаю».

— Я надеюсь, что ты сможешь этого добиться,— сказал я.— Мне бы так хотелось говорить с тобой по-настоящему!

Он моргнул один раз, что я воспринял как «мне тоже!».

Но пока что разговора не получалось. И хотя, на мой взгляд, «рыбки» становились все настойчивее, мы не очень-то сдвигались с места. Я силился открыть свой мозг этим «рыбкам», но это не увенчалось особым успехом. Может быть, от меня ничего и не зависит, а все должно осуществляться одним лишь Ликом? Но я чувствовал, что он рассчитывает на успех, иначе зачем бы ему все это затевать? И мне чем дальше, тем больше этого хотелось самому...

Когда наша встреча подошла к концу, мы остановились почти на том же самом месте, что и в начале попыток Лика. Сдвигов не было.

— Я приду завтра,— сказал я Лику.— Попробуем еще!

Я не стал рассказывать Райле обо всем этом, боясь, что она отнесется к этому скептически, а то и с насмешкой. Слишком уж примитивными казались мне самому собственные рассуждения. И все же я верил в эти попытки. И уж если самому Лику вздумалось их начать, то я, черт возьми, обязан дать ему этот шанс!

Я обещал Лику прийти назавтра, но не сумел этого сделать. Утром вернулась еще одна группа сафари, номер два. Они раздобыли только одного тираннозавра, нескольких трицератопсов, но зато трех гадрозавров* и одного полакантуса, динозавра-броненосца со смешной маленькой конусообразной головой и с крупными, похожими на рога шипами, идущими по всей длине его туловища. Полакантус, подумалось мне,— это что-то необычное для мелового периода. Его же в то время не должно было быть! Он, считалось, вымер в самом начале «мела» и вообще не водился в Северной Америке! И вот он, оказывается, тут, во всем своем гротескном уродстве!

* Утконосые ящеры.

Группа не взяла с собой его туловища, а только очищенный от плоти и разъятый на части панцирь, который и в таком виде казался огромным.

— Будьте уверены,— сказал я добывшему его охотнику,— что этот экземпляр вызовет пристальное внимание палеонтологов. Они из-за него все передерутся!

Он радостно осклабился, сверкнув зубами. Это был довольно тщедушный на вид человек, и я подумал, как он мог поднять огромное ружье, да еще и выстрелить из него? Я не без усилия вспомнил, что мне о нем говорили. Он был потомком довольно аристократического английского рода и одним из тех немногих, кто сумел устоять перед лицом новой британской экономики.

— А что в этом звере особенного? — спросил он меня о своем трофее.— Их было там очень мало. Я подстрелил самого крупного. А как вы полагаете, сэр, его удастся смонтировать? Он ведь очень громоздок.

Я поведал ему, что знал об этом виде ящеров, и он заявил, что непременно свяжется с палеонтологами.

— Хотя некоторые из этих ученых мужей,— заявил он,— слишком уж важничают!

Эта группа тоже исчезла в туннеле на Виллоу Бенд, и сразу вслед за ними показалась группа номер четыре. У этих оказалось четыре тираннозавра, два трицератопса и масса другого зверья. Они, как оказалось, бросили там один из своих грузовиков, а двое из охотников прибыли, лежа на носилках.

Руководитель группы снял шляпу и отер лоб.

— Это поработали те твари, что с тремя попугайскими клювами на башке. Вы, кажется, зовете их трицератопсами? Их что-то напугало, и они кинулись на нас. Дюжина крупных самцов. Они ударили по грузовику сбоку, и он загорелся. Нам повезло, что никто не погиб. Еле успели выволочь людей из машины. Мы стали от них отстреливаться. Не знаю уж, скольких уложили. Они совсем взбесились: крушили все подряд. Может, нам и следовало вернуться и подобрать еще несколько голов, но, когда они наконец от нас отступились, мы все же решили больше не рисковать...

— Ничего, это всего лишь первый опыт, набросок, так сказать,— сказал я ему в утешение.

— Конечно, набросок. Но когда вы отправляетесь в неведомую страну, не зная, чего ожидать, иначе и быть не может. Теперь я знаю, что никогда не следует подходить слишком близко к стаду трицератопсов. Они так легко разъяряются, эти адские твари!

Через день после того, как уехали от нас вторая и четвертая группы, Райла сказала:

— Я беспокоюсь насчет группы номер один. Они что-то задерживаются...

— Всего лишь на день,— заметил я.— Они заключили контракт на две недели, но парой дней позднее или раньше, не имеет особого значения!

— Но ведь одна из групп уже имела неприятности!

— Они допустили ошибку, вот и все. Вспомни, как Бен удержал нас, когда мы слишком приблизились к трицератопсам. Он объяснил, что существует невидимая линия, которую не следует пересекать. Эти люди ее переступили. В следующий раз будут умнее.

Я увидел, как по холму взбирается Стиффи.

— Нам бы надо отвадить его от этих визитов сюда,— сказал я.

— Да, но это надо сделать поделикатнее,— ответила Райла.— Он ведь такой миляга, такой славный старый парнишка!

Она вошла в дом и вернулась с двумя пучками моркови. Стиффи фыркнул и очень благожелательно принял подношение. Он что-то бурчал и вовсю чавкал. Потом он дал мне себя увести вниз, в долину.

— Нам надо быть поосторожнее с этими подачками,— предупредил я Райлу.— Если мы не прекратим это, он будет все время у нас появляться.

— Ты знаешь, Эйза,— сказала она, оставив без внимания мои слова,— я уже решила, где мы должны построить дом. Внизу, у той рощи диких яблонь. Мы сможем провести воду из родника, а холм защитит нас от северных ветров.

О доме я услышал впервые, но не стал заострять на этом внимание. Тем более что это была хорошая идея. Не могли же мы все время оставаться в нашем передвижном жилище!

— Я думаю, ты уже решила, какой именно дом ты хочешь построить? — спросил я.

— Да, но не до конца. Нет пока у меня ясности ни с количеством этажей, ни с планировкой комнат. Только общее представление. Единственное, что я твердо знаю,— это то, что у него будет фундамент и он будет построен из камня. Это немного старомодно, но мне кажется, именно такой дом должен стоять здесь. Это обойдется недешево, но мы, наверное, с этим справимся.

— Вода из родника,— проговорил я.— А как же с отоплением? После того как мы не сумели провести телефонную связь, я почти уверен, что и газ сюда не пройдет.

— Я об этом думала. Стены будут толстые и прочные, хорошо сохраняющие тепло. Значит, нужно будет дровяное отопление. Много каминов. Мы должны стать людьми, рубящими лес и заготавливающими дрова. На этих холмах древесины хватит. Но мы станем доставлять ее издалека, а вблизи ничего трогать не будем. Грешно портить леса, которыми любуешься!

Мы проговорили о доме до самого ужина. Чем больше я думал о нем, тем больше меня захватывала эта идея. Я был рад, что такое пришло в голову Райле.

— Я думаю, мне надо завтра съездить в Ланкастер и поговорить с подрядчиком,— сказала она.— Бен подыщет нам подходящего.

— Но ведь репортеры, торчащие у ворот, сожрут тебя! — напомнил я ей.— И Герб все еще ждет, чтобы ты оставалась таинственной женщиной!

— Послушай, Эйза, когда надо, я с ними великолепно управляюсь! Я же отвадила их в ту ночь, когда мы отвезли Хайрама в госпиталь. В крайнем случае я могу спрятаться на заднем сиденье машины, прикрывшись покрывалом или чем-нибудь еще. Бен меня отвезет. А почему бы и тебе не поехать со мной? Мы могли бы заехать в госпиталь, навестить Хайрама.

— Нет,— ответил я,— кто-то из нас должен оставаться дома. Ведь я обещал Лику повидаться с ним и не сдержал обещания. Завтра это непременно надо будет сделать.

— А какая необходимость видеться с ним так часто? — спросила она.

— Он ощущает одиночество,— слукавил я.

На следующее утро Кошачий Лик оказался в яблоневой роще, а не в саду старого дома.

Я присел на корточки и сказал ему полушутя:

— Ну, давай попробуем еще!

Он будто поймал меня на слове. И сразу же рыбешки начали тыкаться в мой мозг, касаться его губами, отсасывать что-то от него, но теперь их было куда больше и размерами они вроде бы были еще меньше, чем раньше. Малюсенькие, нежные как волоски, они ввинчивались и углублялись в мой мозг все больше и больше. Я чувствовал, как они проникали в каждую его расщелину...

Меня охватила непривычная дрема, я пытался ей сопротивляться, но все более погружался в какую-то мягкую серую субстанцию, она обволакивала меня, подобно тому, как тонкие нити паутины окутывают неосторожную мошку, угодившую в ее тенета...

Я делал слабые попытки разорвать эту сеть, подняться на подкашивающиеся ноги, но вдруг меня охватило странное безразличие и я потерял представление о том, где же я нахожусь.

Я смутно помнил, что это Мастодония, что Кошачий Лик здесь со мною, что Райла уехала в Ланкастер повидаться с подрядчиком и обсудить проект строительства каменного дома. Брезжила даже мысль о том, что мы должны нанять людей для заготовки дров на зиму... Но все это было на далеком заднем плане и совершенно отдельно от того, что происходило в данный момент. И я еще знал, что сейчас все эти мысли не должны меня заботить вовсе...

И тогда я увидел *это*. Город. Ибо это, наверное, был город. Мне показалось, что я наблюдаю его с высокой горы, сидя под царственным деревом. Было тепло и ясно, а небо светилось гораздо более нежным оттенком голубого, чем тот, к которому я привык.

Перед моим взором раскинулся город, и, оглядевшись вокруг, я увидел, что он простирается во все стороны и уходит далеко за горизонт. Гора высилась одиноко в самой середине города. Она была прекрасна, со склонами, покрытыми темно-зеленой травой и дивными цветами, обдуваемыми мягким ветерком. А надо всем этим парила вершина с царственным деревом, под которым сидел я...

У меня не возникло вопроса о том, как я там оказался. И я даже не удивился, почему я там. Мне показалось абсолютно естественным то, что я здесь сижу, и представлялось, что я должен бы узнать это место, но, клянусь жизнью, я его не узнавал! Хотя с первого взгляда стало понятно, что это какой-то город, одновременно я осознавал, что это и нечто совершенно другое, названия которому я пока не знал. И вместе с тем у меня почему-то было убеждение, что я просто позабыл это название и оно само придет ко мне потом!

Этот «город» не был похож ни на один из виденных мной раньше. Здесь были и парки, и площади, и широкие нарядные магистрали, и все это было странно знакомо и вместе с тем сказочно и необычно. Здания как бы не имели массы и, можно сказать, твердой формы, как если бы были созданы из паутины, кружева, тумана, пены — чего-то бесплотного. Но когда я в них всмотрелся повнимательнее, оказалось, что они вовсе не так уж нематериальны, как на первый взгляд. За обманчиво-ажурными фасадами просвечивали вполне материальные структуры, хотя определить, что это, было также невозможно. В этом содержалось нечто, вызвавшее у меня беспокойство.

Я вдруг понял, что это не столько город, сколько *образ города*. Здания не выстраивались в массивные прямоугольные кварталы, определяющие направления улиц, как это принято в городах. И тут наконец я сообразил: передо мной не земной город! И почему-то эта мысль меня поразила, хотя я с самого начала должен был понять, что это город Кошачьего Лика!

— Это штаб,— сообщил мне Лик,— галактический штаб. Я решил, что ты должен его увидеть, чтобы постичь остальное.

— Спасибо, что ты мне его показал,— сказал я.— Он поможет мне понять остальное...

И вот еще что: для меня не оказалось неожиданностью то, что Лик со мною разговаривает! Я находился в таком состоянии, когда меня уже ничто не могло бы удивить...

К этому моменту маленькие губастые рыбешки больше не тыкались в мой мозг. Я осознал, что они уже завершили свою работу, унеся прочь все, что должно было быть удалено, все лишние чешуйки кожи, все запекшиеся струпья, все лишнее... Они удалили все это и удалились сами.

— Это то место, где ты родился? — спросил я.

— Нет,— ответил Лик.— Не то место, где я *начался*. Я начался на другой планете, очень далекой. Я ее тебе тоже покажу когда-нибудь, если у тебя найдется на это время.

— Но ты был там, где этот штаб? — спросил я.

— Я туда попал как доброволец, и сюда меня послали как добровольца,— объяснил он.

— Послали? Как это «послали»? Кто тебя послал? И если тебя кто-то послал, то какой ты доброволец?

Я пытался сообразить, произносим ли мы с Ликом слова вслух, но мне казалось, что звуков при нашем разговоре не слышно никаких. Впрочем, это ничего не меняло, раз уж мы так хорошо понимали друг друга. Это было так же, как если бы мы произносили слова вслух.

— У тебя есть понятие о Боге? — спросил Лик.— За время существования человеческой расы люди почитали множество богов.

— Я понимаю концепцию Бога,— ответил я,— но не уверен, что сам почитаю какое-нибудь божество. Не в пример большинству людей, утверждающих, что они верят в Бога.

— Я тебя понимаю и сам думаю так же,— сказал Лик,— но если бы ты встретился с теми, кто меня послал (а они отправили и многие другие создания тоже), ты бы решил, что это боги или сверхсущества. Они не являются богами, хотя многие их и считают таковыми. Просто это какие-то иные формы жизни (может быть, и биологические тоже, я не могу знать точно), которые совершили когда-то первый шаг к разуму и в течение миллионов веков проявили мудрость или оказались настолько удачливы, что избежали всевозможных катастроф и разрушений. Таких разрушений, которые способны были бы вызвать деградацию или распад разума. Конечно, их начальная природа в каких-то случаях могла иметь биологическую основу. Наверное, так могло быть... Но не уверен, что они и теперь ее сохранили: после долгих миллионов лет существования они, несомненно, должны были бы переродиться.

— Так ты видел их? Встречался с ними?

— С ними никто не встречался. Никто не знаком с ними. Я о них когда-то недостойно думал, что они пренебрегают нами и желают держать нас в страхе. Со мною на моей планете никто ни о чем таком никогда не говорил. Но однажды я увидел *нечто*. Оно не было отчетливым, и я даже подумал, что мне это почудилось. Для того чтобы завербовать добровольца, они дают ему возможность иногда видеть эти смутные образы, эти промельки. И это бывает видно всегда как сквозь дымку... или похоже на тень. Я не могу точно определить.

— И тебя это не потрясло?

— В свое время, может быть, и потрясло. Но это было так давно, что я уже не могу точно припомнить. Если

был бы корабль. Ведь они, увидев следы крушения, решили бы, что погибли все, и не стали бы задерживаться! Чтобы меня подобрали или «спасли», как вы это называете, я должен оставаться поблизости от места аварии. Только так меня смогут найти.

— Но ты открывал дороги времени для Баузера, а теперь делаешь это и для нас?

— Если я сам не могу ими пользоваться, то почему бы не позволить это делать другим? Почему бы не дать моим друзьям такую возможность?

— Ты считаешь нас своими друзьями?

— Сперва Баузера, а после и всех вас!

— А теперь ты решил, что корабль за тобой уже больше не придет?

— Долго...— сказал Лик.— Слишком долго. К тому же не исключено, что они следят за мной. Таких, как я, ведь не так уж много. Мы изменчивы. И они, быть может, не собираются забирать меня просто так, в моем нынешнем виде...

— И все-таки ты еще надеешься на приход корабля?

— Очень слабая надежда...

— Так вот почему ты проводишь часть времени в саду у старой фермы? Если они появятся, то смогут забрать тебя оттуда...

— Да, поэтому...

— А ты счастлив здесь, у нас?

— Что значит «счастлив»?.. Впрочем, я полагаю, что счастлив.

Что такое быть счастливым? Он спросил это так, как если бы не понимал, что означает понятие счастья. Но он все же великолепно знал такое состояние! Когда-то он был счастлив по-настоящему, вдохновлен, потрясен. Это, наверное, случилось в тот день, когда его призвали и он попал в тот огромный галактический штаб, присоединившись к группе избранных, ставших легендой в конфедерации звездных систем этой части Вселенной.

Не сомневаясь и не спрашивая, я прошел с ним через тот фантастический город, совершенно не такой, как города на старых «провинциальных» планетах. Я смотрел на него, пораженный, но вместе с тем как бы осознающий, что я и раньше там был. И я отправился с Ликом на другие планеты, лишь успевая бегло запечатлеть их облик и узнать, каковы они были в прошлые века... Я узнавал об их былой славе, о несчастьях, их постигавших, и это повергало меня в печаль и болью отзывалось в моем сердце. Я сожалел о них так, как пес тоскует по старой потерянной кости. И еще я пытался жадно вникать в недоступные моему разуму особенности их культуры и науки.

А потом, совершенно неожиданно, все это исчезло, и я снова очутился в рощице диких яблонь, лицом к лицу с Кошачьим Ликом. Мое сознание все еще бурлило от впечатлений. Я вовсе потерял представление о времени...

— А Хайрам? — спросил я.— Хайрам тоже там побывал?

— Нет,— ответил Лик.— Он бы ничего не понял.

Это было, конечно, справедливо. Хайрам понять бы не смог. Он ведь даже жаловался мне. Я припоминаю, он говорил, что Кошкин Лик рассказывает ему то, что не имеет смысла!

— Никто другой,— вдруг сказал Лик,— никто другой, кроме тебя!

— Ну, ты меня смущаешь,— ответил я.— Ведь и мне многое непонятно.

— Ты понимаешь гораздо больше, чем сам думаешь,— ответил он.

— Я вернусь,— сказал я на прощанье,— и мы поговорим снова!

Я поднялся на холм, и пока шел к передвижному дому, никто не попался мне на глаза. Еще подумал, а не вернулась ли задержавшаяся группа сафари, пока я разговаривал с Ликом?

Когда я пошел к яблоневой роще, я рассчитывал, что услышу, если они появятся. Но теперь я сомневался, что мог бы что-нибудь слышать, пока общался с Ликом...

Я подошел к туннелю номер один и не заметил возле него никаких признаков прибытия. А это означало, что они опаздывают уже на два дня. Если они не появятся завтра, решил я, то нам с Беном, наверное, следует отправиться туда, чтобы выяснить причину их задержки. Я не то чтобы уж очень волновался, нет, ведь Перси Эспинволл показался мне самым компетентным из руководителей групп. И все же мне было немного не по себе.

Подойдя к дому, я сел на ступеньки крыльца. Из-под дома выполз Баузер и тоже поднялся на ступеньки. Он сел, тесно прижимаясь ко мне. Это так напомнило мне прежние времена, когда еще не приехала Райла и не завертелся весь этот «временной бизнес».

Я был основательно ошарашен тем, что мне показал Лик, но теперь начал понемногу это осмысливать. Поначалу все, что происходило перед моими глазами, казалось само собой разумеющимся. В тот момент я вроде бы и не удивлялся ничему. Потом все это меня оглушило, а теперь у меня по спине поползли мурашки озноба, и я ощутил страх и яростное сопротивление своего нутра новому знанию. Старая человеческая игра в спасительное отрицание: «Этого не может быть, так как не может быть никогда!»

Но несмотря на автоматический порыв к отрицанию, я полностью отдавал себе отчет в том, что виденное — абсолютная реальность. И пока я сидел на этих ступеньках, это осознание начинало овладевать мною. И у меня уже не оставалось времени ни на сопротивление этому, ни на приятие, ибо по склону холма стала подниматься машина, за рулем которой сидела Райла, а рядом с нею красовался Хайрам собственной персоной.

Хайрам спрыгнул на землю, как только машина притормозила, и ринулся прямо к Баузеру. Он не стал терять времени на то, чтобы приветствовать меня, и я даже не вполне уверен, что он меня заметил!

Баузер мгновенно соскочил со ступенек, завидев Хайрама, а тот опустился на колени и обхватил руками собаку. Баузер, повизгивая и взлаивая от счастья, старательно умывал лицо Хайрама своим деятельным языком.

Райла же бросилась ко мне и тоже обняла. Мы четверо, должно быть, являли собой комичную картину — Хайрам, сжимающий в объятиях Баузера, и Райла, обнимающая меня.

— А правда здорово, что Хайрам уже дома? — спросила она.— В госпитале сказали, что он может выписаться, но должен беречься и стараться восстанавливать свои силы. Он очень обессилел за время болезни. Ему нельзя много работать и...

— Ну, с этим все будет в порядке,— засмеялся я.— Хайрам никогда и не грешил склонностью к тому, что можно было бы назвать «работой»!

— Он еще должен ежедневно делать кое-какие упражнения,— добавила она.— И ходьба тоже входит в этот комплекс. Кроме того, ему прописали высокопротеиновую диету и некоторые лекарства. Он их, правда, не жалует, говорит, что они невкусные. Но обещал их регулярно принимать, если его отпустят домой.— Она всплеснула руками, вспомнив: — Ах, Эйза, ты же должен знать, какой дом мы с тобой собираемся строить! Я не привезла еще проспект, но набросаю его тебе приблизительно. Он весь будет из камня и стекла. И с большим количеством каминов — почти в каждой комнате. Окна — во всю стену, из термоизолирующего стекла. Мы сможем через них видеть весь окружающий нас мир. Как если бы мы сидели снаружи. Там будет и закрытый дворик-патио, и наружный очаг с дымоходом, и бассейн, где ты сможешь плавать, если захочешь. Мне-то этого всегда хотелось! Мы заполним его водой из источника, она, правда, очень холодная, но подрядчик сказал, что через день-два солнце ее прогреет и тогда...

Я увидел, что Хайрам с Баузером уже вышагивают вниз по склону. Они, занятые друг другом, либо не услышали моего оклика, либо пренебрегли им, и мне пришлось побежать следом. Я схватил Хайрама за плечо и повернул его к себе.

— Ты куда это собрался? — спросил я.— Тебе же велено не переутомляться!

— Но, мистер Стил,— ответил он, стараясь придать своим словам максимальную убедительность,— я всего лишь хочу посмотреть, как поживает Стиффи. И я хочу, чтобы он знал о моем возвращении.

— Не сегодня,— твердо возразил я.— Может быть, завтра. Мы съездим к нему на машине.

Я отконвоировал их обоих обратно, не обращая внимания на энергичные протесты Хайрама.

— Ну, рассказывай, как ты тут провел день,— сказала Райла.— Чем ты занимался?

— Беседовал с Ликом,— ответил я.

Она рассмеялась, как бы услышав шутку.

— И какую вы избрали тему для беседы?

— Тем было довольно много,— ответил я.

Тут она снова вернулась к вопросу о доме, и я уже не мог вставить слова. Она говорила без умолку до самого сна. Я, пожалуй, никогда раньше не видел ее такой радостной и возбужденной.

Хотел было рассказать ей о моем общении с Ликом наутро, но и из этого ничего не вышло. Меня разбудил Бен, стучавший в дверь и громко зовущий меня выйти.

— Ну что там еще? — проворчал я.— Что за неотложное дело, черт возьми?

— Да там публика в «Сафари» совсем с ума посходила. Они очень психуют и требуют, чтобы мы сами отправились и посмотрели, что стряслось с Эспинволлом и его экспедицией.

Глава 28

НО БЕНА ТРЕВОЖИЛА не только запоздавшая группа. Он сказал мне об этом, когда мы уже были готовы к вылазке.

— Этот треклятый Хотчкисс буквально открыл банку с червями. Все отцы церкви и церковные общины повылазили наружу! Один журналист отметил, что такого не было со времен Реформации. Ватикан готовится через неделю или две выступить с заявлением. Я хотел принести тебе утреннюю газету, но закрутился с делами и забыл ее прихватить. Уже муссируются запросы в конгресс с требованием наложить запрет на посещение раннехристианских времен. Конгресс пытается уйти от этого, не желая иметь дела с вопросами такого рода и ссылаясь на то, что церковь отделена от государства. В силу этого, говорят они, никаких законов по церковным делам конгресс принимать не станет. Двое конгрессменов подчеркнули, что не могут иметь над нами никакой власти, поскольку Мастодония не является частью Соединенных Штатов. Боюсь, как бы этот аргумент не стал предметом спора, если вся эта кутерьма станет разгораться. Я думаю, что все в смятении и не знают, являемся мы частью США или нет!

— Мы с тем же успехом можем заявить, что не являемся, если кто-нибудь скажет, что мы часть страны,— заметил я.

— Да знаю,— ответил Бен.— Но ведь основным доводом этих церковных кликуш является то, что Мастодония непосредственно примыкает к Соединенным Штатам... Не нравится мне все это, Эйза. Совершенно не нравится...

Мне это тоже совершенно не нравилось, но в тот момент меня занимало многое другое, и я не мог полностью разделить тревогу Бена.

Райла вознамерилась идти в меловой период с нами, и нам стоило больших усилий уговорить ее остаться. Она прямо вскипела из-за этого. Она была вне себя и твердила, что имеет право пойти с нами.

— Не имеешь,— отрезал я.— Ты уже однажды рисковала собой, и с тебя вполне хватит. Тогда мы пошли все вместе, так как надо было развеять предубеждение, но сейчас совсем другое дело. Обещаю, что мы постараемся вернуться как можно скорее.

Во время этой перебранки Хайрам сумел улизнуть и, по-видимому, отправился на поиски Стиффи. Райла заикнулась было, чтобы я пошел за ним, но я ответил, что черт с ним со всем. Я еще сказал, что если сейчас пойду за ним, то накричу на него и это прибавит нам проблем...

И мы с Беном тронулись в путь в весьма неважном расположении духа. Когда мы очутились в меловом периоде, погода тоже не подарила нам радости. Было жарко, дул штурмовой ветер, и весь ландшафт как будто несся куда-то. Ветер был горяч, он просто обжигал кожу. Огромные массы рваных облаков бежали по небу и, собираясь в стаи, орошали землю кипящими, жгучими, но всего лишь пятиминутными ливнями. Земля под ногами из-за дождей превратилась в сплошное месиво, однако четырехколесный вездеход Бена справлялся с этой грязью, и мы передвигались вперед без особых трудностей.

Отвратительная погода, по-видимому, заставила всю фауну присмиреть. Большинство животных наверняка попряталось в рощах. А те, которых мы спугивали, старались удрать подобру-поздорову. Так поступил даже один небольшой тираннозавр. Мы объехали стороной стадо трицератопсов, которые стояли, свесив головы и не обращая внимания на грязь, а всего лишь дожидаясь конца ненастья.

Следы, оставленные группой сафари, были видны довольно ясно. Колеса тяжелых грузовиков проложили глубокие колеи в грунте. Кое-где недавние ливни заполнили их или сровняли, но если след и прерывался, не составляло особого труда найти его снова.

Мы обнаружили место первого привала группы в пяти милях от речной долины. По-видимому, она здесь оставалась несколько дней. Очаг был полон золы, и вокруг лагеря виднелось много следов от поездок грузовиков куда-то и возвращений обратно. Поизучав эти следы, мы пришли к выводу, что охотники отъехали к западу от этой стоянки вверх по холму, затем переправились через реку в прерию, простиравшуюся на двести миль.

В конце этих двухсот миль равнина внезапно обрывалась ущельем, в котором текла река Рэкун Ривер*. След, петляя, привел к утесу. Когда мы объехали его остроугольный выступ, то сразу увидели стоянку. Бен рывком остановил машину, и мы, потеряв на время дар речи, остались в ней сидеть. Тенты палаток, большинство из которых было повалено на землю, трепало ветром. Один из грузовиков опрокинулся набок. Другой провалился в расщелину, которых в земле мелового периода было так много. Обгорелым носом он уперся в стенку оврага, а зад его был свернут на сторону под крутым углом.

Все вокруг, кроме палаточного брезента, было совершенно неподвижно. Не было ни дымка. Очаги давно выгорели. Здесь и там виднелись разбросанные по земле белые предметы.

— Боже милостивый! — хрипло произнес Бен.

Он медленно убрал ногу с тормоза и пустил машину вперед. Мы спустились ниже и подъехали к стоянке. Вся площадь лагеря была усеяна обломками, вокруг пепелищ валялась утварь для приготовления еды. В землю были

---

* Енотовая река.

втоптаны клочья одежды, тут и там валялись ружья. Белые предметы, увиденные нами издали, оказались костями. Человеческими костями. Дочиста обглоданными.

Бен остановил машину, и я вышел, держа ружье наготове в согнутой руке. Я долго стоял там, пытаясь справиться с неописуемым ужасом увиденного. Мой мозг упорно отказывался принять очевидность этого удара. Я услышал, как с другой стороны машины вышел Бен. Его ботинки с хрустом раздавили что-то, и хруст этот повторялся, пока он обходил машину. Он встал рядом со мной и сказал неестественно высоким голосом, словно пытаясь сдержать его звучание:

— Это случилось не меньше недели назад. Наверное, в первый же день их прибытия сюда. Погляди на эти кости. Дочиста отполированы. На это потребовалось время...

Я попытался хоть что-нибудь сказать, но не сумел. Мне надо было держать челюсти крепко сжатыми, чтобы они перестали стучать друг о друга.

— Никто не ушел,— сказал Бен.— Но как же это произошло? И почему никому не удалось спастись?

Я заставил себя ответить:

— Может, все же кто-то сумел? Скрылся за горами?

Бен покачал головой.

— Да нет, если бы кто-то и смог, он бы пошел назад. Мы бы заметили его следы... Один человек, даже если он не был ранен, никаких шансов уйти не имел. Если бы в первый же день его не разорвала какая-нибудь тварь, это случилось бы обязательно на второй или третий день!

Бен прошел к центру стоянки. Через минуту я последовал за ним.

— Эйза,— произнес он в ужасе,— посмотри на это. Посмотри на этот след!

Он наклонился, разглядывая что-то на земле.

Дождь смазал очертания следа. Небольшие лужицы воды виднелись в углублениях, оставленных когтями. То был след гигантской лапы. Размытость его краев могла и увеличивать его размеры, но в ширину лапа имела не менее двух футов. В стороне от этого следа, левее, был виден еще один такой же.

— Это не рекс,— сказал Бен.— Он крупнее рекса. Этот больше всех, кого мы знаем. Но ты только погляди. Таких следов здесь еще много!

И теперь мы увидели, что вся площадь лагеря покрыта такими же следами.

— Трехпалые,— пробормотал Бен.— Ящеры. Двуногие, я думаю...

— И судя по всему,— добавил я,— тут побывала целая стая. Один или два ящера столько следов не оставили бы. Ты помнишь пару тираннозавров? Мы увидели, что они охотятся попарно. А раньше считалось, что только поодиночке. Но, может, они охотятся и стаями? Рыщут повсюду, как стая волков, и заглатывают все, что попадется живого. Стая может отхватить большую добычу, чем одинокий охотник или даже пара!

— А если это так,— сказал Бен,— если они охотятся стаей, то Эспинволл и другие не успели даже помолиться!

Мы пересекли площадку лагеря, с трудом заставляя себя оглядеть то, что там оставалось. Четырехколесные вездеходы, на удивление, стояли на своих местах. Только у одного из них был пробит верх. Ящики с патронами тускло блестели в неярком свете пасмурного дня. Повсюду валялись ружья. И везде виднелись вмятины от огромных трехпалых лап...

Ветер выл и стонал в ложбинах между холмами, которые сбегали к реке. Небо, покрытое быстрыми рваными облаками, бурлило как котел. Издалека доносились раскаты грома.

Из небольшого нерастоптанного куста мне улыбался череп, покрытый клочками свисающего скальпа и остатками бороды на нижней челюсти. Едва не подавившись от приступа тошноты, я повернул обратно к машине. С меня было довольно...

Меня остановил возглас Бена. Я обернулся и увидел, что он стоит на краю ущелья, окаймляющего северный край стоянки.

— Эйза, иди скорее сюда! — закричал он.

Я, шатаясь, подошел к нему. В ущелье лежала груда огромных костей. На некоторых из них поблескивали остатки чешуи. Грудная клетка была выворочена, когтистая лапа вытянута вверх, череп с оскаленными челюстями замер, наверное, в тот момент, когда зверь собрался искромсать кого-то.

— Посмотри на лапу,— сказал Бен.— Другая оторвана. Это передняя лапа, сильная, хорошо развитая, не такая, как передние конечности рекса.

— Это аллозавр,— объяснил я.— Должно быть, аллозавр. Они достигали огромных размеров, но их окаменелые кости никому не удалось найти.

— Ладно, мы теперь хоть знаем, что наши охотники уложили одного из них. Может, есть еще подстреленные? Если еще посмотреть вокруг...

— Нет, я уже насмотрелся. Давай-ка уходить отсюда!

Глава 29

БЕН ПОЗВОНИЛ КОРТНИ, а я и Райла слушали по параллельным аппаратам. Мы старались держать себя в руках.

— Корт, у нас плохие новости,— сказал Бен.

— С чем вас и поздравляю,— ответил адвокат.— Это дело с Хотчкиссом выходит из-под контроля. Он может наделать нам хлопот. Вся эта дурацкая страна взбудоражена. Каждый желает принять участие.

— Мне это тоже не нравится,— сказал Бен,— но я звоню вам по другому поводу. Вы знаете, что одна из групп сафари не вернулась вовремя?

— Да, они задержались на день или два. Особых поводов для беспокойства пока нет. Наверное, охота оказалась более удачной, чем они ожидали. Или углубились дальше, чем предполагали. А может, отказала машина?

— Мы тоже так думали,— произнес Бен,— но сегодня утром мне позвонила фирма «Сафари» из Нью-Йорка. Они уже нервничают и попросили нас проверить, в чем дело. Ну, мы с Эйзой и поехали. Эйза с Райлой сейчас на параллельных аппаратах.

В голосе Кортни зазвучала тревога:

— Я надеюсь, вы установили, что все в порядке?

— Нет, не установили,— ответил Бен.— Наоборот. Вся экспедиция уничтожена. Они все мертвы...

— Мертвы? Все мертвы?

— Мы с Эйзой не нашли ни одного живого. И ни одного тела. Тел нет, только скелеты. Это было чудовищно. Мы уехали оттуда...

— Но как? Кто их мог...

— Кортни,— сказал я,— судя по всему, на них напала стая хищных ящеров.

— Я не знал, что они сбиваются в стаи...

— Я тоже не знал. Никто не знал. Но факты говорят, что это так. Следов от лап гораздо больше, чем если бы их оставили два или даже три ящера...

— Следов от лап?

— И не только следов. Мы нашли еще и скелет огромного хищного ящера. Не тираннозавра. Более чем вероятно, что аллозавра. Он гораздо крупнее рекса.

— Вы говорите, скелеты? Не тела, а скелеты?

— Корт, это случилось достаточно давно,— сказал Бен.— Может быть, вскоре после их ухода. Над ними поработали так, как ни один уборщик бы не сумел.

— И нам теперь надо знать,— подключилась к разговору Райла,— каково наше положение с точки зрения закона. И что нам следует предпринять в первую очередь?

На дальнем конце провода настало долгое молчание, потом послышался голос Кортни:

— С точки зрения закона мы чисты. «Сафари» оговаривает все свои права и обязанности по отношению к каждой из групп, отправляющихся на охоту. Но в контракте указывается, что за происшествия на охоте фирма ответственности не несет. Если вас беспокоит, может ли быть возбужден самой фирмой процесс, то я не думаю, что это возможно. Для этого нет никаких оснований.

— А как насчет клиентов, которых они отправляют?

— То же самое. Если кто-то вздумает возбудить процесс, то это будет лишь недоработкой фирмы. Я думаю, что клиенты подписывают такие же контракты, в которых оговаривается невиновность фирмы за случайности на охоте. Я полагаю, что это общепринятая практика. И мы можем лишь беспокоиться за судьбу бизнеса «Сафари». Когда это станет известно, не откажутся ли от своих контрактов потенциальные клиенты? И что это будет означать в глазах широкой публики? Не станут ли какие-нибудь кретины вопить о необходимости прекратить сафари в прошлом? Вы, надеюсь, помните, что «Сафари» пока что оплатила нам лишь половину гонорара по контракту? Остальная половина должна быть покрыта в течение шести месяцев. И они попытаются придержать платежи или вовсе откажутся платить, если только...

— Все зависит от того, как «Сафари» воспримет эту новость,— отметил Бен.

— Они довольно невозмутимые бизнесмены,— ответил Кортни.— Конечно, происшедшее трагично, но ведь и трагедии иногда случаются! Шахтеры погибают в шахтах, но ведь и шахты продолжают функционировать. А вот если фирма потеряет слишком много клиентов, то это их озаботит по-настоящему.

— Некоторые могут и отказаться,— заметил Бен,— но вряд ли многие. Я знаю эту породу! Случившееся только придаст остроту их увлечению. Какие огромные звери, какая ужасная опасность — так дайте нам поехать и поубивать их! А о громадных трофеях каждый из них только и мечтает!

— Будем надеяться, что вы правы,— сказал Кортни.— «Сафари» — пока единственное реальное дело, которое мы имеем. И оно сейчас получило ощутимый удар. Мы надеялись, что к нам в двери постучатся еще и другие крупные дела, но они пока ведь только-только разворачиваются, и притом довольно медленно. Впрочем, то же можно сказать и о тех вещах, которых мы побаиваемся. Мы, например, думали, что налоговая инспекция начнет нас сразу атаковать. Они, правда, принюхиваются к нам, но пока дальше этого дело не идет.

— Они, скорее всего, залегли и притаились,— предположил Бен,— ищут наши уязвимые места...

— Может быть, и так,— согласился Кортни.

— Ну а как насчет киношников? — спросила Райла.— Не напугает ли их это последнее сафари?

— Сомневаюсь,— ответил Кортни.— Ведь все остальные геологические периоды не так страшны, как меловой, не так ли, Эйза?

— Юрский тоже достаточно опасен,— ответил я.— Эти два периода — самые суровые в смысле фауны. В каждом времени есть свои опасности, если не соблюдать достаточную осторожность. Ведь любая из этих областей времени является неизведанной...

— В данный момент для нас самое актуальное,— напомнил Бен,— это решить, как известить о случившемся «Сафари». Я могу им позвонить сам. Но мы подумали, что нам следует посоветоваться с вами, прежде чем что-либо предпринимать.

— Ну а почему бы мне самому не позвонить им, Бен?..— предложил Кортни.— Я ведь знаю их немного лучше, чем вы все. Может быть, за исключением Райлы. Так как же, Райла?

— Давайте,— сказала Райла.— Вы сделаете все как надо. И получше, чем любой из нас.

— Но они могут захотеть связаться и с вами,— предупредил адвокат.— Вы будете на месте?

— Здесь буду я,— ответил Бен.

Глава 30

БЛИЖЕ К ВЕЧЕРУ «Сафари» позвонила Бену. Они решили отрядить, как они выразились, экспедицию для посещения места трагедии и перевозки останков жертв.

Мы с Райлой вернулись в Мастодонию. Никто из нас почти ничего не сказал по дороге. Мы были подавлены.

Хайрам с Баузером ожидали нас, сидя на ступеньках. Хайрама распирало от желания поделиться с нами новостями: он встретился со Стиффи и хорошо поговорил с ним, потом навестил Кошкин Лик и тоже неплохо побеседовал. Оба обрадовались Хайраму, и он им все рассказал о своем пребывании в госпитале. Баузер нашел сурка, и тот юркнул в норку, откуда пес пытался его вытащить. Хайрам вытянул его самого из норки и сделал ему выговор. Баузеру, как утверждал Хайрам, стало стыдно за самого себя. Хайрам поджарил несколько яиц на ленч, но Баузер не очень-то признает яйца. Поэтому, твердо наказал нам Хайрам, мы должны всегда оставлять в холодильнике ростбиф для Баузера!

После обеда я и Райла посидели во дворе. Баузер с Хайрамом, притомившись за день, отправились спать.

— Эйза, мне тревожно,— сказала Райла.— Если «Сафари» не оплатит нам оставшуюся половину гонорара, мы можем сильно погореть. Мы уплатили Бену его комиссионные за дела с «Сафари» целиком, хотя он ничего особенного с фирмой и не организовывал.

— Он вполне заслужил эти деньги,— ответил я.— Быть может, в организации контракта с фирмой он и не принимал участия, но он работает на нас высунув язык!

— Да я и не жалуюсь,— объяснила Райла.— Я вовсе не хотела бы экономить на гонораре Бена! Просто все наши расходы накладываются друг на друга. Ограда влетела нам в изрядную сумму, здание офиса тоже обошлось недешево. Жалованье охранникам составляет несколько сот долларов в день. Деньги пока у нас есть, но они стремительно тают. Если «Сафари» от нас отвернется и если киношники решат повременить, мы окажемся в очень трудном положении.

— «Сафари» не захочет от нас отвернуться,— ответил я.— Они могут слегка переждать, пока эта история уляжется. Но Бен абсолютно прав: чем больше опасность ситуации, тем больше одержимых охотников возжелают ее испытать. Насчет кинокомпании я точно не скажу, но думаю, что они тоже почуяли запах больших долларов. И вряд ли пройдут мимо!

— И еще одно,— продолжила свои мысли Райла.— Ведь и Кортни не работает задешево! Одному Богу известно, какой он нам заломит счет.

— Давай-ка не паниковать раньше времени,— сказал я.— Все как-нибудь утрясется!

— Ты, наверное, думаешь, что я жадина, правда, Эйза?

— Жадина? Ну, не знаю. Ты, скорее всего, деловая женщина. Ты ведь все эти годы не вылезала из бизнеса.

— Дело не в бизнесе,— возразила она.— И не в жадности. Дело в чувстве безопасности. Женщина гораздо больше, чем мужчина, нуждается в ощущении защищенности. Многие из женщин находят защиту в семье, но у меня ее никогда не было. И поэтому я стала искать другую форму безопасности и поняла, что ее обеспечат только деньги. Вот почему у меня такой «хватательный комплекс». И вот почему я так вцепилась в эту идею перемещений во времени. Я в ней увидела великие возможности.

— Но в ней и сейчас остаются великие возможности!

— Но появляются и слишком большие хлопоты... И наш бизнес построен на такой зыбкой основе. Кошачий Лик и Хайрам... Случись с кем-нибудь из них что-либо...

— Но мы же сумели управиться и без Хайрама!

— Да, пожалуй. Но ведь этот твой диалог ужасно неуклюж!

— Он больше не таков,— сказал я.— Райла, я пытался рассказать тебе уже в течение двух дней, но ни разу мне это не удавалось. Сперва мне помешало возвращение Хайрама и твой рассказ о нашем будущем доме, а потом несчастье с людьми «Сафари». А я тебе хотел сказать, что уже могу по-настоящему разговаривать с Ликом!

Она в изумлении уставилась на меня.

— Ты хочешь сказать, что можешь говорить с ним не только с помощью его морганий? Совсем как Хайрам?

— Да нет, гораздо лучше, чем Хайрам,— ответил я.

И тогда я ей все рассказал, а она внимательно слушала, не перебивала и лишь вглядывалась в меня с легким оттенком недоверия.

— Но как же все это призрачно,— заметила она, когда я закончил.— Меня бы это напугало!

— А меня нет. А может, я слишком оцепенел, чтобы испугаться.

— А как ты думаешь, зачем ему было прилагать столько усилий? Всего лишь, чтобы убедиться, что он способен поговорить с тобой?

— Он так стремился с кем-нибудь пообщаться...

— Но ведь общался же он с Хайрамом...

— Во-первых, в последнее время Хайрам отсутствовал, надеюсь, ты не забыла об этом? Его же не было столько дней! И я полагаю, Лик так и не уразумел, что же с ним такое стряслось. Во-вторых, Хайрам вовсе не та персона, общение с которой могло бы удовлетворить Лик полностью. Хайрам едва понимает самую малость из того, что может сообщить ему Лик или даже показать. И дело в том, что у этого существа природа разума весьма близка к человеческой.

— Природа разума? Человеческая?

— Именно. Он, разумеется, инопланетянин. Но ему присущи такие же человеческие черты, каких мы не могли бы и ожидать! Вполне может быть, что иные свои качества, чуждые нам, он прячет, а выставляет только те, которые можно назвать его «человеческой жилкой», но...

— В таком случае,— отметила Райла,— он весьма ловок и искусен. Я бы даже сказала — хитроумен и коварен!

— Любое существо, прожившее миллион лет, должно стать искусным и хитроумным!

— Однажды он заявил нам, что бессмертен...

— Мы об этом с ним не говорили. По сути дела, мы о нем самом говорили очень мало.

— Я вижу, он совсем тебя очаровал,— сказала Райла.

— Пожалуй. Меня исключительно занимает то, что я могу общаться с носителем инопланетного разума. Эта мысль вспыхивает у меня в мозгу как огромный газетный заголовок. Сенсационная история! И впрямь, это была бы такая сенсация! Об этом ведь рассуждают и пишут уже многие годы. Есть ли во Вселенной другие разумные существа? Что сулит человеку встреча с инопланетянами? Всевозможные разглагольствования о гипотетическом первом контакте... А что касается меня, то я воспринял это вовсе не как сенсацию. Общение было дружеским и вполне ординарным.

— Странный ты человек, Эйза,— заметила Райла.— Ты всегда был таким странным. Думаю, что именно за это я полюбила тебя. Ведь тебя совсем не занимает, что подумают о твоем открытии другие люди. Ты интересуешься им как таковым и только со своей точки зрения!

— Спасибо тебе, дорогая,— сказал я.

И, сидя за тем дворовым столом, я стал думать о Лике и удивляться ему. Он теперь, наверное, был там, в яблоневой роще, в сгущающихся сумерках, или в старом саду около бывшего моего дома. И я вдруг обнаружил, что знаю о нем гораздо больше, чем он сам мне поведал о себе. Я, например, знаю, что его субстанция не биологична, а является странной комбинацией электронно-молекулярных форм жизни, которые умом постичь невозможно. Кто знает, может быть, какой-нибудь инженер-электронщик и мог бы это объяснить, только вряд ли и его объяснение было бы исчерпывающим. Я знал, что Лик считает время не частью пространственно-временного континуума, скрепляющего воедино всю Вселенную, а совершенно независимым фактором, описываемым рядом уравнений, которые я бы ни за что не смог постичь, запомнить или найти в них хоть какой-нибудь смысл (ибо для меня отродясь ни в каком уравнении никогда не было ни малейшего смысла!). Но если эти уравнения кому-то станут так же доступны, как Лику, то он тоже сможет манипулировать временем и регулировать его. А еще я знал, что все сказанное им о бессмертии есть результат его веры в жизнь после жизни. Эта мысль казалась мне очень странной, ибо существу бессмертному нет никакой необходимости надеяться или уповать на такую «послежизнь»!

Но как же так получилось, задавал я себе вопрос, что я знаю о нем такие вещи? Я ведь совершенно точно помнил, что ни о чем таком он со мной не говорил. И я допустил мысль, что из-за тогдашней моей ошарашенности я мог кое о чем и позабыть...

Райла поднялась с места.

— Пошли спать,— сказала она.— Может быть, завтрашний день окажется лучше?

Но следующий день был ни плохим ни хорошим, а просто никаким, ибо ничего нового не произошло.

Перед полуднем мы с Райлой съездили в Виллоу Бенд. Хайрам куда-то испарился сразу после завтрака, уведя с собой Баузера. Мы и не пытались его разыскать и водворить домой. Не могли же я и Райла все свободное время посвящать опеке над Хайрамом. Ему в госпитале было предписано вести себя смирно, но единственным способом к достижению этого было бы стреножить его или приковать.

Бен получил известие, что люди из «Сафари» прибудут на следующий день. Но ничего не было сказано о том, намечаются ли другие поездки охотничьих групп и если да, то в какие сроки.

Газеты отвели массу места трагедии в меловом периоде. Судя по публикациям, «Сафари Инкорпорейтед» почти немедленно сообщила о происшедшем. Сами газеты не пытались смаковать ужас случившегося, а представители «Сафари» ограничились заявлением, что в течение многих лет люди гибли и во время сафари, и в разных экспедициях. Впрочем, подчеркивалось и отличие: такого, чтобы погибла вся группа целиком, еще не бывало.

Поскольку информация об этом несчастье заняла большую часть первых газетных полос, статьи, связанные с Хотчкиссом, были вытеснены на внутренние полосы. Но они все же публиковались и занимали немало колонок. Пререкания о том, насколько правомерны вылазки в прошлое с целью изучения жизни Иисуса, все еще были полны вредоносной силы. У репортеров и заведующих редакциями новостей давненько не было таких лакомых сюжетов, и они выжимали из них максимум возможного.

Райла осталась в офисе, чтобы потолковать с Беном и Гербом, но я вскоре смылся, чтобы проверить, нет ли Лика в саду у фермы. Он как раз там и оказался.

Я не стал рассказывать ему о случившемся. Я не был уверен, что Лика это как-то заинтересует, кроме того, мне гораздо больше хотелось послушать его самого.

Мы устроились под деревом и провели там пару часов. Он не столько говорил, сколько показывал. И так же, как это случилось раньше, я почувствовал, что как бы погружаюсь в него, становлюсь частью Лика и смотрю его глазами.

Он показал мне большую часть города-штаба и некоторых специалистов, работавших в нем. Там были представители насекомоподобной расы, занимавшиеся историей планет. Они уделяли внимание не столько историческим событиям, сколько тенденциям развития, и трактовали историю как целостную науку, а не как простой перечень событий и эпох.

Были там существа шарообразной формы, специализировавшиеся в социологии. Они определяли расовые характеристики и исторические предпосылки, обусловливающие сущность мыслящих созданий. Другие существа, напоминавшие белых змей, занимались как бы предсказаниями, вернее, пытались, научно экстраполируя в будущее тенденции развития цивилизаций, прогнозировать это будущее главным образом с целью отыскать в нем возможные кризисные моменты.

Лик пытался объяснить мне, как при помощи определенной системы уравнений можно найти способ манипулирования силовыми полями и строить разные временные туннели. Я задавал ему массу вопросов, но, по-видимому, они имели настолько общий характер, что только конфузили его. Но он все же пытался отвечать мне на эти вопросы, и ответы приводили меня в еще большее смущение...

Подумав, что Райла, вероятно, обеспокоена моим отсутствием, я завершил беседу и отправился в офис. Райла, Бен и Герб все еще были настолько поглощены своим разговором, что даже не заметили, как я ушел и вернулся.

Рано утром следующего дня показалась экспедиция «Сафари». Бен и я отправились с ними, и Райла на этот раз тоже.

Это было ужасно. Я не принимал участия в работе экспедиции и лишь стоял поблизости. Люди собирали обглоданные человеческие скелеты в пластиковые мешки, прилагая максимум усилий для идентификации костей одного и того же человека. Но поскольку кости были сильно раскиданы, вполне могли быть допущены и ошибки. В немногих случаях, когда на запястьях еще сохранились опознавательные браслеты или цепочки, еще можно было определить, чьи именно это кости. Но основная масса их осталась неопознанной.

Скелет огромного аллозавра (если это был аллозавр) тоже был погружен на один из грузовиков. Палеонтологи Гарварда попросили доставить его к ним.

За два-три часа удалось собрать все кости, ружья, оснащение, палатки и прочее оборудование, и мы вернулись назад.

Стоит ли говорить о том, как я был рад вернуться к себе в Мастодонию?..

Прошло десять дней. Газеты по-прежнему обыгрывали обе темы, связанные с нами: несчастье в меловом периоде и шумиху вокруг времени Христа. Против «Сафари» были возбуждены две тяжбы. Несколько членов конгресса выступили с речами, призывающими правительство заняться упорядочением перемещений во времени. Министерство юстиции провело пресс-конференцию с целью разъяснить, что такое регулирование весьма нелегко осуществить, поскольку Ассоциация Времени представляет интересы другого государства, хотя статус Мастодонии с точки зрения международного законодательства был абсолютно неясен.

Толпа газетчиков и телевизионщиков у ворот офиса Виллоу Бенда заметно поредела...

Стиффи несколько раз поднимался на холм, нанося нам визиты, и после того, как мы откупались от него морковью, он позволял себя увести. Хайрам очень огорчался, что мы не хотим оставить его поблизости. Баузер затеял потасовку с барсуком и вышел из нее основательно потрепанным. Хайрам два дня ухаживал за его лапой, пока страдания не пошли на убыль.

Поток туристов в Виллоу Бенд тоже несколько ослаб, хотя стоянка и мотель Бена все еще продолжали приносить неплохой доход.

Бен отвез Райлу в Ланкастер (она спряталась на заднем сиденье его машины, пока они не отъехали от Виллоу Бенда). Повидавшись с подрядчиком, она привезла пачку проектных чертежей-синек. Несколько вечеров мы провели за изучением проекта, разостлав синьки на кухонном столе и решая, что бы нам хотелось изменить или добавить.

— Это будет стоить уйму денег,— сказала Райла.— Почти вдвое больше, чем я думала сначала. Но я надеюсь, что даже при наихудшем развитии событий у нас денег на постройку дома хватит. Я ужасно хочу его иметь, Эйза! Я мечтаю жить в Мастодонии и иметь здесь хороший дом!

— Я тоже,— ответил я.— И что особенно приятно, мы не должны будем платить за этот дом никаких налогов!

Я несколько раз за это время общался с Ликом. Когда Хайрам обнаружил, что я могу разговаривать с Кошкиным Ликом, он слегка повесил нос, но уже через день или два снова вполне воспрял духом.

Бен принес несколько неплохих новостей: звонил Кортни и сообщил, что кинокомпания вновь возобновляет переговоры. «Сафари» объявила, что готовит новые группы к поездкам через неделю или десять дней.

...А потом грянул гром, и все внезапно оборвалось.

Кортни позвонил Бену, что вылетает в Ланкастер, и просил его встретить.

— Расскажу все при встрече,— коротко сказал он.

К нам с Райлой заехал с этим известием Герб, и мы в офисе Бена дождались приезда Бена с Кортни.

— Есть идея,— сказал Кортни.— Нам надо слегка выпить, чтобы подкрепиться. Дело в том, что у нас на этот раз, кажется, серьезные неприятности...

Мы уселись и приготовились его выслушать.

— Я еще не в курсе всех подробностей,— начал он,— но то, что мне стало известно, требует обсуждения с вами. Вы оказались в *карантине*. Госдепартамент сегодня утром издал указ, запрещающий американским гражданам въезд в Мастодонию.

— Но они же не имеют на это права! — воскликнула Райла.

— А я не знаю, имеют или нет,— ответил Кортни.— Впрочем, скорее всего, они найдут предлог. Фактически запрет уже существует. Пока безо всяких оснований. Я надеюсь, что они не сумеют найти убедительную формулировку. Но фактически в их власти просто решить в отношении любой страны мира, что американцам туда ездить не следует...

— Но зачем им это понадобилось? — спросил Бен.

— Точно не знаю. Возможно, из-за дела с Иисусом, а может быть, сыграла роль и трагедия в меловом периоде. Мастодония открыла ворота в такие места, где граждане не могут быть гарантированы от опасности. Но я все же подозреваю другую подоплеку. Возникло множество споров, в которые вовлекается весь мир. Эти споры буквально рвут страну на части. В конгрессе раздаются вопли о том, что ситуация еще больше усугубится с увеличением количества поездок. Образуются неприятнейшие оппозиционные группы. Это одна из самых горячих историй, с которыми приходилось справляться Вашингтону. И ответом, конечно, является нанесение удара по Мастодонии и перемещениям во времени. Если вы не сможете попасть в Мастодонию, то не сможете переместиться и дальше! А если существует запрет на въезд в Мастодонию, то и возня с Иисусом окажется беспредметной!

— Но это означает, что и «Сафари» не сможет использовать наши временные туннели,— подытожил Бен.— И что никто их не сможет использовать. А это убьет и бизнес с кинокомпанией. И вообще мы можем вылететь из всякого бизнеса!

— На какой-то момент, несомненно,— согласился Кортни.— Правда, мы бы могли походатайствовать о временном моратории на этот запрет. Если этот мораторий будет одобрен правительством, мы сможем временно заниматься бизнесом, пока будет рассматриваться наш встречный иск. Власти потом могут сделать этот мораторий постоянно действующим, и тогда у нас будет все в порядке. Но если они этого не сделают или вообще не пойдут даже на временную отмену принятого закона, то мы действительно вылетим в трубу!

— Либо начнем действовать в каких-либо других странах,— добавила Райла.

— Что же, это было бы возможно,— откликнулся Кортни.— Но потребуются переговоры с той страной, куда вы захотите перенести свой бизнес. И учтите, что большинство стран, зная о запрете нашего госдепартамента, вряд ли охотно примет ваши предложения. Стало быть, нам надо будет еще найти страну, которая согласилась бы. И я опасаюсь, что это вряд ли будет страна с приличным режимом, а скорее всего, там будет режим диктаторский... И, оказавшись в такой стране, вы натолкнетесь на кучу бюрократических препон. Что же касается истории с карантином, то она имеет одну неожиданно положительную сторону: этим указом молчаливо признано, что Мастодония — *другая* страна, а следовательно, отведены и все нацеленные на нас дула налоговой инспекции!

— Вам надо поскорее начать хлопотать о моратории,— заметил Бен.

— Немедленно,— отозвался Кортни.— Мне кажется, я сумею привлечь к этому ходатайству и «Сафари», и кинокомпанию. Они могут заявить, что на их бизнес наложен несправедливый запрет. И у них, вероятно, найдется много других аргументов. Я подумаю и об этом.

— Это выглядит так, будто мы собрались в штормовую погоду на соколиную охоту,— сказал Бен.— А насколько вы уверены, что сумеете получить этот мораторий?

— Честно говоря, не знаю. В рядовых случаях получить такое временное решение не составляет особого труда. Но в данной ситуации мы бьем по авторитету госдепартамента. Это может оказаться нелегким делом.— Немного поколебавшись, он прибавил: — Не знаю, насколько это осуществимо, но я хочу попробовать подойти и с другой стороны. Правда, я не вполне уверен... Дело в том, что со мной разговаривало ЦРУ. Наводило на темы сотрудничества и «патриотического долга». Они пытались убедить меня, что все это неофициальные разговоры, но я никаких неофициальных заверений сделать не мог, ибо понимал, что на вашем месте я бы с ними вообще не разговаривал. Но я из этого общения вынес впечатление, что им пришла в голову мыслишка засылать своих агентов в будущее с целью разведать, как им быть сейчас с некоторыми острыми ситуациями. Они прямо этого не говорили, но, пожалуй, от перемещений во времени им может понадобиться именно это... Я притворился непонимающим простачком, но вряд ли мне удалось их провести.

— Вы хотите сказать, что если мы позволим им использовать временные каналы,— спросил Бен,— то госдепартамент отзовет свой указ? Но тогда этот указ может оказаться просто средством давления на нас, спровоцированным ЦРУ!

— Я не могу быть уверенным ни в чем,— сказал Кортни,— но, по-моему, на это не очень похоже. А вот если я дам знать ЦРУ, что мы готовы к сотрудничеству, то эта организация может оказать сильное давление на госдепартамент!

— Ну и прекрасно, почему бы и не попробовать? — спросил Бен.— Не наше дело, в конце концов, совать свой нос и интересоваться, кто и с какой целью использует туннели времени!

— Нет! — сказала Райла.

— Почему же? — удивился Бен.

— А потому, что стоит лишь позволить этой публике сунуть в дверь ботинок, как они окажутся внутри целиком.

— Я, пожалуй, согласен с этим,— сказал Кортни.— Мой совет: любой ценой надо от этого пока воздержаться, хотя на всякий случай эту возможность следует держать в запасе. Мы будем вынуждены пойти на это, если совсем потеряем надежду на спасение.

— О'кей,— согласился Бен,— я полагаю, в этом есть резон.

— Но вы понимаете, ведь я не знаю точно, зачем мы понадобились ЦРУ, а всего лишь строю догадки!

Кортни встал.

— Бен, не отвезете ли вы меня назад? У меня еще полно работы.

Мы с Райлой поехали домой. Когда мы с Райлой оказались в Мастодонии, то обнаружили, что нас ждет малоприятный сюрприз.

Наш передвижной дом лежал на боку. Рядом стоял Стиффи. Баузер чуть поодаль заливался яростным лаем. Хайрам хлестал Стиффи прутом, но старина-мастодонт оставался абсолютно невозмутим.

Я поспешно направил машину наверх.

— Вот результаты проклятых морковных угощений,— проворчал я.— Мы не должны были его приучать к этому!

И я увидел, когда мы подъехали, что он не только пришел за морковью, но уже и добыл ее. Он опрокинул дом со стороны кухни, и так как холодильник при этом както открылся, он, вполне довольный, вовсю уже чавкал.

Я остановил машину, и мы оба выпрыгнули из нее. Я рванулся вперед, но Райла оттянула меня обратно.

— Ты что собираешься делать? — взволнованно спросила она.— Если ты хочешь его увести...

— Какого черта «увести»? — завопил я.— Я сейчас возьму ружье и застрелю этого сукиного сына. Мне давно надо было это сделать!

— Нет,— крикнула она.— Только не Стиффи! Он такой милый старый парнишка!

Хайрам стал кричать на животное, повторяя одно и то же слово:

— Озорник, озорник, озорник!

И, истошно вопя, он продолжал бить его прутом, а Стиффи продолжал жевать одну морковку за другой.

— А ты и не доберешься до ружья,— сказала Райла.

— Если вскарабкаюсь вверх и сумею открыть дверь, то смогу! Ружейная стойка ведь у самой двери в гостиной...

Хайрам визжал и продолжал хлестать Стиффи, а мастодонт помахивал хвостом лениво и благодушно! Он совсем неплохо проводил время в гостях!

И тут я понял, что моя злость совсем испарилась. Я начал безудержно хохотать. Это ведь было так ужасно смешно: визжащий и пытающийся отогнать мастодонта Хайрам — и Стиффи, не обращающий на это ни малейшего внимания!

Райла заплакала. Она отошла от меня, опустив руки.

Она стояла, напрягшись и сотрясаясь от рыданий. Слезы градом катились по ее щекам. И я не сразу понял, что у нее попросту началась истерика.

Я взял ее под руку и повел к машине.

— Эйза,— сказала она сквозь рыдания.— Это ужасно! Сегодня все идет наперекосяк!

Усадив ее в машину, я вернулся за Хайрамом, схватил его за руку, вырвал прут и отбросил в сторону.

Он уставился на меня, моргая и как бы удивляясь, что я тут.

— Но, мистер Стил,— сказал он.— Я ему говорил и так и эдак. Я сказал ему, что так нельзя, а он и слушать меня не захотел!

— Иди в машину! — велел я ему.

Он послушно поплелся к машине.

— Пошли! — крикнул я Баузеру.

Тот, не будь дураком, обрадовался поводу уйти от греха подальше, сразу перестал лаять и побежал за мной.

— В машину! — приказал я.

Он впрыгнул на заднее сиденье, где уже ссутулился Хайрам.

— Что же нам делать, Эйза? — нервно спросила Райла.— Куда же мы теперь денемся?

— Вернемся на старую ферму,— сказал я,— и побудем там какое-то время.

В ту ночь, пытаясь заснуть в моих объятиях, она еще долго плакала.

— Эйза,— говорила она,— мне так полюбилась Мастодония! Я хочу, чтобы у меня там был дом!

— Он у тебя будет,— обещал я ей.— Будет. Большой и крепкий, чтобы Стиффи его не опрокинул.

— И еще, Эйза, я так хотела быть богатой...

Но этого я ей уже не смог пообещать.

Глава 31

МЫ ВЕРНУЛИСЬ В МАСТОДОНИЮ с Беном и Гербом. Использовав блоки и другие приспособления, мы сумели поставить дом на место. Это вместе с восстановлением и починкой того, что было повреждено, заняло у нас добрую часть дня. Но наконец наше жилище вновь обрело сносный вид. И даже, невзирая на манипуляции Стиффи, остался исправным холодильник!

На следующий день, не обращая внимания на протесты Райлы и Хайрама, мы на двух вездеходах поехали на свидание со Стиффи. Он, как всегда, пребывал в долине и очень разгневался, когда мы попытались его увести подальше. Он даже норовил нам угрожать, и пришлось пустить в ход дробовики, заряды которых слегка пощипали ему кожу, но особого вреда не причинили. Он наконец двинулся. Каждый его шаг сопровождался недовольным ворчанием и вздохами, но мы все же отвели его на расстояние около двадцати миль, после чего сами вернулись обратно.

Спустя несколько дней Стиффи снова появился на своем «застолбленном» участке, но с тех пор, несмотря ни на какие воспоминания о моркови, нас он больше не беспокоил. Я строго наказал Хайраму оставить его в покое, и Хайрам впервые уделил внимание моим словам!

В течение нескольких дней от Кортни никаких известий не поступало. Когда он наконец позвонил, я находился в офисе Бена. Тот знаком предложил мне поднять вторую трубку. Кортни сообщил, что ходатайство об отмене указа госдепартамента, поддержанное фирмой

«Сафари» и кинокомпанией, направлено куда следует. Но теперь началась волокита с рассмотрением документов, представленных обеими сторонами. Маккаллахан особенно много внимания уделил голословности того пункта указа, где говорилось, что перемещения во времени опасны для здоровья граждан. Он, Кортни, был бы вполне согласен с мнением, что путешествия в сравнительно недавнее прошлое могут быть связаны с такой опасностью. Но правительство категорично распространило свой запрет и на периоды, удаленные от нашего времени на миллионы лет, утверждая, что бактерии и вирусы тех времен якобы могут оказать губительное воздействие на организм современного человека и даже явиться причиной всеобщих эпидемий.

От ЦРУ, как сообщил наш адвокат, не было слышно больше ни звука. Он даже допустил, что сами власти «отозвали» это учреждение.

Сенатор Фримор навестил Кортни и уведомил, что в обе палаты конгресса будет направлен на рассмотрение законопроект о разрешении перемещения в доисторические эпохи (вполне, впрочем, добровольного) неимущей части населения. В связи с этим Фримор желал бы знать, о каких периодах могла бы идти речь.

— Эйза находится на параллельном телефоне,— сказал адвокату Бен.— На это может ответить только он.

— О'кей,— согласился Кортни.— Так что же, Эйза?

— Миоцен*,— предложил я.

— А как насчет Мастодонии? Она, по-моему, подошла бы идеально!

— Мастодония не подходит,— ответил я.— Если вы собираетесь внедрять человеческую популяцию в какую-либо прошлую эпоху, то должна существовать абсолютная уверенность, что она достаточно далеко отстоит от начала появления человека. Иначе могут возникнуть исторические коллизии.

---

* Ранний период «неогеновой эры», наступивший 25–23 миллиона лет назад.

— Но ведь Мастодония, кажется, тоже достаточно удалена?

— Нет, недостаточно. Она помещается в прошлом, удаленном не более чем на сто пятьдесят тысяч лет от нас. Но даже если удалиться и на триста тысяч лет, будет все еще сангамон, а это недостаточно далеко. На Земле в это время уже где-то появились люди, самые примитивные, но уже люди. И мы не должны рисковать опасностью вмешательства в их развитие!

— А как же вы с Райлой?

— Но нас же всего двое. И мы не собираемся ничего менять в том периоде. Мы всего лишь транзитники, использующие временные туннели... К тому же в Америке в то время людей еще не было.

— Понятно. Ну и что же с миоценом? Как далеко он отодвинут во времени?

— На двадцать пять миллионов лет.

— Вы полагаете, этого будет достаточно?

— Да, потому что люди появятся только через двадцать миллионов лет, и опасности пересечений не будет. Перемещение во времени больших масс людей допустимо только на «расстоянии» порядка двадцати миллионов лет — либо вперед, либо назад от нашей эпохи.

— То есть вы хотите сказать, что за двадцать миллионов лет любой процесс развития может полностью сойти на нет?

— Он либо сойдет на нет, либо с ним еще что-нибудь произойдет, и коллизии будут ему не страшны...

— Да...— произнес Кортни,— пожалуй.— Он немного помедлил, затем снова спросил: — Эйза, а почему именно миоцен? Почему не раньше или позднее хоть ненамного?

— Потому что в миоцене уже появилась трава. Довольно похожая на ту, что растет сейчас. А трава необходима для выращивания скота. Благодаря ей существуют и стада диких животных, на которых можно охотиться. Для поселенцев это очень важно, особенно в первое время, ибо охота даст им продовольствие. Кроме того, в миоцене и климат вполне приличный. Он лучше, чем в предыдущую эпоху.

— Почему так?

— В эту эпоху кончается цикл долговременных дождей, климат становится суше, но для сельского хозяйства влаги вполне хватит. Поселенцам не придется вырубать деревья для расчистки площадей под фермы, поскольку в это время появляются луга, а сплошные лесные заросли начинают редеть. И еще одно важно: в миоцене отсутствуют особо опасные хищники, во всяком случае мы о них ничего не знаем. Но во всех случаях ничего похожего на меловой период с его динозаврами. Титанотерии*, гигантские кабаны, первые слоны, но не те звери, для которых предназначены громадные ружья...

— О'кей, вы меня убедили. Я передам это сенатору. Но, Эйза...

— Я вас слушаю.

— Что вы думаете о самой идее? Об отправке всего этого люда в прошлое?

— Я думаю, что это вряд ли реально. Не представляю, чтобы многие захотели туда отбыть. Они же никакие не первопроходцы, и такая перспектива их вряд ли прельстит!

— Вы полагаете, что они скорее предпочтут остаться тут, перебиваясь на пособие до конца своей жизни? Как бы мало оно ни было? Они же находятся в тисках бедности, из которой им никак не вырваться!

— И все же я думаю, что они предпочтут остаться здесь,— сказал я.— Они здесь хоть знают, на что им можно рассчитывать. А там — полная неизвестность!

— Боюсь, вы правы...— произнес Кортни.— Но я-то надеялся, что если наше ходатайство не будет удовлетворено, то план Фримора может нас спасти. Если его примут, разумеется...

---

* То же, что бронтотерии, крупные непарнокопытные млекопитающие, похожие на носорогов.

— Не особенно уповайте на это,— охладил его я.

Кортни еще немножко потолковал с Беном. Говорить, собственно, было больше не о чем.

А я, прислушиваясь к тому, что Бен сказал напоследок, все думал: как быстро потускнели наши радужные ожидания! Еще несколько недель назад казалось, что ничто не в состоянии омрачить их: у нас был контракт с «Сафари», начинала разворачиваться инициатива кинокомпании, и мы верили, что нас ожидает еще много других заманчивых предложений. А теперь вот до тех пор, пока Кортни не сможет найти противовеса указу госдепартамента, мы оказываемся не у дел...

Что касается лично меня, то нельзя сказать, что я был этим очень уж озабочен. Да нет, конечно же, я ничего не имел против того, чтобы стать миллионером, но деньги и успех в бизнесе все же не значили для меня слишком много. А вот для Райлы дело обстояло совсем по-другому, да и для Бена тоже было важно, хотя он на эту тему особенно не распространялся. И мое уныние, как я отчетливо понимал, было вызвано не столько тем, что терял я сам, сколько тем, что теряли эти двое.

Уйдя из офиса Бена, я завернул в сад и увидел там Лик. Мы приготовились к беседе. На этот раз он говорил тоже немного, больше показывал свою собственную планету, совершенно не похожую на ту, где располагался штаб. Это была окраинная планета с весьма скудной экономикой. Ее земли были неплодородны, природные ресурсы ограниченны, больших городов вовсе не было. Население влачило унылое существование и выглядело совсем иначе, чем Лик. Эти создания имели явно биологическую природу, хотя и казались довольно бесплотными, чем-то промежуточным между живыми существами и духами.

И вдруг, к величайшему моему удивлению, Лик сообщил:

— Я был среди них уродом... или как вы это называете? Возможно, мутантом. Я совсем не был на них похож. К тому же я постоянно изменялся, они мне удивлялись, наверное, даже немного меня стыдились и, может быть, даже побаивались. Мое начало было несчастливым...

Его начало — не детство, не отрочество... Я был этим озадачен.

— Но ведь штабу ты подошел? — спросил я.— Возможно, именно поэтому они тебя и взяли к себе? Они, должно быть, выискивают именно таких, как ты, способных меняться?

— Я в этом уверен,— ответил Лик.

— Ты сказал, что бессмертен. А другие существа на твоей планете тоже бессмертны?

— Нет, они не бессмертны. И именно этим я от них отличаюсь.

— Скажи мне, Лик, а откуда ты это знаешь? И как ты можешь быть уверен в своем бессмертии?

— Знаю, вот и все,— ответил он.— Это знание идет изнутри.

И этого вполне достаточно, подумалось мне. Если знание идет *изнутри*, должно быть, он прав!

Я ушел от него еще более изумленным, чем раньше. С каждым нашим разговором во мне росла странная убежденность, что я знаю его лучше, чем кого бы то ни было на свете. И чем дальше, тем больше я обнаруживал в нем такие глубины, постичь которые разумом мне было не под силу. И меня поражало то нелогичное ощущение, что я его хорошо знаю... Я ведь встречался и разговаривал с ним по-настоящему всего несколько раз, а меня почему-то не покидало чувство, что он был моим другом всю мою жизнь. Я знал о нем такие вещи, которых он мне, теперь я был уверен, никогда прямо не говорил. И я объясняю это тем, что он заключал мое сознание в себя с целью показать мне то, что не мог выразить понятными мне словами. И может быть, в такие минуты единения я частично сам поглощал его личность, начиная постигать мысли и цели Лика даже помимо его стремления сообщить мне их?

Теперь уже почти все журналисты, фото- и телерепортеры смылись из Виллоу Бенда. Их то не бывало видно по нескольку дней, то потом вдруг кто-то снова появлялся и околачивался поблизости, но день или два, не больше. Мы, очевидно, еще фигурировали в каких-то публикациях, но аура магического вокруг нас здорово поблекла, если не улетучилась совсем. Наша история себя исчерпала...

Туристы, конечно, тоже разъехались. Правда, несколько автомобилей на стоянке Бена еще виднелось, но это даже отдаленно не шло в сравнение с тем количеством, какое было здесь раньше! В мотеле теперь были свободные места, а иногда и очень много свободных мест. Независимо от того, что дело повернулось таким образом, Бен продолжал тратить на него большие деньги. Мы еще содержали охранников и включали по ночам прожектора, хотя это начинало слегка отдавать манией. Мы охраняли то, что в охране, вероятно, больше не нуждалось. Кроме того, это съедало кучу средств, и мы то и дело возвращались к обсуждению вопроса о том, не следует ли нам распустить нашу «гвардию» и перестать зажигать фонари? Но мы никак не могли на это решиться — я думаю, из принципа, ибо такая акция выглядела бы как признание нашего поражения. А мы все еще не были готовы к капитуляции...

В конгрессе разгорались дебаты о разрешении эмиграции в прошлое. Одни утверждали, что предложенный проект закона означает отказ от помощи нуждающимся, другие настаивали на том, что, наоборот, им должен быть предоставлен шанс начать новую жизнь в таких местах, где не существует стрессов современной цивилизации. Особенно яростно обсуждалась экономическая сторона такой эмиграции. Многие полагали, что «предоставление шанса» обойдется не меньше, чем стоимость пособий, выплачиваемых в течение года.

Сами получатели этих пособий вдруг стали подавать признаки заинтересованности, впрочем, пока тонувшие

было ни звука. Попытки пробиться к нему по телефону не увенчались успехом. Во время того единственного разговора с ним мы узнали, что он сотрудничает с властями, но что у него еще много неизученных вопросов, связанных с этим.

Вечер за вечером, а иногда и целыми днями подряд мы собирались в офисе Бена и глазели на экраны телевизора. В любое время дня и ночи, если появлялась хоть малейшая новость о ходе событий, ее тотчас же передавали, и поэтому телевидение превратилось в сплошную программу новостей.

Ужасно тягостно было наблюдать эти волнения. В конце шестидесятых годов люди иногда рассуждали о том, выстоит ли республика, а теперь мы были почти уверены, что не выстоит! Лично я испытывал некоторое чувство вины, думаю, что у остальных оно было тоже, хотя мы никогда вслух об этом не говорили. У меня в голове молоточком стучала мысль: если бы мы не затеяли этого дела с перемещениями во времени, ничего такого бы не случилось!

Мы говорили о другом: как мы были слепы, благодушно предполагая, что закон об эмиграции явится просто пустой политической уловкой и что очень немногие из отверженных, к которым он будет обращен, захотят стать первопроходцами в неведомых землях.

И я чувствовал себя особенно неловко, ибо первым высказал мнение о бессмысленности этого закона. Ярость бунтовщиков показала, что гетто намерены дождаться второго тура утверждения законопроекта. И трудно было прогнозировать, во что выльется этот «второй» тур и сколько еще будет развязано вспышек насилия путем умелого манипулирования застарелыми обидами и подавленной ненавистью. Манипулирования со стороны тех, кто вдохновлял и вел этих повстанцев!

Прошел слух, что армия повстанцев направилась от Твин-Сити к Виллоу Бенду, возможно, с целью захвата центра управления временными перемещениями. Шериф быстренько призвал добровольцев для преграждения пути бунтовщикам, но пока он был этим занят, оказалось, что никакого похода нет. Это был всего лишь один из тех мерзких ложных слухов, которые время от времени проникали даже в официальные отчеты о новостях.

Почему повстанцы не подумали о том, чтобы захватить нас, я так никогда и не узнаю. Для их позиции это было бы вполне логичным шагом, независимо от того, что такой шаг совершенно не оправдал бы их ожиданий. Но если они и помышляли об этом, то наверняка в их воображении возникала машина времени, которую бы можно было физически захватить и привести в действие. Но скорее всего, они об этом даже не подумали, ибо главари беспорядков, наверное, больше были заняты конфронтацией с властями и организацией насильственных действий, которые заставили бы власти покориться.

«Пять дней» прошли, и в разбитых затемненных городах воцарилось относительное спокойствие. Переговоры начались, но кто их вел и где они происходили, сохранялось в тайне, так же как и то, о чем на них говорилось. Газеты и телевидение проникнуть за завесу молчания оказались неспособны. Мы все время пытались дозвониться до Кортни, но междугородная связь все еще не работала.

И вдруг однажды перед нашими взорами возник Кортни собственной персоной!

— Не стал вам звонить из Ланкастера,— сказал он,— поскольку быстрее оказалось схватить такси и приехать.

Он взял стакан со спиртным, предложенный ему Беном, и плюхнулся в кресло. Вид у него был усталый и опустошенный.

— День и ночь,— проговорил Кортни,— без перерыва, в течение последних трех суток... Господи, я надеюсь, что мне никогда больше не придется пройти через такое!

— Вы что же, сидели на этих переговорах? — спросил Бен.

— Вот именно. И я думаю, мы их дожали до конца. Я никогда в жизни не видел таких несговорчивых сукиных детей с обеих сторон — что от правительства, что от повстанцев! Я противостоял и тем и другим. Но шаг за шагом я все же сумел вбить им в головы, что Ассоциация Времени имеет свою солидную ставку в этой игре и что мы отстаиваем собственные интересы. И что без нас никто не сможет переместиться во времени куда бы там ни было!

Он осушил бумажный стаканчик и отставил его. Бен снова его наполнил.

— Зато теперь,— сказал Маккаллахан,— мы это получили! Документы уже подписываются. Если это состоится и никто из тех ублюдков не передумает, мы дадим им туннель в миоцен бесплатно. Я был вынужден сделать эту уступку. Власти упирали на то, что программа эмиграции будет стоить им так много, что еще и выплата нам гонорара заставит их «финансово рухнуть». Думаю, они врут, но тут уж делать нечего. Если бы я отказался, все переговоры зашли бы в тупик, что по некоторым соображениям было бы властям на руку. Мы просто отдадим им этот туннель, вот и все! Мы им скажем: «Вот он тут, берите!», а остальное — их собственная головная боль. В обмен на это госдепартамент отменил и больше не возобновит свой указ. Он обязался больше не претендовать ни на какое регулирование нашей деятельности — ни на государственное, ни на федеральное, ни на какое бы то ни было еще! И еще одно — и это «одно» чуть было не опрокинуло все переговоры! — достигнута договоренность о признании Мастодонии независимой страной!..

Я поглядел через комнату на Райлу, и она улыбнулась. Это была первая ее улыбка за прошедшие несколько дней. И я знал, о чем она сейчас подумала. О том, что теперь мы сможем снова заняться нашим будущим домом в Мастодонии!

— Я думаю,— произнес Бен,— что это оптимально. Вы хорошо поработали, Корт! У нас, наверное, было бы слишком много хлопот с тем, чтобы содрать с правительства гонорар...

Дверь отворилась, и вошел Хайрам. Мы все повернулись к нему. Он проковылял немного вперед.

— Мистер Стил,— сказал он,— Кошкин Лик хотел бы, чтобы вы к нему пришли. Он желает вас видеть. Говорит, это важно...

Я встал.

— И я с тобой,— рванулась Райла.

— Спасибо,— ответил я.— Но лучше не надо. Мне следует самому разобраться, в чем там дело. Может, и ни в чем! Это не займет слишком много времени.

Но у меня было ужасное предчувствие, что в этом вызове кроется что-то действительно важное. Никогда раньше Лик за мной не посылал!

— Вы оставайтесь здесь,— сказал я,— а я сейчас...

Я пересек задний двор, обогнул курятник и увидел Лика на одной из яблонь. Я почувствовал, что он как бы подался вперед, ко мне. И когда он это сделал, мне снова показалось, что мы одни с ним на свете, что все остальные отринуты далеко, совсем отъединены от нас!

— Я рад, что ты пришел,— сказал он.— Я хотел с тобой увидеться перед тем, как уйти. Я хотел тебе сказать...

— Уйти! — вскричал я.— Лик, ты не можешь уйти! Только не сейчас! Зачем тебе понадобилось уходить?

— Я ничего не могу с этим поделать,— сказал Лик.— Я снова перерождаюсь. Я ведь говорил тебе, что и раньше я изменялся, там, на моей собственной планете, после моего начала...

— Но что это за изменение? — спросил я.— Что оно значит? Почему ты должен переродиться?

— Потому что иначе нельзя. Это нисходит на меня. И от меня не зависит...

— Лик, а ты сам хочешь этого?

— Думаю, что хочу. Я еще не спрашивал себя. Но все же я чувствую, что становлюсь от этого счастливым. Потому что я возвращаюсь домой.

— Домой? На ту планету, где ты родился?

— Нет. На планету штаба. Теперь она и есть мой дом. Эйза, ты знаешь, что мне кажется?

Меня била дрожь. Я вдруг ослабел. Я был разбит и ограблен.

— Нет, не знаю,— машинально ответил я ему.

— Мне кажется, что я становлюсь богом. Когда вернусь туда, то буду одним из них. Думаю, они появляются именно так. Развиваются из других форм жизни. Может быть, из моей формы, а может, и из других. Точно не знаю. Но, по-видимому, скоро буду знать. Я закончил свое ученичество. И стал взрослым...

Я провалился в пустоту, в огромную бездонную пропасть, и мою душу ранило не то, что я лишаюсь временных туннелей, которые мог бы построить Лик. Нет, невыносимей была мысль о том, что я лишаюсь самого Лика, и именно она создавала вокруг меня пустоту!

— Эйза,— произнес Лик.— Я возвращаюсь домой. Я на время потерял дорогу, но теперь я ее знаю и возвращаюсь домой!

Я ничего не ответил. Я не мог ответить ничего. Я сам был затерян в пустоте и не знал дороги домой...

— Мой друг,— сказал Лик.— Пожелай мне добра. Я должен это унести с собой!

И я сказал ему эти слова, они вырвались из меня так, словно это были кусочки моей живой плоти. Я хотел ему добра и должен был это сказать, но как больно мне стало от этого!

— Лик, я желаю тебе добра! От всего сердца, Лик! Мне очень будет тебя недоставать, Лик!

Он исчез. Я не видел, как он уходил, но почувствовал, что это произошло. Это все-таки стряслось. Пронесся холодный ветер ниоткуда, и черная пустота стала сереть, потом исчезла и эта серая муть, и я увидел себя под деревьями старого сада, поблизости от клумбы в углу курятника. Себя, уставившегося на опустевшую яблоню...

На землю опустились сумерки, и с их наступлением сразу же автоматически зажглись прожектора ограды, превратив все вокруг в ярко освещенное кошмарное видение, в котором взад и вперед вышагивали охранники, одетые в униформу. Но через несколько мгновений слепящий свет сменился снова благодатными сумерками, которые мне были так нужны!

Потом фонари вновь в меня вцепились, и я повернулся к административному зданию. Я боялся, что меня будет шатать из стороны в сторону, но этого почему-то не происходило. Я шел напряженно и прямо, как заводная игрушка.

Хайрама видно не было, а Баузер, скорее всего, был занят каким-либо сурком, хотя для сурков время было уже позднее. Они после захода солнца сразу зарываются в свои норы...

Я прошагал в дверь офиса. При виде меня все прекратили разговоры и уставились на мое помертвевшее лицо.

— Ну? — спросила Райла.

— Лик ушел,— сказал я.

Бен рывком вскочил на ноги.

— Как ушел? — заорал он.— Куда ушел?

— Он ушел домой,— ответил я.— К себе домой. Он прислал за мной, чтобы попрощаться. Это было все, что он хотел. Просто попрощаться.

— И ты не смог его остановить?

— Остановить его не было никакой возможности, Бен. Он вырос, понимаешь ли... Он закончил свое ученичество...

— Одну минуточку,— вмешался Кортни, пытавшийся сохранять спокойствие.— Но он же вернется, не так ли?

— Нет, не так,— произнес я.— Он переродился. Он стал чем-то иным...

Бен стукнул кулаком по столу.

— Ну что за низкий, проклятый удар! И в какой момент он нас бросил? Скажу вам, где он нас оставил — у разбитого корыта!

— Не спешите с выводами,— возразил Кортни.— Давайте не делать поспешных заключений. И давайте не опускать рук. Ведь не все же потеряно, ведь наверняка что-то осталось? И мы можем еще кое-что предпринять...

— Что вы там такое болтаете? Вы со своим адвокатским умничаньем...

— Мы можем еще спасти то, что имеем,— невозмутимо ответил Кортни.— Контракт с «Сафари» и кругленькую сумму в миллион баксов в год...

— Но ведь миоцен... Как же быть с миоценом?

— Не с миоценом, Бен. С Мастодонией.

Но тут закричала Райла:

— Только не с Мастодонией! Я не пущу их в Мастодонию! Они вконец ее загадят! Мастодония принадлежит нам с Эйзой!

— С учетом отбытия Кошачьего Лика и отсутствия дополнительных временных туннелей,— резко и холодно заявил Кортни,— вы вынуждены будете пустить их в Мастодонию. Или вы лишитесь всего!

Он обратился ко мне:

— Так вы твердо знаете, что Кошачий Лик отбыл и больше не вернется?

— Уверен в этом.

— И новых временных туннелей не будет?

— Нет,— ответил я.— Не будет. Новых не будет.

— Вы настаиваете на этом?

— Абсолютно. Какого дьявола я бы стал вам врать? Вы что, думаете, что это шутка, розыгрыш? Говорю вам, это не шутка! Но скажу вам еще кое-что. Вы никого не пошлете в Мастодонию! Я уже вам это объяснял как-то. Во времена Мастодонии человек уже существовал. Он охотился на мастодонтов в Испании, мастерил кремневые орудия во Франции...

— Ты рехнулся, что ли? — завопил Бен.— Собираешься похерить и то малое, что мы имеем?

— Да, ей-богу, собираюсь! — крикнул я в ответ.— Я собираюсь это все похерить! Послать к черту вместе с кругленькими двумя миллионами! Послать к черту вместе с правительством и этими повстанцами!

— И вместе с нами? — спросил Кортни вежливо, даже слишком вежливо.

— Да! — ответил я.— Послать к черту вместе с вами. Пустив эти банды в Мастодонию, мы можем разрушить все, что имеем сейчас, все, что имеет сейчас человечество!..

— А вы знаете, он ведь прав,— мягко вмешалась Райла.— Он прав в исходных соображениях, а я права в последующих. Мастодония принадлежит нам, и никто больше ею владеть не сможет. И к тому же ясно одно: мы-то сами ее не загрязним! И есть еще кое-что...

Я не стал дослушивать, что там есть еще. Повернулся и пошел к двери. Пересек холл, едва понимая, куда несут меня ноги, вышел наружу и оказался у ворот.

— Пропустите меня,— сказал я охраннику, и он дал мне выйти.

Я ничего толком не соображал. Уйти куда-нибудь, вот все, чего мне хотелось.

Потому что я понял — как бы мы с Райлой ни возражали, мы все равно потерпели крах. Под давлением того, что сейчас нам грозило, нас заставят впустить эти орды в нашу Мастодонию!

И больше всего меня убивало то, что Бен и Кортни окажутся на стороне тех, кто станет на нас давить!

Я дошел до автостоянки и огляделся. Там, поодаль, окаймленная яркими пятнами света, высилась ограда. Я ее ни разу не видел снаружи, если не считать дня моего возвращения из Европы. Но тогда было так много отвлекающего вокруг — толпы народа, забитая до отказа стоянка, лотки с сосисками, продавец шаров,— что я почти и не увидел самой ограды.

Но теперь я разглядел ее во всей присущей ей гротескной потусторонности и попытался вспомнить, как же это место выглядело раньше? До того, как здесь началось все это строительство?

Стоя здесь, я остро ощутил свое одиночество и потерянность. Я был человеком, лишившимся дома. И не только той старой фермы, но и Мастодонии, которая тоже стала мне домом!

И я понимал, что потеря Мастодонии — это лишь дело времени. Она будет потеряна, а с ней и каменный дом, и множество его каминов... Дом, который задумала построить Райла и о котором мы с ней проговорили столько ночей!

Райла. Я подумал о Райле, о моем неповторимом «приблудном толкателе», который так хотел разбогатеть! Но теперь, только что, она сделала свой выбор, ничуть не колеблясь! Выбор между Мастодонией и кругленькой суммой в два миллиона баксов в год...

Ты обманщица, сказал я мысленно, ты просто вруша! И вся эта твоя «деловая хватка» — только поза.

Когда дело подошло к развязке, ты отринула позу и сделала истинный выбор!

И для меня она, Райла, все еще оставалась, несмотря ни на что, несмотря на столько прошедших лет, все той же девчонкой, которую я так любил тогда, во времена раскопок в Малой Азии...

Той девушкой, чье личико было вечно запачкано из-за того, что она постоянно потирала свой облупленный на солнце, свой упрямый вздернутый носик грязной ладошкой...

...Миоцен, подумал я. А почему же мы не получили этот миоцен? Почему я не попросил Лик соорудить дорогу в миоцен много дней назад? Ведь теперь, когда она понадобилась, все уже давно было бы готово... И если бы у нас теперь был миоцен, то даже после ухода Лика мы бы смогли спасти Мастодонию!

А Лик? Он теперь всего лишь воспоминание. Он больше не улыбнется мне из кроны дерева. Он наконец узнал, кто он есть и кем станет...

«Лик,— сказал я ему,— мой давний, мой старый друг! Я желаю тебе добра, и мне будет так не хватать тебя здесь!»

И мне внезапно почудилось, что я снова с ним! Снова становлюсь единым целым с Ликом, как бывало столько раз прежде, когда он заключал меня в собственную личность, чтобы я увидел то, что видел он, и узнал то, что знает он.

...Узнал то, что знает он...

Узнал, даже если я не смогу это понять разумом до конца.

Знать то, о чем он мне никогда прямо не говорил, осознавать даже не вполне понятные мне вещи, те, которые он мне показывал!

Такие, как, например, уравнения времени...

И вдруг, подумав об этих уравнениях, я вновь их увидел. Я увидел эти «уравнения времени» в точности такими, какими он мне их показывал. Я смотрел на них его глазами и знал, как мне надо их свести воедино, как их надо применить!..

Миоцен, подумал я, удаленный от нас на двадцать пять миллионов лет назад... И уравнения сошлись друг с другом, и я сделал еще что-то, необходимое для построения дороги времени в этот самый миоцен...

...Я вышел из оболочки Лика, и он исчез. Я больше не находился внутри него. Я не глядел больше сквозь его глаза. Но эти уравнения... уравнения... они ведь означали, что... И я понял, что уже потерял их и больше не осознаю их смысл, их взаимные сочетания, способы их приложения к силовым полям. Я это потерял, даже если только что и владел им. Я теперь снова был глупым человеческим существом, осмелившимся возмечтать о построении дороги времени с помощью информации, которая была в меня ненадолго вложена без ясного истолкования, просто так, в виде дара от того, кто теперь в далеких звездных мирах числился богом...

Я почувствовал, что меня трясет. Пытаясь распрямить плечи, я тесно сжал ладони, чтобы хоть немного унять дрожь.

Ты, проклятый дурачок, сказал я себе, ты совсем спятил, запсиховал в самом классическом понимании слова. Ну-ка, возьми себя в руки и сообрази, что ты собой на самом деле представляешь!

И все же... и все же... и все же...

Пока я себя так изничтожал, я сделал несколько шагов вперед, пробуя, а не появился ли этот дурацкий временной туннель?

Но ты же сам видишь, сказал я себе. Нет никакого миоцена!

...Я прошел еще пару шагов и увидел, что я в миоцене...

Солнце находилось на полпути к закату, и тугой бриз с севера рябил буйно разросшиеся травы. Под холмом, в четверти мили от меня, пасся титанотерий, эта неуклюжая тварь со смешным тупым разветвленным рогом, торчащим над его носом. Он перестал жевать и уставился на меня, угрожающе заревев.

Я осторожно повернул назад, ступая по своим же следам, и вернулся на Бенов паркинг.

Не сходя с места, я наклонился, снял туфли и поставил их одну за другой, стараясь точно пометить вход в туннель.

Потом, в одних носках, я обошел стоянку и вытянул несколько стальных стержней из разгородок, разделяющих места парковки машин. По пути я подобрал еще булыжник размером с кулак и с его помощью забил стержни в землю, вдоль дороги в миоцен.

Сделав это, я сел на землю, чтобы обуться.

И вдруг ощутил страшную усталость.

Мне так хотелось найти в себе хоть какое-то чувство торжества или ликования, но ничего такого я не ощутил.

Я всего лишь испытывал благодарность и начинал обретать покой.

Теперь я знал, что все будет в порядке. В полном порядке, если мне удалось все же соорудить этот туннель в миоцен. Раз я это сделал, то, значит, сумею построить и любой другой туннель... Конечно, не я сам по себе, такой, как сейчас. Но если я снова войду внутрь Лика...

Я довольно долго провозился с надеванием туфель. Мне в них что-то ужасно мешало! Но наконец я с ними справился, встал и пошел к воротам ограды.

Мне предстояло сделать нечто очень-очень важное.

Я должен был как можно скорее сообщить Райле, что мы с ней сохранили свою Мастодонию!

ПРОЕКТ «ВАТИКАН»

Пролог

ДО ДОМА ОСТАВАЛОСЬ еще полчаса ходьбы, когда Томаса Декера остановил Шептун.

— Декер,— проговорил Шептун внутри сознания Декера.— Я поймал тебя. На этот раз я тебя поймал.

Декер одним прыжком отскочил в сторону с лесной тропинки, резко вскинул ружье и приготовился встретить опасность лицом к лицу.

Ничего и никого. Густые заросли деревьев и кустарника вплотную примыкали к тропинке с обеих сторон. Ни дуновения ветерка, не шелеста крыльев вспорхнувшей птички. То есть — ничего. Все замерло, как будто так было вечно.

— Декер!

Окрик прозвучал внутри его сознания. Прозвучал? Нет, он не слышал, конечно, ни крика, ни шепота. Сколько раз он встречался с Шептуном и так до сих пор самому себе не мог ответить — действительно ли он слышал что-то. Он просто улавливал и понимал слова, возникавшие в определенном участке мозга, ближе ко лбу, повыше глаз.

— Ничего у тебя не выйдет, Шептун,— «сказал» он невидимому собеседнику, разговаривая с ним точно так же, как тот с ним, не произнося слов вслух, но выстроив фразу внутри сознания, чтобы Шептун мог «услышать» ее.— Сегодня я с тобой не играю. Прошлый раз был последним... Все, хватит, наигрался я с тобой.

— Трусишка Декер! — не унимался Шептун.— Трус, трус, трусишка!

— Пошел ты знаешь куда со своими трусишками? — воскликнул Декер.— Выйди-ка, покажись, вот тогда и поглядим, кто из нас трус. Все, Шептун. Конец тебе нынче.

— Ты трус! — не унимался Шептун.— В прошлый раз я от тебя был всего-то на расстоянии выстрела, а ты стрелять не стал. Трус, Декер — трус.

— Мне незачем убивать тебя,— буркнул Декер.— И вообще я не охотник убивать. Но, Бог свидетель, Шептун, я сделаю это — только для того, чтобы избавиться от тебя наконец.

— Да? А если я тебя опережу?

— Навряд ли. У тебя для этого возможностей было предостаточно, и ты их все упустил. Все, хватит торговаться. Ты хочешь меня убить не больше, чем я тебя. Тебе охота еще поиграть, а я устал, проголодался, домой хочу и не собираюсь гоняться за тобой по лесу!

Теперь он понял, где прячется Шептун, и сделал несколько осторожных шагов по тропе к густым колючим кустам.

— Повезло тебе сегодня, Декер,— заискивающе проговорил Шептун.— Сколько камешков нашел хороших. Может, даже алмазов.

— Знаешь же отлично, никаких алмазов я не нашел. Сам же рядом был. Я тебя чувствовал. Ты все время за мной следил.

— Ты так упорно ищешь,— продолжал Шептун.— Тебе должны время от времени и алмазы попадаться.

— Я алмазы не ищу.

— А если найдешь, что с ними делать будешь?

— Шептун, ну что пристал? Будто не знаешь, что я с камнями делаю?

— Ты отдаешь их капитану корабля, чтобы он продавал их на Гастре. А он тебя надувает. А сам их втридорога загоняет.

— Похоже,— согласился Декер.— Мне-то что? Ему деньги нужнее, чем мне. Он хочет капитал скопить, мечтает участок купить на Померанце. А тебе что за дело, Шептун?

— А ведь ты не все камушки ему продаешь?

— Это точно. Лучшие себе оставляю.

— А мне могли бы пригодиться кое-какие камушки из тех, что ты себе оставляешь...

— Вот это новость, Шептун! Тебе-то они на что?

— Ну... Обтачивать там, шлифовать, изменять...

— Ты ювелир, Шептун?

— Не то чтобы такой уж опытный. Так, любитель.

Теперь он был просто уверен, где именно прячется Шептун. Если бы тот хоть чуть-чуть пошевелился, он бы его прикончил. Его не проведешь этой болтовней об алмазах и их обработке. Зубы заговаривает, подразнить хочет. Не выйдет.

«Давно пора было покончить с ним,— думал Декер.— Таскается за мной везде, дразнится, смеется надо мной, грозит, заставляет играть в салочки, совсем уж дурачка из меня сделал!»

— А вот я бы мог показать тебе ручеек один,— сказал Шептун,— где камушков много-много. Один там большой такой лежит — изумруд. Уж как мне его заполучить хочется... Возьми для меня этот изумруд, а сам можешь брать все остальные, а?

— Сам возьми,— отрезал Декер.— Знаешь где — пойди да возьми.

— Не могу я,— пожаловался Шептун.— У меня рук нет дотянуться, пальцев нет схватить, сил нет поднять. Ты должен сделать это для меня, Декер. Почему нет? Мы же товарищи с тобой, правда? Мы так долго вместе играли, разве мы не товарищи? Мы так давно знакомы. Ну что тебе стоит?

— Ох, доберусь я до тебя,— проворчал Декер.— Вот только покажись еще разок, увидишь!

— А то, что ты видел в прошлый раз, был вовсе и не я,— сообщил Шептун.— Это была тень, призрак, очертания, которые я принял, чтобы ты подумал, что это я. Но вот когда ты увидел это и не выстрелил, я понял, что ты — друг.

— Вот уж не знаю — призрак или что другое, только учти — в следующий раз пальну, уж ты не сомневайся.

— А мы могли бы дружить,— проговорил Шептун.— Считай, детство вместе прошло. Гуляли, играли. Узнали друг дружку. А теперь, когда мы выросли...

— Выросли?

— Наша дружба выросла, Декер. Больше играть не надо. Это была просто шутка. Наверное, зря я так шутил с тобой. Но шутка была дружеская, правда-правда, честно.

— Шутка? Ты спятил, Шептун.

— Да-да, шутка. Ты не понимал этого, а все-таки играл со мной. Не всегда от души, не всегда весело, но — играл. Знаю, часто ты проклинал меня, ненавидел, был готов убить, а все-таки играл. Но теперь шуткам конец, и мы вместе пойдем домой.

— Домой? Вместе? Только через мой труп. В хижину я тебя не пущу, и думать забудь!

— А я много места не займу. Мне бы в уголке пристроиться, и все. Да ты меня и не заметишь. А мне так нужен друг! Мне трудно найти друга. Такого, чтобы на меня настроен был...

— Шептун, зря время теряешь. Чего бы ты ни добивался, говорю тебе: зря время теряешь.

— А нам было бы хорошо вместе... Я бы камушки твои точил и разговаривал бы с тобой одинокими ночами, и мы много чего могли бы рассказать друг другу. Ты, к примеру, мог бы помочь мне с Ватиканом...

— С Ватиканом?! — изумился Декер.— Господи, Ватикан-то тебе зачем?

Глава 1

ПОГОНИ НЕ БЫЛО, но Джейсон Теннисон спешил. Его флайер перелетел через невысокую горную гряду, амфитеатром окружавшую Гастру с запада. Разглядев первые огоньки ночного города, он нажал кнопку и катапультировался. Толчок оказался неожиданно резким. На мгновение его окружила полная, беспросветная темнота, но вскоре поток воздуха изменил направление, и он снова увидел огни. Ему показалось, что вдали промелькнул силуэт его флайера. Так ли это было или только показалось — не важно. Он знал, что флайер пролетит над Гастрой, слегка захватив поверхность океана, омывавшего побережье около крошечного городка, и возьмет курс от берега. Миль пятьдесят от силы, и флайер упадет в воду. А вместе с ним исчезнут все следы доктора Джейсона Теннисона, бывшего придворного врача маркграфа Давентри. Радар на космической базе Гастры наверняка уже засек флайер, но, поскольку тот летит очень низко, радар вскоре потеряет его из виду.

Парашют замедлял падение. Восходящий поток воздуха подхватил его, повлек обратно, в сторону мерцавших в отблесках городских огней пиков гор. Крепко держась за стропы, Теннисон пытался сообразить, где приземлился. Похоже, что его относит к южной границе космопорта. Он затаил дыхание и мысленно взмолился, чтобы это было именно так. Просунув руку под стропы, он крепко прижал к груди чемоданчик с медицинскими инструментами.

«Пусть все будет хорошо! — мысленно повторял он.— Пусть все идет как идет!»

А до сих пор все шло на удивление гладко. Всю дорогу ему удавалось вести флайер низко, он несся в ночи, старательно облетая феодальные поместья, откуда его могли засечь неусыпные лучи радаров,— в этом мире, где кипели непрерывные междоусобицы, каждый все время был начеку. Никогда нельзя было предугадать, откуда в следующий раз нагрянут райдеры.

Теннисон пытался сообразить, близко ли земля, но было так темно, что он ничего не мог разглядеть. Он заставил себя расслабиться. Приземления можно ожидать в любой момент — расслабиться нужно обязательно.

Город остался где-то севернее, прямо перед ним сияли огни космопорта. Внезапно огни накрыла черная мгла — и Теннисон ударился о землю. Ноги в коленях подогнулись от толчка. Он повалился на бок, прижимая к груди драгоценный чемоданчик. Парашют медленно опал. Теннисон поднялся на ноги, быстро отстегнул стропы и сложил парашют.

Было темно. Огни космопорта закрывали огромные здания складов. Все сходилось — это был южный край космопорта. Если бы он все заранее планировал, лучшего места для приземления и придумать было нельзя.

Глаза постепенно привыкали к темноте, и он увидел проход между двумя складами. Кроме того, он разглядел, что складские здания покоятся на невысоких сваях. Вот где можно спрятать парашют. Сложить получше и засунуть как можно дальше. Если удастся отыскать какую-нибудь полку, можно и поглубже затолкать. Только это и было нужно — запихать парашют под склад, чтобы его не заметил случайный прохожий, вот и все. Тогда он сумеет выиграть время. Он-то сильно опасался, что придется рыть яму либо искать заросли погуще, а тут — такая удача. Нужно было спрятать парашют так, чтобы его не смогли найти хотя бы несколько дней. А под складом его не найдут несколько лет.

«Теперь,— подумал Теннисон,— нужно найти корабль и каким-то образом попасть на борт. Может быть, придется подкупить кого-нибудь из команды, но это как раз нетрудно. Немногие корабли — большей частью, грузовики, прилетевшие на Гастру,— возвращаются сюда не скоро, а кое-какие и не возвращаются вовсе».

Только бы попасть на корабль — и он в безопасности. Если только кто-нибудь не разыщет парашют, никаких других доказательств того, что он спрыгнул с флайера, не будет.

Надежно упрятав парашют и отцепив от груди чемоданчик, он пошел между складами. В конце прохода он резко остановился. Прямо перед ним стоял корабль. По спущенному трапу вверх карабкались пассажиры — инопланетяне всех мастей, которых встречали и провожали внутрь корабля странные, похожие на громадных крыс, существа. Цепочка пассажиров загибалась за корабль, и крысы-охранники покрикивали, поторапливая с посадкой.

«Корабль, похоже, скоро стартует»,— подумал Теннисон, глядя на него и удивляясь. Пассажирский лайнер на Гастре — явление редкое, их тут по пальцам можно сосчитать, а этот... он и на лайнер похож весьма отдаленно! Старая такая развалина, закопченная, корявая какая-то. Название было намалевано чуть повыше люка, и Теннисон с большим трудом разобрал буквы. Посудина носила гордое имя «Странник». Краска местами облупилась, а кое-где ее покрывал толстенный слой ржавчины. В общем, так себе кораблик. Не тот, который выбрал бы уважающий себя путешественник. Но, взирая на это чудовище без восторга, Теннисон прекрасно отдавал себе отчет в том, что ему-то как раз выбирать не приходится. Главное, что корабль вот-вот должен взлететь, так что нечего рассуждать о том, как он выглядит. Только бы попасть на борт, а все остальное не важно. Если удача будет сопутствовать ему и дальше...

Теннисон вышел из прохода между складами. Справа от него, за складом, луч света выхватывал из мрака дорожку, параллельную периметру летного поля. Осторожно пройдя несколько метров вправо, Теннисон увидел, что свет горит в окнах портового бара.

В цепочке пассажиров произошло смятение. Инопланетянин, смахивавший на паука,— сплошные руки и ноги — заспорил о чем-то с крысоподобным членом команды, ответственным за посадку, за что немедленно поплатился: Теннисон увидел, как его бесцеремонно выкинули из очереди и один из крыс-гигантов шел за ним следом, подгоняя несчастного палкой.

Складское здание окутывала мгла, Теннисон быстро скользнул вдоль стены и остановился. Надо обойти его и подобраться к кораблю спереди: в темноте можно приблизиться к трапу и дождаться удобного момента.

Он решил пройти мимо бара уверенным шагом, будто имел на то полное право. Даже если его заметят — все равно идти и не обращать внимания.

Паукообразный чужак исчез, а охранник, прогнавший его, снова встал на свой пост у трапа.

Миновав угол склада, Теннисон двинулся по дорожке, ведущей к бару. За баром лежало пятно черной тени от второго склада. Добраться бы незамеченным, тогда авось и до корабля удастся добежать. Теннисон не боялся, что его не пропустят,— в таких портах, как Гастра, охрана особой строгостью не отличалась.

Ну, вот он, бар. Заглянув в одно из трех окон, Теннисон заметил вешалку, на которой висела чья-то куртка. Он остановился как вкопанный и уставился на надпись «Странник», вышитую золотом на нагрудном кармане. На крючке чуть повыше висела фуражка с такой же надписью на околыше.

Повинуясь внезапному озарению, Теннисон рванул дверь бара и вбежал внутрь... За столиками вперемежку сидели люди и инопланетяне, некоторые выстроились у стойки. Все были заняты своими делами. Двое-трое людей повернули головы, рассеянно посмотрели на вошедшего, и больше никто не обращал на него внимания.

Он быстро схватил куртку и фуражку и выскочил за дверь. Ожидая окрика, он весь сжался, но было тихо.

На ходу нахлобучив фуражку, он сунул руки в рукава куртки.

Пассажиров около корабля уже не было — судя по всему, посадка была окончена. Единственный крысоподобный матрос стоял около трапа. Быстро и решительно Теннисон зашагал по летному полю к кораблю.

Охранник, конечно, мог остановить его, но вряд ли. Куртка и фуражка — надежная маскировка. Вряд ли охранник заподозрит в нем «зайца». Люди ведь с трудом различают инопланетян одного рода, для них они все на одно лицо. То же самое и с чужаками — для них все люди одинаковы.

Теннисон подошел к трапу. Крысоподобный отсалютовал.

— Пожалуйте, сэр,— сказал он хрипло.— Капитан уже про вас спрашивал.

Глава 2

ЧЕРЕЗ НЕКОТОРОЕ ВРЕМЯ Теннисон был обнаружен одним из крыс-матросов в тесной каморке, куда он забился, ища, где бы спрятаться. Матрос без лишних слов отвел его к капитану, который сидел один в отсеке управления, развалившись в кресле пилота. Рядом стояли еще два кресла. По всей видимости, необходимости работать за пультом лично у капитана не было — корабль летел сам.

— Что это значит? — поинтересовался капитан.

— «Заяц», сэр,— ответствовал матрос-крыса.— Я нашел его в маленькой кладовой на корме.

— О'кей,— кивнул капитан.— Оставь его тут. Ты свободен.

Матрос направился к двери.

— Мою сумку, пожалуйста,— напомнил ему Теннисон.

Тот повернулся, не выпуская сумку из лап.

— Дай мне сумку и проваливай,— буркнул капитан.— Убирайся, слышал?

Матрос отдал сумку и поспешно ретировался.

Внимательно изучив содержимое сумки, капитан поднял голову и в упор посмотрел на Теннисона.

— Так, значит, вы — Джейсон Теннисон, доктор медицины?

Теннисон молча кивнул.

Капитан опустил сумку на пол рядом с креслом.

— Нечасто мне попадаются «зайцы», а уж врачи точно ни разу не встречались. Ну, доктор, поведайте мне, голубчик, что же такое у вас приключилось?

— Долгая история,— ответил Теннисон.— Не хотелось бы вдаваться в подробности.

— Если я не ошибаюсь, вы сидели в кладовке с самой Гастры. Вы же там прошмыгнули на корабль? Зачем же вы там так долго сидели?

— Я, собственно, уже подумывал выбраться,— проговорил Теннисон.— Ваш крысоподобный друг просто немного поторопил события.

— Он мне не друг,— отрезал капитан.

— Простите, ошибся.

— Людей тут маловато,— сообщил капитан, почесав затылок.— Чем дальше, тем меньше людей. Такие дела. Приходится пользоваться услугами этих ублюдков — как ни крути, корабль-то кто-то должен вести, правильно? Ну и потом я еще целую кучу этой нечисти везу на Харизму.

— Простите — куда?

— На Харизму. Именно туда, куда мы направляемся. А вы разве не туда собрались?

— До этого мгновения я даже не слыхал о такой планете.

— Значит, вам просто нужно было убраться с Гастры куда-нибудь подальше, так?

— Вы абсолютно правы, капитан.

— Попали там в беду?

— Не то слово. С жизнью мог расстаться.

— И кинулись на первый попавшийся корабль?

Теннисон кивнул.

— Садитесь,— сказал капитан, указывая на одно из свободных кресел.— Что стоите? Выпьете чего-нибудь?

— Не отказался бы,— признался Теннисон.— Было бы неплохо.

— А скажите,— поинтересовался капитан,— кто-нибудь видел, как вы забрались на корабль?

— Не думаю.

— Вы совершенно в этом уверены?

— Понимаете, я заскочил в бар. Там, в космопорту. И... ну, в общем, прихватил по ошибке чужую куртку и чужую фуражку. Я ведь очень торопился.

— Ага. Теперь понятно, куда девались куртка и фуражка Дженкинса... Дженкинс — мой первый помощник,— добавил капитан.

— Я верну куртку и фуражку,— пообещал Теннисон.— Они там остались, в кладовке.

— Да... странновато все-таки выходит,— покачал головой капитан.— Даже не поинтересовались, куда корабль летит. А ведь вы, похоже, не в восторге от того, что окажетесь на Харизме.

— Господи, да куда угодно, лишь бы подальше от Гастры! — воскликнул Теннисон.— За мной гнались. Впрочем, может быть, и не гнались, но мне так казалось.

Капитан взял стоявшую рядом с ним на столике бутылку и протянул ее Теннисону.

— Ну, стало быть, так, мистер,— сказал он.— По идее в мои обязанности входит процитировать вам выдержку из свода законов. В статье тридцать девятой, пункте восьмом, говорится, что всякий безбилетник должен быть задержан и доставлен в тот порт, где он проник на корабль и где его положено сдать с рук на руки портовой администрации. Во время пребывания на борту корабля он обязан беспрекословно выполнять распоряжения капитана, дабы оправдать свой безбилетный проезд. Знакомы ли вы с таким порядком, сэр?

— Смутно,— покачал головой Теннисон.— Я знаю, что без билета летать нельзя. Но, должен вам сказать...

— Сначала я вам еще кое-что скажу, а вы послушайте,— прервал его капитан.— У меня такое, если хотите, чувство, что... В общем, как бы я ни увяз в делах с инопланетянами, я считаю, что люди при любых обстоятельствах должны держаться друг за дружку. Нас тут мало, потому я и думаю, что нам следует поддерживать друг друга в беде, невзирая на прегрешения, если они, конечно, не слишком гнусны...

— Прекрасно сказано, сэр,— улыбнулся Теннисон.— Так вот что я хотел вам сказать, но не успел. Видите ли, сэр, я не просто безбилетник.

Капитан устремил на него стальной, непроницаемый взгляд.

— А кто же? Не безбилетник, так кто же вы?

— Ну, скажем так, у меня просто не хватило времени, я очень торопился и не успел купить билет, чтобы отправиться в путь честь по чести. По ряду причин, которые я вам вкратце объяснил, я никак не мог пропустить старт вашего корабля, а посему попал па борт не совсем обычным путем — меня пропустил ничего не подозревающий член команды, который принял меня за вашего помощника...

— Да, но вы спрятались.

— Это как раз объяснить легко. Я опасался, что вы не дадите мне времени объяснить причины такой поспешности и выбросите меня с корабля еще до старта. Поэтому я прятался и ждал, когда такая возможность исчезнет.

— Исходя из всего, что вы тут наговорили, должен ли я сделать вывод, что вы согласны оплатить свой проезд?

— Безусловно. Только цену назовите.

— Ну,— ухмыльнулся капитан,— это мы с удовольствием. И будьте уверены, лишнего не запрошу.

— Вы необычайно благородны, сэр.

— Доктор Теннисон,— сказал капитан,— вы бы лучше выпили. Сидите, понимаете, бутылку держите. Просто зло разбирает на вас смотреть. Ну, давайте, давайте, вперед!

— Прошу прощения, капитан. И в мыслях не было расстраивать вас.— Теннисон поднял бутылку и осторожно глотнул.— Потрясающе. Что это?

— Штука такая — скотч называется. Сорт виски. Впервые произведено еще на матушке Земле.

— Вы имеете в виду Древнюю Землю?

— Именно,— подтвердил капитан.— Прародину человечества.

— Признаться, меня страшно интересует Древняя Земля. Вы там бывали, капитан?

Капитан медленно покачал головой.

— Мало кому из людей выпало счастье ступить на ее священную поверхность. Нас мало, мы рассеяны по Вселенной, и лишь немногие отваживаются на паломничество, о котором каждый из нас мечтает всю жизнь.

— Ну да,— кивнул Теннисон и снова отхлебнул из бутылки.

— Ну, вернемся к нашему разговору,— предложил капитан.— Боюсь, у меня не найдется для вас приличного места на корабле. Каюты, а их у меня в обрез, набиты до отказа. Даже моя личная занята целой компанией этих страхолюдин, которых я везу на Харизму. После полета надо будет обязательно дезинфицировать весь корабль, чтобы и духу их тут не осталось. А, пустое дело,— сказал он, махнув рукой.— Годы пройдут, а эта вонь, наверное, все еще будет тут держаться.

— Зачем же вы их туда пустили?

— Деньги,— проворчал капитан.— Эти сволочи жутко богатые и за лучшие каюты кучу денег отваливают без разговора. Вот и все. С каждого из этих чудищ я тройную цену имею. Только теперь я уже почти готов пожалеть о своей жадности, ей-богу. Мне-то пришлось переселиться в каюту к своему помощнику. А он страстный любитель чеснока. Считает, что это очень полезно для здоровья. Как вам это нравится?

— Ваш помощник — единственный, кроме вас, человек на корабле?

— Как правило, да. Нас всего двое. Команда набрана из этих... ну, вы видели, на крыс смахивают, и еще есть пара-тройка мерзких чужаков. А уж пассажирский отсек под завязку набит тошнотворными созданиями.

— Но, послушайте, если вы их так ненавидите, зачем вы вообще этим занимаетесь? Вы же спокойно могли бы заняться перевозкой грузов.

— Еще пять лет,— проговорил капитан, изрядно хлебнув из бутылки.— Пять лет и все, баста. На грузовых рейсах, кстати, настоящих денег не заработаешь. Перевозить этих вонючих паломников очень выгодно, если нервы, конечно, крепкие. Я думаю, лет пять продержусь еще с горем пополам. Подкоплю деньжат, потом оставлю дела и вернусь на розовую планету под названием Померанец. Название, прямо скажем, идиотское, но оно очень подходит этой планетке. Вы на розовых планетах бывали, доктор? Их не так много.

— Да нет, не доводилось.

— Жаль.

В открытую дверь легонько стукнули. Капитан обернулся.

— Ах, это вы, дорогая,— сказал он с искренней радостью.

Теннисон тоже обернулся. На пороге стояла женщина. Высокая, стройная, широкобедрая. На выразительном лице горели умные, живые глаза. Губы пухлые и влажные, вокруг головы нимб золотистых волос.

— Входите, прошу вас,— пригласил капитан.— Как видите, у нас еще один пассажир. Входите, не стесняйтесь. Итак — четверо людей на одном рейсе! Думаю, это рекорд.

— Если не помешаю,— сказала женщина.

— Не помешаете, что вы,— успокоил ее капитан.— Мы рады вашему обществу. Джилл Робертс — это доктор Теннисон. Доктор Джейсон Теннисон.

Женщина протянула руку Теннисону.

— Рада видеть еще одного человека,— улыбнулась она.— А где вы прятались до сих пор?

Теннисон застыл на месте: женщина повернула голову, и он увидел, что другую ее щеку почти полностью покрывало уродливое багровое пятно.

— Простите, доктор,— сказала она спокойно.— Такая уж я есть. Мои близкие друзья пугались меня много лет.

— Умоляю, простите меня,— покраснев, выговорил Теннисон.— Моя реакция непростительна. Как врач...

— Как врач, вы с этим ничего не поделаете. Это неправильно. Пластическая операция невозможна. Ничего нельзя сделать. Приходится жить с этим, и я научилась.

— Мисс Робертс,— доверительно сообщил капитан,— писательница. Пишет статьи для журналов и книжки. У нее целая полка собственных книг, представляете?

— Если эта бутылка не приросла к вашей руке,— улыбнулась Джилл,— не хотите ли на минутку избавиться от нее?

— О, конечно,— смутился Теннисон.— Позвольте, я только горлышко оботру.

И протер горлышко краем рукава.

— Похоже, на борту этой развалюхи неважно со стаканами,— съязвила Джилл.— Но мне все равно. Можно и из горлышка. Подумаешь, ерунда какая, ну, подхватишь парочку микробов.

Она взяла бутылку и устроилась в третьем кресле.

— А где вы собираетесь разместиться? — поинтересовалась она.— Помнится, капитан говорил мне, что все каюты заняты. Неужели он поместил вас с этим стадом инопланетян?

— Доктор Теннисон,— строго сказал капитан,— появился поздновато. Мне некогда было его разместить. Все случилось в последние минуты перед стартом.

Джилл отхлебнула из бутылки и вопросительно глянула на Теннисона.

— Это правда? — спросила она.

Теннисон усмехнулся:

— Капитан выразился весьма дипломатично. На самом деле я — безбилетник. Что же до моего размещения, не стоит об этом волноваться. Я в любом уголке смогу пристроиться. Я просто жутко рад, что попал на корабль.

— Это не совсем так,— возразил капитан, обращаясь к Джилл.— Доктор действительно безбилетник, но он готов оплатить проезд. Так что, строго говоря, он уже и не «заяц» вовсе.

— Вы, наверное, проголодались,— сказала Джилл.— Если только не взяли завтрак с собой.

— У меня и подумать об этом времени не было,— признался Теннисон.— Я так торопился. Но я бы не отказался от одной отбивной.

— Нету здесь никаких отбивных,— сказала Джилл.— Но кое-что найдется червячка заморить. А, капитан?

— Конечно,— кивнул капитан.— Сейчас сообразим. Что-то наверняка осталось.

Джилл встала, зажав бутылку под мышкой.

— Пришлите еду ко мне в каюту,— попросила она капитана и повернулась к Теннисону: — Пошли. Помоетесь, причешетесь, и посмотрим, на кого вы в самом деле похожи.

Глава 3

— А ТЕПЕРЬ об основных правилах поведения,— объявила Джилл.— Это необходимо, поскольку мы мало знакомы. Я не намерена делить с тобой постель, но кровать поделю, вернее, койку,— какая это кровать! Спать будем, как капитан с помощником, по очереди. Можешь пользоваться туалетом; впрочем, на подобных кораблях его называют гальюном. Обедать будем вместе; посидеть, поболтать, послушать музыкальные кристаллы — это пожалуйста. Поскольку у меня слишком добрый нрав, из-за чего всю жизнь страдаю, пару приставаний вытерплю, но если станешь слишком назойливым — выставлю вон!

— Я не буду слишком назойливым,— пообещал Теннисон,— как бы мне этого ни хотелось. Чувствую себя бродячим псом, которого подобрали и приютили.

Отломив кусок хлеба, он очистил тарелку, подобрав остатки тушенки.

— Знаешь,— сказал он,— я был так голоден, что это блюдо показалось мне совсем недурным на вкус. Но все-таки какой-то у него странный привкус. Тушенка — это ясно, но — из чего?

— Не спрашивай, лучше закрой глаза и доедай. Иногда можно и нос заткнуть. У меня сильное подозрение, что это приготовлено из одного из отошедших в мир иной паломников. В такой тесноте некоторые из них отправляются на тот свет — дело обычное.

Он беспомощно замахал руками.

— Прошу тебя, Джилл, не надо. Моему организму нужна пища, и мне хотелось бы, чтобы она удержалась внутри.

— Вот уж не думала, что у врача может быть такой слабый желудок.

— Врач, голубушка,— это не обязательно грубое животное.

— Оставь тарелку в покое. Ты так ее вылизал, что мыть не придется. Между прочим, капитанская бутылочка еще не допита...

— Я заметил. Ты ее так по-свойски прихватила из рубки!

— А она, строго говоря, не ему принадлежит. Он их просто-напросто таскает из груза, а помощник закрывает на это глаза. Он набирает с собой гору ящиков в каждый полет. Спецзаказ для гномов, занятых в Проекте «Ватикан».

— Гномы из Проекта «Ватикан»? Что за ерунда? Что за гномы, что за проект такой?

— Как, разве ты не знаешь?

— Понятия не имею.

— Ну, по правде говоря, никакие они не гномы, хотя их так частенько называют. Некоторые там — люди, но большинство — роботы.

— Это не ответ. Объясни поточнее. Звучит загадочно, и...

— Что с тобой, друг мой? Какие загадки? Загадки у тебя. Капитан сказал, что ты безбилетник, но оплатил свой проезд. Но если ты ничего не знаешь о Проекте «Ватикан», зачем летишь на Харизму? Там нечем заняться, кроме этого проекта.

— Ну так просвети меня,— попросил Теннисон.— Пока я не попал на этот корабль, я слыхом не слыхивал ни о Харизме, ни о Проекте «Ватикан». Что за планета?

— Всему свое время. Сначала — ты. Я тебя приютила, не забывай. Давай выпьем и начинай.

Они выпили по очереди. Теннисон взял бутылку из рук Джилл, глотнул и отдал обратно.

— Просто потрясающий напиток,— проговорил он.

— Давай.

— Ну, начнем с того, что я действительно врач.

— Не сомневаюсь. Я в твой чемоданчик заглянула.

— Ты знаешь, что за местечко Гастра — планета, с которой мы стартовали?

Она поежилась.

— Мерзкая дыра, но я довольна, что попала туда. Это ведь последняя стоянка на пути к Харизме, а у меня уже было столько пересадок... Я, конечно, не представляла, что попаду на такой кошмарный корабль. Пришлось навести справки. И, представь себе, выяснилось, что это — единственный корабль, совершающий рейсы между Гастрой и Харизмой. Наш капитан специализируется на перевозке паломников...

— Да, кстати, насчет паломников...

— Нет. Сначала ты мне рассказываешь про Гастру, а потом я тебе — про гномов, Папу и паломников.

— Да все очень просто,— пожал плечами Теннисон.— Гастра, как ты, наверное, успела заметить, планета феодальная. Множеством отвратительных феодов управляет горстка не менее отвратительных личностей — некоторые из них люди, но не все. Я был придворным врачом маркграфа Давентри. Он, как ты, видимо, догадываешься, человек. Доктор — человек, специалист по человеческой медицине — для инопланетян совершенно бесполезен. Не та работа, о которой я мечтал, но в то время я был рад и ей. Молодой врач, только что выпущенный из колледжа, обычно с трудом находит место, если у него нет хоть какого-нибудь начального капитала. У меня денег, естественно, не было, да и клиник, которые бы остро нуждались в новоиспеченном таланте, тоже как-то не наблюдалось. Да, нужно угробить целое состояние, чтобы открыть собственную практику, а после этого еще несколько лет сидеть, медленно помирая с голоду, ожидая, когда больные смилостивятся и начнут к тебе обращаться. Поначалу на Гастре мне было несладко, но постепенно я пообвык.

И к зубной боли в конце концов можно привыкнуть. В общем, я остался. Платили мне неплохо. То есть для меня это были прямо-таки королевские деньги. Маркграф был по-своему человек неплохой. Мы с ним ладили. А потом... он вдруг взял да помер. Без всяких видимых причин. Умер, и все. Инфаркт скорее всего, хотя никаких признаков его приближения вроде бы и не было. Мне так и не удалось точно установить причину смерти, и...

— Но разве кто-то мог обвинить тебя в случившемся? Это же не ты...

— По всей видимости,— оборвал ее Теннисон,— ты плохо представляешь себе ситуацию в феодальных поместьях. Стая волков, которых сдерживает один человек. Только ослабь хватку, и они перегрызут друг другу глотки. Я лично ни в какую политику не вмешивался, но меня считали помощником и советником маркграфа — неофициальным, естественно, поэтому я вызывал понятную неприязнь. Почти сразу же пополз слушок, что маркграф якобы был отравлен, и, пока страсти не разгорелись, я предпочел оттуда убраться. Защитить меня было некому. Они заклевали бы меня, как цыпленка. Поэтому я быстренько собрал неправедно нажитые сбережения, которые предусмотрительно хранил в надежном месте и в транспортабельном виде, украл флайер — и был таков. Дело было ночью, я летел низко, стараясь не попадать в поле зрения радаров. Я знал, что на всей планете нет места, где я мог бы укрыться...

— И поэтому ты направился к космопорту.

— Естественно. Я знал, что времени у меня в обрез. По моим следам могли пустить погоню. Мне нужно было быстро разыскать корабль. К тому времени, когда мои преследователи добрались бы до порта, он уже должен был взлететь.

— Вот так, значит?

— Да, вот так,— кивнул он.— А теперь меня больше всего беспокоит капитан. Мне пришлось рассказать ему кое-что из того, что я рассказал тебе. Можно было, конечно, наврать с три короба, но у меня не было времени сочинить что-нибудь правдоподобное, и...

Она покачала головой.

— Насчет нашего драгоценного капитана можешь быть совершенно спокоен. Если его спросят, он ответит, что ничего про тебя не знает. Ему ни к чему неприятности. Он дорожит монополией на полеты к Харизме и не захочет терять ее ни за какие коврижки. Для него это золотое дно. Он везет полный корабль паломников, высаживает их там, забирает тех, которых доставил предыдущим рейсом, и отбывает на Гастру.

— А что, они все летят с Гастры? Странно. Там я не слыхал ни о каких паломниках.

— Нет, думаю, непосредственно с Гастры они не летят. Это просто последний перевалочный пункт перед Харизмой. На Гастру они прибывают со всех концов Галактики, собираются в группу и ожидают рейса. Потом наш капитан подбирает всю компанию и везет на Харизму.

— А ты случайно не паломница?

— Что, похожа?

— Нет,— уверенно сказал он.— Одолжи-ка бутылочку на минутку.

Она вручила ему бутылку.

— Я знаю не так уж много,— начала Джилл.— Как раз, собственно, собираюсь разведать все поподробнее. Надеюсь собрать материал для нескольких статей. А может, и на книжку хватит.

— Но, наверное, у тебя хоть приблизительное представление есть, а это как-никак побольше того, что знаю я.

— По правде говоря, представление самое приблизительное. Слухи, тысячу раз перевранная дребедень — на манер испорченного телефона. Слухи чаще всего слухами и остаются, но... тут не тот случай. Что-то есть во всей этой истории с паломничеством. Для начала я попыталась выяснить, откуда именно прилетают паломники, но это, увы, оказалось дохлым номером. Статистики никакой. Немножко с одной планеты, чуть-чуть с другой, пара-тройка с третьей — и так далее. Все они — не люди, но трудно утверждать, что они принадлежат к какому-то одному роду инопланетян. Скорее всего, все они — приверженцы тайных культов или члены каких-то религиозных сект. Не исключено, что у каждой из этих сект — своя особая вера, но все они, так или иначе, каким-то образом связаны с Проектом «Ватикан». Что опять-таки вовсе не означает, что паломники что-то знают о самом Проекте. Что-то в нем есть такое, на чем, по всей вероятности, зиждется их зыбкая вера. Ведь все существа тянутся к вере, стремятся ухватиться за что-то, что было бы либо таинственным, либо зрелищным, а лучше всего — и тем и другим сразу. Но больше всего меня волнует и интересует то, что во всем этом чувствуется твердая рука человека. Место, где осуществляется разработка Проекта, именуется «Ватикан-17», и...

— Минуточку,— прервал ее Теннисон.— Ну, естественно, тут самая прямая связь с людьми. На Земле же был Ватикан...

— Он там существует до сих пор,— продолжала Джилл.— Центр римско-католической религии, до сих пор распространенной на Земле и некоторых других населенных людьми планетах. Там до сих пор во главе церкви стоит Папа, и позиции этой церкви сильны, как прежде, а может быть, даже сильнее. Ее приверженцы верны ей как никогда. Но я все-таки сомневаюсь, что Ватикан-17 напрямую связан с Землей. Что-то там не так. Во-первых, там — роботы...

— Да, но зачем роботам древняя земная религия?

— Не знаю — и не думаю, что это земная религия. Кто-то, не исключено, что сами роботы, позаимствовал терминологию...

— Но... роботы!

— Знаю, знаю. Именно это я и собираюсь выяснить.

— А Харизма?

— Харизма — на краю Галактики. Затеряна меж звездами, которых там не так много. Огромное пустое космическое пространство. И ничего больше. В общем, на самой границе межгалактического пространства. Что касается самой планеты, я о ней не знаю ровным счетом ничего, кроме того, что она похожа на Землю. Людям там жить нетрудно. Этот корабль, как мне сообщили, летит туда один стандартный месяц или чуть подольше. Насколько его скорость превышает скорость света, я понятия не имею. Эта старая развалюха оборудована инерционным двигателем — так сразу и не поверишь. Практически безопасный перелет: корабль большую часть времени летит в открытом космосе. Шесть рейсов в год — туда и обратно, а это значит, что за год туда попадает великое множество паломников. Капитан — человек загадочный. У него есть и необходимая квалификация, и звание, чтобы командовать одним из лучших межзвездных лайнеров. А он водит это старое корыто и перевозит паломников, которых ненавидит лютой ненавистью.

— Да, но он на этом неплохие денежки имеет. Мне он сказал, что поработает еще пять лет и уволится, чтобы поселиться на розовой планетке под названием Померанец.

— Да, мне он то же самое говорил. Похоже, он всем рассказывает одну и ту же байку. Трудно сказать, насколько ему можно верить.

— Думаю, верить можно,— сказал Теннисон.— На пути к своей мечте люди порой совершают странные поступки.

— Джейсон,— улыбнулась Джилл.— Ты мне нравишься. А знаешь почему?

— Ну... во-первых, я честный и откровенный,— ответил он.— Потом я умею слушать, сочувствовать, то есть — хороший собеседник.

— Нет, не поэтому. Ты мне нравишься, потому что смотришь на меня без отвращения. Я тебе не противна. Люди, с которыми я встречалась до сих пор, все до единого испытывали ко мне отвращение. Сама-то я давно привыкла к своему уродству, и мне хотелось бы, чтобы другие его тоже не замечали.

— А я почти и не замечаю,— пожал он плечами.

— Ты — милый лжец. Все ты отлично замечаешь. Попробовал бы кто-то не заметить!

— Понимаешь, я поначалу оттого так изумился, что во всем остальном ты просто красавица. Если забыть о твоей щеке, то... у тебя классические черты лица и прекрасная фигура. Одна половина твоего лица прекрасна, а вторая изуродована.

— Ты говоришь об этом как-то необидно. И говоришь так, будто все в порядке. И не жалеешь меня. Это замечательно. То, что ты принимаешь меня такой, какая я есть. А ведь я столько сил потратила. Моталась по разным клиникам. Сколько специалистов смотрели меня. И всегда один и тот же приговор: капиллярная гемангиома. Медицина бессильна. Один умник, правда, нашел выход: предложил мне маску носить, вернее полумаску, которая прикрывала бы половину лица. Он уверял меня, что можно очень хорошо ее пригнать, подобрать так, что ничего не будет заметно...

— Ну, если тебе нужна маска,— усмехнулся Теннисон,— то ты уже имеешь самую лучшую — это твоя манера себя вести, твоя уверенность в себе.

— Ты действительно так думаешь, доктор?

— Клянусь.

— Дай бутылочку, пожалуйста. За это надо выпить.

И они торжественно выпили по очереди.

— Один вопрос,— сказал он.— Не для того, чтобы сменить тему разговора, но вопрос сугубо практический. Когда мы прибудем на Харизму, где там можно остановиться?

— У меня там место забронировано,— сказала Джилл.— Нечто вроде гостиницы. Называется «Дом Людей». Я про него ничего не знаю, кроме того, что там жутко дорого. Уж не знаю, критерий это или нет.

— Когда мы туда доберемся, можно пригласить тебя на обед в первый же вечер? Чтобы запах этого кошмарного корабля навек покинул нас.

— Благодарю вас, сэр,— церемонно кивнула она.— Это ты просто замечательно придумал!

Глава 4

ВСЕ ТРОЕ УДОБНО УСТРОИЛИСЬ в креслах отсека управления.

— Только не делайте ошибки,— посоветовал капитан,— и не думайте, будто роботы из Проекта «Ватикан» — это униженные, безропотные прислужники. Это мощные электронные устройства. Кое-кто поговаривает, что их электронные мозги — не хуже наших с вами, но в этом я сильно сомневаюсь. Правда, не исключено, что мое мнение выражает предрассудки, свойственные существу биологическому. Но если взглянуть на вещи реально, в принципе трудно понять, согласитесь, зачем мыслящему аппарату, созданному на основе последних достижений техники, делать шаг назад и придумывать себе человеческий мозг. Да эти роботы столько столетий подряд только тем и занимались, что модернизировали себя именно с технической стороны — ну, как механик возится с двигателем, начищая его до блеска, подкручивая гайку за гайкой, чтобы тот лучше работал.

— Вы с ними близко знакомы? — поинтересовался Теннисон.

— Деловые контакты, не более,— ответил капитан.— Исключительно в рамках бизнеса. Друзей у меня среди них нет, если вы это имели в виду.

— Простите, если обидел,— извинился Теннисон.— Чистое любопытство. Видите ли, я наверняка окажусь в ситуации, где все для меня будет ново, незнакомо. Хотелось бы хоть как-то подготовиться морально.

— Я слыхала,— вступила в разговор Джилл,— что там люди работают на роботов.

— Не уверен, что это именно так,— сказал капитан.— Может быть, они работают вместе. Но люди там есть, это точно, и немало. Но с людьми по работе я там никогда не сталкивался. Дела у меня только с роботами и лишь тогда, когда они сами желают меня видеть. Проект «Ватикан» — штуковина исключительно грандиозная. За пределами Харизмы мало кто знает, что там к чему. Ходят слухи, что роботы пытаются создать непогрешимого Папу — электронного, компьютерного Папу. Выходит, что Проект представляет собой что-то вроде продолжения христианства, древней земной религии.

— Мы знаем, что такое христианство,— сказала Джилл.— И сейчас на свете много христиан — может быть, даже больше, чем когда-либо. Правда, наверное, сейчас христианство не так важно, как до завоевания космоса. Но это опять-таки относительно. Религия не стала менее значительной, просто рядом с ней возникло множество других верований, ныне существующих в Галактике. Просто удивительно, до чего универсальна вера! Самые противные инопланетяне во что-то верят.

— Не все,— заметил капитан.— Далеко не все. Я бывал в местах, сплошь населенных чужаками, на планетах, где никто сроду не задумывался ни о религии, ни о вере. И должен честно сказать, хуже они от этого не стали. Иногда даже лучше.

— Создание Папы... странная цель,— задумчиво проговорил Теннисон.— Интересно, откуда у роботов эта идея и какого результата они ожидают?

— О роботах,— сказал капитан,— никогда нельзя сказать, что, зачем и почему. Они разные. Поболтаетесь в космосе с мое, так вообще перестанете удивляться чему-либо и интересоваться, чего они от чего ожидают. Никто из чужаков и роботов не думает так, как мы. Чужаки — стадо мерзких ублюдков. Даже роботы по сравнению с ними — больше люди.

— А так и должно быть,— вмешалась Джилл.— Это же мы их придумали. Никто больше до такого не додумался. Кое-кто обязательно скажет, что роботы — наши преемники, нечто вроде продолжения рода человеческого.

— Не могу не согласиться,— кивнул капитан.— Какими бы занудами они ни были, временами, как я уже сказал, они приятнее любого из чужаков.

— Да, не жалуете вы инопланетян,— усмехнулся Теннисон.

— Разве это удивительно? А вы их разве обожаете?

— И все-таки вы их возите на своем корабле. Даже в качестве членов команды.

— Только потому, что не могу набрать людей. Я же вам говорил, здесь, на задворках Галактики, людей по пальцам сосчитать можно.

— И единственный рейс — «Гастра—Харизма»? Не скучно?

— Ну кто-то же должен этим заниматься,— пожал плечами капитан.— А мне за это неплохо платят. Да, я вожу их, но никто не сказал, что я обязан иметь с ними что-то общее. И вообще, что это мы переливаем из пустого в порожнее? Главное то, что мы, люди, должны держаться вместе. А то, неровен час, они возьмут, да и одолеют нас.

Теннисон внимательно, пристально разглядывал капитана. Ничего особенного. Не фанатик. Неопределенного возраста — ни молодой, ни старый. Чувства юмора ему явно недоставало, все разговоры — только о деле.

«Странный человек,— думал Теннисон.— Один из тех людей с изломанной психикой, которые часто встречаются в такой глуши. Скорее всего, холостяк. Одиночка. Столько лет подряд возит чужаков на Харизму, и за эти годы одиночества его тяга к людям и отвращение к своим пассажирам вросли в его суть, стали второй натурой».

— Расскажите нам, пожалуйста, о планете,— попросила Джилл.— Мы немного говорили о ней, как только я попала к вам на корабль, но вы так и не рассказали мне подробно о Харизме. Это аграрная планета, или...

— Не аграрная,— ответил капитан.— На территории Проекта есть кое-какие сады и поля, где трудятся роботы, чтобы снабжать продуктами своих биологических собратьев. Но за пределами этой территории — сущая глухомань: пустоши, леса — нетронутая, девственная земля, такая, какой она была до начала эксплуатации планеты. Землю там не обрабатывали — рук не хватало. Единственным человеком, проживающим за территорией Проекта, насколько я знаю, является некий Томас Декер. Декер — человек загадочный. Живет отшельником в своей хижине, возится на клочке земли.

— Вы с ним дружите?

— Не сказал бы. С ним не очень-то подружишься. У нас с ним маленький бизнес. Когда я прилетаю, он почти всегда приносит мне немного полудрагоценных камней. Аквамарины там, аметисты, топазы, гранаты... Ничего особо ценного и редкого. Иногда попадаются низкопробные опалы. Как-то раз принес немного изумрудов, и мы оба неплохо заработали. В общем, большого дохода это не приносит. У меня почему-то такое чувство, что он это не ради денег делает, хотя я могу и ошибаться. Говорю вам — загадочный человек. Никто про него толком ничего не знает, хотя он там уже давно живет. Похоже, он и камни-то разыскивает только ради удовольствия. Камни, которые он мне приносит, я переправляю одному знакомому скупщику на Гастре. Мне он платит десять процентов.

— И где же Декер добывает камни? — поинтересовался Теннисон.

— Где-то в лесах. Ходит в горы, ищет в ручьях, перемывает породу.

— Вот вы сказали, будто он делает это не ради денег,— сказала Джилл.— А для чего тогда?

— Трудно сказать,— пожал плечами капитан.— Может, просто ради того, чтобы что-то делать,— нечто вроде хобби. Но я вам не все сказал. Лучшие камни он оставляет себе. Некоторые из них обрабатывает. У него есть один потрясающий жадеит — чистейшей воды. Он один стоит целое состояние. Он его отлично обработал. Но не желает с ним расставаться ни за какие коврижки. Заявил, что камень — не его, не ему принадлежит.

— А чей же он может бить?

Капитан покачал головой.

— Понятия не имею. Может, и никому. Просто у него такая манера разговаривать. Одному Богу известно, что у него на уме. Он очень странный — самолюбивый, замкнутый, старомодный какой-то, будто из другого времени, не из нашего. Самое смешное, что я, убей Бог, не смогу вам объяснить толком, отчего у меня сложилось такое впечатление. Не то чтобы он что-то такое необычное делал, как-то не так вел себя или как-то не так говорил, просто у меня такое ощущение. Вот я говорю вам, что он странный, даже перечисляю кое-какие из его странностей, но из чего они следуют...— Капитан развел руками.

— Похоже, вы все-таки близкие друзья. То есть вы много о нем знаете.

— Нет, не друзья. У него нет близких друзей. Он человек очень симпатичный во многом, но на Харизме он ни с кем не общается. Не могу и не хочу сказать, что он всех презирает, или ненавидит, или избегает, но общения явно не жаждет. Я ни разу не встречал его в баре Дома Людей, в поселке он появляется крайне редко. У него есть полуразвалившийся автомобиль, жуткая колымага — как он только ухитряется на ней ездить, я все время поражаюсь. Купил эту развалюху у кого-то в поселке. Ездит на ней куда-то, всегда один. Когда отправляется за камнями, машиной не пользуется. Пешком ходит. Как будто ему ничего на свете не нужно, кроме одного — бродить в одиночку по лесам и сидеть бобылем в своей хижине. А в хижине я у него однажды удосужился побывать — вот тогда-то я убедился в его мастерстве ювелира. Он меня, правда, не приглашал, я сам явился, но он вроде бы даже рад был моему приходу. Был вполне гостеприимен. Посидели у очага, поболтали о том о сем, но мне порой казалось, что он где-то далеко, в каком-то другом пространстве, и что он забыл о моем присутствии. Вроде бы говорил со мной, а сам в то же время слушал еще кого-то и с кем-то еще говорил. И опять-таки не могу вам ни объяснить, как это происходило, ни доказать. Когда я уходил, он сказал, что был рад моему приходу, но еще раз зайти не пригласил, и я больше ни разу у него не был. Сильно сомневаюсь, что решусь еще раз зайти к нему.

— Вот вы сказали,— напомнил Теннисон,— что он не бывает в баре в Доме Людей. А другие любят там собираться?

— Ну конечно,— ответил капитан.— У чужаков, наверное, есть другие места, но люди собираются именно там. И ни один чужак, смею вас уверить, туда не сунется.

— А люди из Ватикана ходят туда?

— Из Ватикана? Вообще я как-то внимания не обращал. Дайте припомнить. Пожалуй, нет. Нет, не ходят. Они не слишком разгуливают, эти из Ватикана,— и люди, и роботы. Такое впечатление, что они не очень-то общаются с людьми из поселка. Их немного в Ватикане, и они все держатся вместе. У большинства людей из поселка работа так или иначе связана с Ватиканом — может, и не штатная, но там все вертится вокруг Ватикана. Если уж на то пошло, то можно сказать, что Харизма и есть Ватикан. В поселке живут несколько чужаков. Они общаются с паломниками. А паломники — практически все до единого — инопланетяне. И мне не приходилось возить ни одного паломника-человека. Да и вообще люди туда почти не летают. В прошлый раз был один пассажир-человек, но он не был паломником. Он был врачом. Похоже, в последнее время мне везет на врачей.

— Не совсем понял,— прищурился Теннисон.

— Ну, тот, предыдущий доктор, он летел на работу в Ватикан. Фамилия его была Андерсон, молодой парень, нахальный такой, щеголь. Со мной не слишком церемонился, но я старался с ним не ссориться. Он мне не очень нравился, но я старался быть с ним вежливым, благо он обременял меня недолго. Он должен был сменить старого дока — Истон была его фамилия, он много лет работал в Ватикане, людей лечил, естественно. Роботам доктора ни к чему, это понятно. А может, у них тоже есть кто-то вроде врача, я не знаю. В общем, Истон помер, и Андерсон летел, чтобы занять его место, поскольку больше докторов в Ватикане не осталось. Ватикан еще до смерти Истона несколько лет подряд искал врача, роботы же понимали, что Истон — человек немолодой, долго не протянет. А соблазнить работой на Харизме врача, да и вообще кого бы то ни было, трудновато. Но как бы то ни было, где-то нашли этого молокососа, и через несколько месяцев после смерти старого дока я его доставил в Ватикан и теперь страшно рад, что избавился от него. Так что считайте, что это единственный сотрудник Ватикана, летавший когда-либо на моем корабле. Они вообще не летают — ни туда, ни обратно.

— Все-таки интересно,— задумчиво проговорила Джилл,— что все паломники — инопланетяне. Ведь, судя по всему, этот Ватикан должен быть сориентирован на человеческие представления о религии. Заправляют там роботы, а они по большому счету — суррогатные люди. Ну и терминология сама — «Ватикан», «Папа». Это же напрямую взято с Земли. Может быть, все-таки это действительно нечто вроде искаженного христианства?

— Не исключено,— сказал капитан.— Я, честно говоря, никогда не интересовался. Может быть, в основе и христианство, только на него накручено, наверчено Бог знает сколько инопланетянских культов и верований, и все это приправлено представлениями роботов о религии людей.

— Пусть так,— согласилась Джилл.— Но все равно должны же быть паломники-люди, хоть какой-то интерес со стороны людей, за пределами Проекта, я хочу сказать.

— Может, и не должно быть никакого интереса,— высказал предположение Теннисон.— Люди, покинувшие Древнюю Землю много тысячелетий назад, заодно покинули и христианство, оставили его на Земле. Но как бы ни перепуталось у них в голове, как бы сильно ни повлияли на них любые другие культы, все равно что-то должно остаться в памяти, в душе — некое инстинктивное чувство, тяга к религии предков. Если в религии Ватикана есть элемент ереси, люди могли это уловить, почувствовать и отказаться от такой религии, решить, что она им ни к чему.

— Согласен,— кивнул капитан.— А чужаки, не имея возможности судить о христианстве, могли найти в нем что-то привлекательное, и не важно, истинно оно или переврано. Вообще, у меня сильное подозрение, что весь Проект очень зависит от материальной поддержки инопланетян. Некоторые из них просто сказочно богаты — настоящие денежные мешки. От них прямо-таки пахнет деньгами. Правда, другие запахи сильнее.

— Я опять спросила вас про планету,— напомнила Джилл,— и вы мне опять толком не ответили. Снова мы перескочили на другое.

— Как я уже сказал, она земного типа. Хотя небольшие отличия есть. Ватикан — единственное поселение. Вся остальная поверхность — нетронутая природа, похоже, там и карты до сих пор никто не удосужился составить. Пару раз облетели вокруг планеты на исследовательском катере, и все. Само по себе наличие единственного поселения на колонизированной планете — явление не уникальное. На многих пограничных планетах существует один-единственный поселок, рядом с космопортом. И планета, и поселение, как правило, называются одинаково. Ну, взять Гастру, к примеру. То же самое и на Харизме. Самое главное, что о планете никто толком ничего не знает; кроме Декера, никто носа не высовывает из поселка. А Декер, я думаю, далеко в горы забирался. Гастра, конечно, исследована получше. Но и там полно необработанной и неизученной земли. На Харизме, похоже, нет туземной разумной жизни, но это не более чем предположение. Просто ее там никто не искал, а она там, может быть, есть, только хорошо прячется. Там есть травоядные животные и хищники, которые питаются травоядными. Некоторые из хищников, если верить болтовне в колонии, очень страшные. Я как-то спросил Декера про них, но он мне ничего не ответил. А я больше не спрашивал. Ну а вы,— обратился капитан к Теннисону,— долго прожили на Гастре?

— Три года,— ответил Теннисон.— Чуть меньше трех лет.

— И попали там в переделку?

— Можно сказать и так.

— Капитан,— вмешалась Джилл.— Вы на себя не похожи. Что это вы взялись выпытывать? Никто не видел, как он попал на корабль. Никто не знает, что он здесь. Бояться вам нечего, дело это не ваше.

— Если это хоть как-то успокоит вашу совесть,— добавил Теннисон,— то я могу совершенно честно сказать, что никакого преступления я не совершил. Меня, правда, в этом подозревают. Вот и все. А на Гастре быть под подозрением означает, что тебя могут запросто пристрелить на месте без суда и следствия.

— Доктор Теннисон,— торжественно проговорил капитан,— когда мы прибудем на Харизму, вы можете сойти с корабля в полной уверенности, что мы с вами никогда ни о чем не говорили. Думаю, так будет лучше для нас обоих. Я уже говорил и повторю еще раз: мы, люди, должны держаться друг за дружку.

Глава 5

«САМОЕ ЗАМЕЧАТЕЛЬНОЕ ВРЕМЯ»,— думал Декер. С ужином покончено, посуда вымыта, огонь в очаге полыхает вовсю, дверь в мир закрыта; Шептун пристроился за столиком в уголке: трудится, шлифует кусок топаза, принесенный домой неделю назад. Декер поудобнее устроился в кресле, стащил с ног мокасины, забросил ноги на теплый камин очага. Полено, самое большое, прогорело, и пламя перекинулось на другие, поменьше, разбрасывая во все стороны брызги искр. Огненные язычки вспыхивали и пробегали по поверхности горящих ветвей. В дымоходе гудело, и этому гулу вторило завывание ветра в верхушках деревьев, окружавших хижину.

Покачиваясь в кресле, он взглянул в угол, где работал Шептун, но того не было видно. Шептун порой был виден, а порой — нет. На уголке стола стоял замысловато ограненный кусок бледно-зеленого жадеита.

«Работа была тяжелая»,— подумал Декер. Камень выглядел необычно — человек бы так не обработал его, картина огранки совершенно не соответствовала законам человеческого мышления и видения: начнешь разглядывать — и растеряешься. Наметишь линию, а она тут же переходит в другую; представишь себе некий образ камня, но он у тебя на глазах рассыпается; только успеешь подумать, что разгадал загадку огранки, как немедленно убеждаешься, что ошибся. И так бесконечно, как ни верти камень, с какой стороны ни разглядывай. Да, можно было запросто провести остаток дней своих, держа в руках этот камень, рассматривая его, пытаясь понять его тайну, но так и не находя ответа...

В центре стола стоял большой кристалл топаза. Его обработка немного продвинулась со вчерашнего дня. Но Декеру никогда не удавалось угадать, что будет делать Шептун с камнем дальше. Камень время от времени менялся, вот и все. Это не было огранкой в прямом смысле слова, потому что Шептун работал без инструментов, не было заметно ни крошек, ни пыли, и все-таки на камне проступали сглаженные, отшлифованные места. Да, конечно, у Шептуна и в помине не было никаких инструментов — он ими не мог пользоваться и не умел. Он ничем не пользовался — абсолютно ничем. А работа была налицо. Он умел разговаривать — мысленно, телепатически, он умел изменять очертания камней, он приходил и уходил, он умел быть везде и нигде одновременно.

Не отводя взгляда от стола, Декер заметил, что там появилось маленькое облачко сверкающей пыли — это и был Шептун.

— Опять прячешься,— мысленно обратился он к Шептуну.

— Декер, ты же отлично знаешь, что от тебя я не прячусь. Просто ты меня не всегда видишь.

— А ты не мог бы хоть когда-нибудь появляться как-то более четко? Ну, скажем, светиться немножко поярче? Вечно ты таишься.

— Обижаешь, Декер. Вовсе я не таюсь. Ты же знаешь, что я здесь. Всегда знаешь, когда я здесь.

«Это точно»,— подумал Декер. Он действительно всегда знал, когда Шептун был здесь. Он чувствовал его присутствие, но как, не смог бы объяснить даже себе. Ощущение ли, чутье ли, сознание ли — неясно: знание того, что это крошечное облачко алмазной пыли где-то рядом. Хотя он догадывался, что Шептун — нечто большее, чем скопление пылинок.

Догадывался и вечно мучился вопросом: что же такое на самом деле Шептун? «Можно было бы спросить,— думал Декер.— Можно было бы спросить хоть сейчас».

Но почему-то он чувствовал, что как раз этого вопроса задавать и не следует. Поначалу ему казалось, что достаточно того, что он думает об этом, интересуется этим,— и Шептун может прочитать его мысли, этот его немой вопрос,— он думал, что все творившееся у него в сознании должно быть ясно Шептуну. Но прошли долгие месяцы, и он понял, что это не так, что это странное создание не могло или не хотело читать его мысли. Для того чтобы общаться с Шептуном, ему приходилось концентрировать слова, которые он хотел сказать, в определенном участке мозга и направлять их Шептуну. Это было для Шептуна равносильно разговору, а мысли, высказанные вслух, для него речью не были. Само то, как он говорил с Шептуном, как понимал сказанное в ответ, до сих пор было для Декера загадкой. Не было этому объяснения, не было человеческого объяснения возможности такого общения.

— Последнее путешествие было удачным,— сказал Декер.— Топаз превосходный, ради него одного стоило сходить. А ведь это ты его высмотрел. Ты показал мне, где его найти. По породе невозможно было догадаться. Ни единого признака, сплошная галька. Но ты показал мне, где надо покопаться. Будь я проклят, если понял, как ты узнал, что он там.

— Удача,— ответил Шептун.— Просто удача, и все. Иногда твоя удача, иногда — моя. В прошлый раз ты сам нашел рубин.

— Маленький,— сказал Декер.

— Зато — чистой воды.

— Да, точно. Просто красавчик. Маленький, но красивый. Ты уже решил, будешь его обрабатывать или нет?

— Искушение есть. Но надо еще подумать. Он и так мал, а после обработки еще меньше станет. Для тебя мал, я хотел сказать. Тебе придется в лупу на него смотреть, чтобы увидеть красоту огранки.

— Мал для меня. Ты прав. Мал для меня. Ну а для тебя?

— Для меня, Декер, размеры значения не имеют. Мне все равно.

— Оставим рубин как есть,— решил Декер.— Для капитана у меня кое-что другое найдется.

Шептун исчез. Маленькое облачко искрящейся пыли пропало.

«Может быть,— подумал Декер,— это не сам Шептун пропал, а изменилось освещение в хижине?»

Однако он знал, что Шептун здесь, в хижине, его присутствие было очевидно. Он его чувствовал. Но что он чувствовал? Что такое Шептун, что это за существо? Он, конечно, сейчас в хижине, где же еще он мог быть? Какого он размера? Большой или маленький? Крошечная вспышка блестящих пылинок или существо, способное заполнить всю Вселенную?

Бестелесное создание, порой невидимое, зыбкое нечто, почти ничто, может быть, связанное какими-то узами с этой планетой, а может — только с какой-то ее частью. Размышляя подобным образом, Декер все более и более понимал, что все дело — в выборе Шептуна. Он сам решил, он сам почему-то хотел быть здесь. Скорее всего, ничто не мешало ему находиться где угодно — блуждать в верхних слоях атмосферы или за ее пределами, в открытом космосе, поселиться внутри сияющей звезды, зарыться в гранит гор планеты. Весь космос, все состояния вещества могли быть доступны Шептуну.

«А может быть,— думал Декер,— тот Шептун, которого знаю я,— только маленькая частичка, только кусочек какого-то громадного Шептуна? Может быть, настоящий Шептун — что-то непостижимо огромное, величественное, существующее на протяжении всего пространства, а быть может, и всего времени — настоящее порождение

Вселенной? Скорее всего,— думал он не без сожаления,— я так никогда и не дознаюсь правды, так ничего и не пойму».

Именно поэтому он и не спрашивал Шептуна ни о чем таком. Что толку спрашивать о том, чего понять не в силах, обременять себя тайной, которая ляжет на тебя непосильным, тяжким грузом, который породит новые бесконечные мысли и вопросы, из-за которых будешь просыпаться среди ночи в холодном поту, которые не дадут спокойно жить днем, из-за которых просто потеряешь разум. Чужак, непостижимое создание, порождение Вселенной...

Шептун снова заговорил с ним.

— В лесу приключилась беда,— сообщил он.— Трое из Ватикана погибли.

— В лесу? А ты не ошибаешься, Шептун? Люди из Ватикана в лес не суются. Дома сидят.

— Эти на охоту ходили. На глухоманов охотиться вздумали.

— На глухоманов? Кому в здравом уме в голову взбредет на глухоманов охотиться? В лесу самое разумное — это молиться, чтобы на тебя самого глухоман не поохотился.

— Один из них — новичок в Ватикане. Больно гордый, заносчивый. У него было оружие — он думал, что с таким оружием ему ничего не страшно, бояться нечего. А зря он так думал.

— Ну и нашли они глухомана?

— Нет, это глухоман их нашел. Он знал, что они придут на него охотиться.

— И они погибли? Все трое?

— Да. Умерли ужасной смертью.

— Когда это случилось?

— Несколько часов назад. В Ватикане еще не знают.

— Может, стоит сообщить в Ватикан?

— Зачем? Не стоит. Сделать все равно уже ничего нельзя. Пройдет время, их хватятся, другие пойдут, разыщут их и принесут домой.

— А вдруг глухоман не ушел и ждет там, на том месте?

— Может, и не ушел,— сказал Шептун.— Но тем, кто выйдет на поиски погибших, он ничего плохого не сделает. Они же не будут на него охотиться.

— А он убивает только тех, кто на него охотится?

— Да. А ты разве не знал? Ты столько лет бродишь по лесам, Декер.

— Мне везло. Ни разу в жизни на глухомана не напоролся. Ни разу даже не видел ни одного.

— А они видели тебя,— сказал Шептун.— Много, много раз видели. Они не докучали тебе, потому что ты им не докучал.

— Докучать им? — удивился Декер.— Вот уж никогда бы на такое не решился.

— У тебя есть оружие. Штуковина, которую ты зовешь винтовкой.

— Есть. Но я ею очень редко пользуюсь. Только в тех случаях, когда мне нужна дичь для еды.

— Да и то нечасто.

— Нечасто, это точно,— согласился Декер.

Он поднял с пола кочергу и поворошил поленья в очаге, собрав их в кучку. Камин сердито заворчал. За стенами хижины выл ночной ветер. Вспышки пламени в очаге отбрасывали тени на стены — они взлетали к потолку и опускались, потом снова взлетали.

— Ватикан,— сообщил Шептун,— очень взбудоражен.

— Из-за этого несчастья? Из-за глухомана?

— Нет, не из-за глухомана. Я же сказал тебе, про это они пока ничего не знают. Там что-то необыкновенное одна Слушательница узнала.

— Слушатели всегда узнают что-то необыкновенное.

— Да, но на этот раз она узнала что-то очень необыкновенное.

— В каком смысле необыкновенное?

— Пока точно не знаю. Но там большой переполох. Кое-кто перепугался, кое-кто настроен скептически, а кое-кто даже посмеивается. Если это правда, то, наверное, что-то очень важное случилось. Как у них принято говорить, показатель веры поднялся очень высоко.

— У них всегда есть маленькие триумфы,— улыбнулся Декер.— И маленькие поражения. Там всегда о чем-нибудь болтают.

— Конечно,— согласился Шептун.— Но триумф на этот раз вряд ли такой уж маленький. Великая надежда. Много разговоров.

Глава 6

СТОЯ НА ПОСАДОЧНОЙ ПЛОЩАДКЕ, Джилл и Джейсон с некоторым разочарованием разглядывали кучку низеньких, невзрачных на вид строений. Это и была колония на Харизме. Невысокий горный гребень за городком был увенчан ослепительно белой постройкой — не то группой зданий, не то единым зданием — с такого расстояния понять было трудно. За белой постройкой возвышались горы, гордо царившие над колонией,— высокие, скалистые, издалека казавшиеся фиолетовыми, украшенные белыми шапками снегов. Снежные вершины, казалось, существовали отдельно, сами по себе, как бы парили в небе.

Теннисон указал на здания на нагорье.

— Ватикан, надо полагать?

— Скорее всего,— кивнула Джилл.

— Я видел фотографии Ватикана на Древней Земле. Ничего общего.

— Ты слишком буквально воспринимаешь название,— возразила Джилл.— А это просто название, ничего больше. Сомневаюсь, что тут существует реальная связь с Ватиканом.

— А Папа?

— Кто знает, может быть, какая-то связь есть все-таки. Но воображаемая, выдуманная. Но тут не может быть ничего такого, что могло бы быть признано земным Ватиканом официально.

— И ты собираешься взять приступом эту высоту?

— Джейсон, не надо сгущать краски. Что за трагический тон? Ничего я не собираюсь брать приступом. Здесь есть какая-то история, и я ее хочу узнать. Поищу какие-нибудь знакомства. Буду изображать предельную вежливость и обходительность, но ни от кого не собираюсь скрывать, кто я, что я и что мне нужно. Ну а пока я буду делать свои дела, что ты собираешься делать?

— Если честно, даже не представляю себе. Я ведь не думал о планах. Просто бежал, и все. Придется тут остановиться на бегу. На Гастру я все равно вернуться не могу, по крайней мере — пока.

— Звучит так, будто ты собираешься бежать дальше.

— Ну, не прямо сейчас. Это место — не хуже любого другого, где можно остановиться, отдохнуть и оглядеться.

Длинная вереница паломников, высадившихся из «Странника», растянулась по летному полю — судя по всему, они направлялись к пункту таможенного контроля.

Теннисон кивнул в их сторону.

— Нам тоже нужно пройти эту процедуру, как ты думаешь?

Джилл покачала головой.

— Думаю, нет. Никакие бумаги тут не нужны, по крайней мере — людям. Харизма официально считается планетой людей, а потому на них тут распространяются некоторые привилегии. Колония маленькая, и особых формальностей быть не должно. Пройдет дня два, и ты можешь обнаружить, что завтракаешь с шефом местной полиции или с шерифом — не важно, как он тут называется,— он для порядка задаст тебе несколько вежливых вопросов и разглядит тебя поближе. Я не знаю, как именно здесь проходит этот ритуал, но обычно в колониях людей все бывает именно так.

— Ну, тогда все должно быть просто отлично.

— Единственное, что тебе придется объяснить,— почему у тебя с собой нет багажа. В Доме Людей могут проявить законное любопытство. Думаю, лучше всего будет ответить, что ты опоздал на корабль на Гастре и каким-то образом потерял багаж.

— Ты все продумала,— сказал Теннисон.— Что бы я без тебя делал — просто не представляю!

— А как же иначе? Я же тебя вроде бы опекать взялась?

— Нынче же вечером начну расплачиваться,— пообещал Теннисон.— Обед в Доме Людей. Свечи, белоснежная скатерть, фарфор, серебро, хрусталь, обширное меню, бутылка хорошего вина...

— И не надейся. Не фантазируй. Дом Людей может оказаться заурядным постоялым двором с паршивой столовкой.

— Как бы то ни было, надеюсь, там будет все-таки получше, чем в той норе, где ты меня приютила.

— Эта нора не так уж плоха,— возразила Джилл.

— Смотри,— оборвал ее Теннисон,— похоже, кто-то наконец появился, чтобы доставить нас в гостиницу.

Глава 7

СТОЛОВАЯ В ДОМЕ ЛЮДЕЙ оказалась на редкость цивилизованной: на столе красовалась ослепительно белая скатерть, сияли хрусталь и фарфор, в меню было пять блюд и приличное вино.

— Просто восторг,— сказала Джилл Теннисону.— Я и не ожидала, что тут будет так вкусно. Вообще, наверное, после месяца на корабле все, что бы нам тут ни подали, казалось бы деликатесом.

— Итак, завтра ты начинаешь действовать,— сказал он.— Как часто мы сможем видеться?

— Так часто, насколько будет возможно. Я буду возвращаться каждый вечер. Если, конечно, меня не выгонят из Ватикана завтра же или вообще на порог пустят.

— Хочешь сказать, что раньше с ними не общалась?

— Пыталась, но ничего не вышло. Я отправила им несколько писем, но ни на одно ответа не получила.

— Может, они не хотят огласки?

— Вот и выясним. Поговорю с ними. Я могу быть очень настойчива, когда нужно. Ну а ты?

— Осмотрюсь. Выясню, что тут и как. Если здесь нет врача, я мог бы открыть практику.

— Это было бы здорово,— кивнула она.— Джейсон, тебе действительно этого хотелось бы?

— Не знаю,— пожал он плечами.— Пожалуй, я тебе ответил, не подумав,— как-то само вырвалось. В Ватикане есть свой врач, и, вероятно, он обслуживает и тех людей, которые живут в поселке. На то, чтобы открыть собственную практику, может уйти много времени. Городок похож на поселение пионеров, но этого не может быть. Если капитан сказал правду, получается, что роботы живут тут уже почти тысячу лет.

— Но совсем не обязательно,— возразила Джилл,— что поселок такой же старый. Роботы могли тут появиться задолго до его основания.

— Ты права, наверное, но все равно он должен тут существовать уже очень давно. Однако создается такое впечатление, что люди начали тут жить совсем недавно. Может быть, все из-за того, что тут всем заправляет Ватикан. Все и каждый тут должны быть связаны с Ватиканом.

— Не думаю, что это так уж плохо. Все зависит от того, что за народ — люди и роботы — управляет Ватиканом. Если они неглупы, то должны порадоваться появлению нового человека, не дурака и с новыми идеями.

— Поживем — увидим,— сказал Теннисон и вздохнул.— Спешить все равно некуда. Поживу с неделю — узнаю получше, что меня тут ждет, если ждет что-нибудь.

— Такое впечатление, что ты не прочь остаться. Как минимум на какое-то время.

Он покачал головой.

— Ничего определенного не могу сказать. Мне нужно временное прибежище. Но, думаю, в Давентри вряд ли додумаются, что я сбежал на корабле, улетевшем на Харизму.

— Есть вариант,— сказала Джилл,— они могут подумать, что ты утонул в море. Если радар засек твой флайер. Они же при всем желании не смогут доказать, что ты с него спрыгнул?

— Нет, не смогут, если только кто-нибудь не найдет парашют. А это, я думаю, маловероятно. Я его надежно спрятал под складом.

— Значит, можешь быть спокоен. Неужели они так злы на тебя, что помчатся за тобой в эту дыру?

— Нет, конечно. Вся эта история — более или менее из области политики. Просто некоторым это помогло бы обвинить меня в смерти маркграфа, и все.

— Им нужен козел отпущения.

— Вот именно,— кивнул Теннисон.— Очень может быть, что мое исчезновение их в этом убедит еще больше. И все будут довольны. И сейчас мне, по правде говоря, совершенно безразлично все, что происходит на Гастре. А ты? Наверное, выложила немалые денежки, чтобы добраться сюда?

— Да, потратиться пришлось изрядно, но в моем деле всегда есть известная доля риска. Но в любом случае, думаю, я потратилась не зря. Думаю, тут можно накопать такого, что результат в конце концов оправдает все затраты. Даже если я не сумею пробраться в Ватикан, я все равно что-нибудь да разузнаю. Не столько, сколько хотелось бы, но все равно.

— Это как понимать?

— Ну, смотри: я иду к ним, а они, допустим, меня не пускают. Даже не хотят разговаривать. То есть полный от ворот поворот. Могут даже, если сильно рассердятся, вышвырнуть меня вон с планеты. Спрашивается, почему они это сделают? Почему они откажутся со мной говорить? Почему им понадобится вышвыривать меня вон? Что вообще происходит? Что происходит в этом громадном секретном учреждении, чего нельзя вытащить на свет Божий? Что они пытаются скрыть?

— Понятно,— кивнул он.— Ты права, из этого можно сделать кое-какой материал.

— Уверяю тебя, к тому времени, когда они меня вышвырнут, у меня материала не то что на статью — на книгу хватит.

— А как тебе это в голову пришло?

— То тут, то там что-то слышала. Несколько лет подряд. Слухи, сплетни, болтовня всякая. Достоверной информации — почти ноль. Но если собрать все воедино, было бы весьма интригующе.

— В общем, ты несколько лет пыталась найти разгадку?

— Точно. Я упорно трудилась. Не все время, конечно, но как только выпадала возможность. И чем больше я об этом думала, тем больше убеждалась, что тут можно многое найти, стоит только копнуть поглубже. Хотя не исключено, что я сама себя убедила. Вполне может оказаться, что тут ничего серьезного и нет — просто кучка тупых роботов вовсю трудится над каким-нибудь совершенно бессмысленным проектом.

На какое-то время они умолкли, целиком поглощенные едой.

— Как тебе твой номер? — поинтересовалась Джилл.— У меня — вполне приличный.

— У меня тоже,— кивнул Теннисон.— Не роскошный, но жить можно. А одно окно выходит на горы.

— Тут, оказывается, нет телефонов,— сообщила Джилл.— Я спросила, и оказалось, что на планете вообще нет телефонной связи. Электрическое освещение есть, и я удивилась, что телефонов нет. Похоже, никто не знает почему.

— Ну мало ли почему. Может, им тут не нужны телефоны,— высказал предположение Теннисон.

— Прошу прощения, сэр,— раздался мужской голос у него за спиной.— Извините, что помешал, но это очень важно...

Теннисон оглянулся.

Рядом со столиком стоял мужчина. Высокий, чуть старше средних лет. У него были резкие черты лица, черные гладкие волосы, слегка тронутые сединой, и узкие усики.

— Если я не ошибаюсь, сэр,— сказал незнакомец,— вы — доктор. По крайней мере, мне так сказали.

— Верно,— ответил Теннисон, недоумевая.— Меня зовут Джейсон Теннисон. Моя спутница — мисс Джилл Робертс.

— Моя фамилия Экайер,— представился мужчина, слегка поклонившись.— Я из Ватикана. Наш врач погиб несколько дней назад. Несчастный случай на охоте.

— Ну, если я могу чем-нибудь помочь...

— Прошу извинить, мисс,— прижав руки к груди, проговорил Экайер,— что я вынужден прервать ваш обед и увожу вашего спутника. Но одна женщина у нас очень больна. Доктор, если бы вы согласились осмотреть ее...

— Мне нужно сходить за чемоданчиком,— сказал Теннисон.— Подождите, я только поднимусь к себе в номер.

— Доктор, я взял на себя смелость,— сказал мужчина из Ватикана,— и попросил управляющего распорядиться, чтобы ваш чемоданчик доставили сюда. Он ждет вас в вестибюле.

Глава 8

ЖЕНЩИНА БЫЛА ОЧЕНЬ СТАРАЯ. Ее изборожденное морщинами лицо напоминало сморщенное яблоко. Рот ввалился, на щеках играл нездоровый, лихорадочный румянец. Черные, похожие на пуговки, глаза глядели на Теннисона, не видя его. Она тяжело, с хрипом, дышала. Истощенное тело с трудом угадывалось под простыней.

Сестра в сером халатике подала Теннисону историю болезни.

— Эта женщина очень много значит для нас, доктор,— шепнул Экайер.

— Давно она в таком состоянии?

— Пять суток,— ответила сестра.— Пять суток, после того как...

— Не надо было Андерсону ходить на охоту,— проговорил Экайер.— Он меня уверил, что с ней все будет в порядке, что ей нужен только покой...

— Андерсон — это тот, который погиб?

— Он и еще двое. Они пытались отговорить его. Он тут новичок был, не представлял себе, чем это грозит. Я вам сказал, что это из-за глухомана, или не говорил?

— Нет, не говорили. Что за глухоман?

— Это страшный хищник. Свирепый, кровожадный. Увидев человека, сразу нападает. Остальные пошли, чтобы защитить нашего врача...

— Температура держится уже трое суток подряд,— отметил Теннисон.— И ни разу не падала?

— Ни разу, доктор. Совсем незначительные колебания.

— А одышка?

— Все хуже и хуже.

— Какие препараты она получала?

— В карте все указано, доктор.

— Да, вижу,— сказал Теннисон.

Он взял руку женщины, чтобы пощупать пульс. Рука была тонкая, вялая. Пульс — частый и неглубокий. Взяв из чемоданчика стетоскоп, он выслушал грудную клетку. В легких были слышны сильные хрипы.

— Питание? — спросил он у сестры.— Ее кормили?

— Последние двое суток — только внутривенно. А до этого — немного молока и бульона.

Теннисон посмотрел на Экайера, стоявшего по другую сторону кровати.

— Ну? — нетерпеливо выговорил тот.

— Пневмония, скорее всего,— нахмурился Теннисон.— Судя по всему, вирусная. У вас есть лаборатория, чтобы сделать анализы?

— Лаборатория есть,— вздохнул Экайер,— лаборанта нет. Он был вместе с Андерсоном и Олдриттом.

— И все трое погибли?

— Да, все трое. А вы, доктор, не могли бы?

— У меня нет опыта,— покачал головой Теннисон.— Я могу только лечить. Как у вас с лекарствами?

— Лекарств у нас много, самых разных. Да и с персоналом до сих пор проблем не было. У нас было двое лаборантов. Но один уволился месяц назад. И мы никого не смогли найти на его место. Харизма, доктор, не то место, которое привлекает хороших специалистов.

— Самый точный диагноз, который я могу поставить при таких обстоятельствах,— сказал Теннисон,— вирусная пневмония. Чтобы типировать вирус, нужно, чтобы поработал опытный лаборант, иначе просто невозможно. Ведь сейчас так много новых вирусов, которые подхватываются и переносятся с планеты на планету, что крайне трудно вслепую определить специфику возбудителя. Но я вычитал в медицинских журналах, что пару лет назад появилось новое лекарство — противовирусный препарат широкого спектра действия...

— Вы имеете в виду протеин-Х? — спросила сестра.

— Точно. У вас он есть?

— Нам доставили немного последним рейсом «Странника». Вернее, предпоследним.

— Это лекарство может помочь,— сказал Теннисон Экайеру.— Но действие его пока изучено мало, чтобы можно было сказать что-то наверняка. Этот препарат оказывает специфическое воздействие на белковую оболочку вируса и разрушает вирус целиком. Мы пойдем на определенный риск, если решим воспользоваться этим лекарством, но выбора у нас, похоже, нет.

— Вы хотите сказать,— проговорил Экайер,— что не можете гарантировать...

— Ни один врач не смог бы гарантировать.

— Не знаю,— пожал плечами Экайер.— Так или иначе мы должны спасти ее. Если не дать ей этот протеин...

— Она может выжить,— сказал Теннисон.— Ее организм вынужден будет самостоятельно бороться с вирусом. Мы сможем поддержать ее, но с вирусом ничего поделать не сможем. Ей придется сражаться в одиночку.

— Она такая старенькая...— покачала головой сестра.— Сил у нее совсем мало.

— Ну а если дать ей протеин-Х,— спросил Экайер,— можно быть уверенным, что?..

— Нет, нельзя,— ответил Теннисон.

— Насчет лекарства... Вы хотите еще подумать? Доктор, вам решать. Но мне кажется, что времени у нас совсем немного. Что вы порекомендуете, доктор?

— Как врач, я могу сказать совершенно определенно: если бы я один принимал решение, я бы прибегнул к протеину-Х. Он может не помочь. Но, насколько я знаю, это — единственное средство, способное одолеть неизвестный вирус. Должен откровенно сказать: протеин-Х может и убить ее. Даже если он поможет, он может не помочь до конца.

Он обошел кровать, встал рядом с Экайером, положил руку ему на плечо.

— Эта женщина — близкий вам человек? Она для вас лично много значит?

— Не только для меня. Для всех нас. Для всего Ватикана.

— Я искренне желал бы быть вам полезным. Я не имею права ни на чем настаивать. Могу ли я сделать что-нибудь, чтобы помочь вам принять решение?

Женщина пошевелилась, приподняла голову и плечи с подушки, попыталась сесть, но снова упала на подушку. Лицо ее скривилось, губы зашевелились. Сквозь булькающие хрипы послышались слова.

— Башни! — выкрикнула она.— Чудная, высокая лестница до небес! Слава и покой! И парящие ангелы...

Гримаса боли исчезла с ее лица. Она закрыла глаза и умолкла.

Теннисон поймал взгляд сестры. Та смотрела на старуху как завороженная.

Экайер схватил Теннисона за плечо.

— Мы воспользуемся протеином,— сказал он.— Мы должны им воспользоваться.

Глава 9

В НОМЕРЕ, куда Экайер привел Теннисона, было довольно уютно. Пол в гостиной был устлан пушистым ковром. Мебель — почти элегантная, половину одной из стен занимал камин, в котором ярко полыхал огонь. У другой стены стоял обеденный стол и стулья, ближайшая к столу дверь вела в кухню. Напротив была расположена спальня. Стены украшали зеркала в изящных резных рамах и неплохие картины. На каминной полке выстроились затейливые статуэтки, похоже, из слоновой кости.

— Присаживайтесь, доктор, отдыхайте,— сказал Экайер Теннисону.— Чувствуйте себя как дома. Кресло очень удобное. Выпьете чего-нибудь?

— Не найдется ли у вас скотча?

— У вас неплохой вкус,— улыбнулся Экайер.— Где вы отведали скотч? Этот напиток мало кому известен. Разве что немногим старикам...

— С этим божественным напитком,— сказал Теннисон,— познакомил меня капитан «Странника». Он сказал, что это напиток Древней Земли.

— А, капитан. Он снабжает нас. Привозит несколько ящиков с каждым рейсом. У нас — постоянный контракт на поставку с планетой, называемой Солнечный Танец,— планета эта, как вы, вероятно, догадываетесь, населена людьми. Единственная, кстати говоря, планета, на тысячи световых лет в округе. Того, что он доставляет, вечно не хватает. Мало того, еще и сам в ящики руку запускает. Но мы помалкиваем, не возражаем. Его можно понять, правда?

Экайер сходил на кухню, принес два стакана с виски, передал один Теннисону, сам пригубил из второго.

— Выпейте,— сказал он.— Думаю, нам есть за что выпить.

— Надеюсь,— кивнул Теннисон.— Времени прошло немного, конечно, но больная неплохо реагирует на лечение. Нужно внимательно наблюдать за ней.

— Скажите, доктор, вы всегда так заботливо выхаживаете больных? Вы оставались у постели Мэри, пока не появились первые признаки улучшения. Наверное, вы очень устали? Я вас долго мучить не буду. Вам надо отдохнуть.

— Ну... если у вас найдется для меня уголок...

— Уголок? Доктор Теннисон, это ваши комнаты. Столько времени, сколько вы пожелаете тут остаться, они — ваши.

— Мои комнаты? А я думал, что это ваше жилище.

— Мое? О нет. У меня почти такие же апартаменты, а эти — для гостей. Мы знаем, что вы потеряли свой багаж, поэтому решили снабдить вас гардеробом. Вещи будут тут утром. Надеюсь, вы не возражаете?

— Это совершенно ни к чему! — резко ответил Теннисон.

— Вы зря обижаетесь. Поймите, мы не знаем, как благодарить вас...

— За что? Пока трудно судить, добился ли я чего-нибудь. Мэри может и не поправиться, даже несмотря на протеин-Х.

— Но улучшение есть.

— Да, пульс нормализовался. И сил у нее как будто прибавилось. Температура несколько снизилась, но все же не настолько, чтобы быть уверенным...

— Я верю в вас,— сказал Экайер.— Я думаю, вы обязательно вытащите ее.

— Послушайте,— прищурился Теннисон,— давайте будем друг с другом честными до конца. Вы говорили с капитаном или еще с кем-то из ваших людей. Вы прекрасно знаете, что я не потерял багаж. У меня не было никакого багажа, так как не было времени уложить вещи. Я спасался бегством.

— Да,— согласился Экайер.— Да, все это нам известно. Но мы не собирались говорить вам об этом. Мы не знаем, что с вами приключилось, и если вы не хотите об этом рассказывать — дело ваше, и мы интересоваться не намерены. Это не важно. Важно, что вы — врач. Сначала я не был в этом уверен, но теперь знаю это точно. Пока вы здесь, у Мэри есть шанс выжить, а без вас...

— Скорее всего, никаких, если только ваша маленькая сестричка не решилась бы сама...

— Не решилась бы,— уверенно заявил Экайер.— Она и не знала как, и не осмелилась бы.

— Ну, ладно, хорошо. Допустим, я спас больную. Но послушайте, это в конце концов — моя работа. То, чему меня учили. Я пытаюсь спасти каждого, но не могу при всем желании. Вы мне ничего не должны. Самая обычная оплата — все, что я имею право просить у вас. Да и это, пожалуй, слишком. У меня с собой даже документов нет. Я не могу доказать, что я — врач, даже если бы от этого зависела моя жизнь. Не уверен, что могу легально практиковать. Существуют же такие вещи, как лицензия на врачебную практику?

Экайер замахал руками.

— В этом смысле можете не волноваться! Если вы говорите, что вы врач, значит, вы врач. Если мы разрешим вам практиковать, вы будете практиковать.

— Ну, ясно,— улыбнулся Теннисон.— Как Ватикан скажет...

— Да, на Харизме как Ватикан скажет, так и будет. И никто не имеет права оспаривать наши решения. Если бы не мы, то и Харизмы бы не было. Мы и есть Харизма.

— Ладно,— сказал Теннисон.— Хорошо. Я с вами не спорю. Не имею ни малейшего желания. Один из ваших людей болен, я его лечу. Это мой долг, и давайте больше не будем об этом.

— Надеюсь,— сказал Экайер,— вы теперь лучше понимаете, каково положение дел. У нас нет врача. А врач нам очень нужен. Мы бы хотели, чтобы вы остались здесь в качестве нашего штатного доктора.

— Даже так?

— Даже так. Разве вы не понимаете? Положение у нас отчаянное. На поиск врача уйдет не один месяц. Да потом еще неизвестно, что за врач попадется.

— Вы не знаете, что я за врач.

— Я знаю, что вы преданы своим больным. Вы честный человек. Вы откровенно рассказали, как попали сюда, а когда я спросил вас о результатах лечения, вы сказали, что ничего не можете гарантировать. Мне по душе такая честность.

— Да, но в один прекрасный день сюда может вломиться кто-то с ордером на мой арест. Не думаю, что это случится, но...

— Тот, кто решится на это, горько пожалеет. Все, что нам принадлежит, мы защищаем. Если вы действительно в беде, доктор, я могу гарантировать вашу безопасность. Правы вы или виновны, я могу вам это гарантировать.

— Ну, допустим. Не думаю, что я нуждаюсь в защите, но приятно сознавать, что я защищен. Но насчет работы... Что вы мне предлагаете, можно поинтересоваться? Вы называете это место Ватиканом, а я слыхал всякие рассказы про ваш Проект, про то, что всем тут заправляет шайка роботов. Можете вы мне хотя бы вкратце объяснить, что тут происходит? Ваша больная, Мэри, говорила про ангелов... Что это — старческий маразм или предсмертное видение?

— Ни то ни другое,— ответил Экайер.— Мэри нашла Рай.

— Так...— сказал Теннисон.— Можно еще разок, помедленнее? «Мэри нашла Рай». Сказано так, будто вы хотели сказать именно это.

— Конечно,— кивнул Экайер.— Она действительно нашла Рай. Все свидетельствует о том, что она его действительно нашла. Нам нужно обязательно подтвердить это, а для этого необходимы ее дальнейшие исследования. Только она способна на это. Правда, у нас есть ее клоны — целых три, и они потихоньку подрастают. Но мы не можем быть уверены, что клоны...

— Наблюдения? Подтверждения? Клоны? С ума можно сойти! Какие могут быть подтверждения, не понимаю? Если я правильно помню, Рай не место. Это состояние. Состояние сознания, души, вера...

— Доктор, послушайте. Придется вам кое-что объяснить.

— Да, похоже, придется.

— Для начала постараюсь дать вам некоторую ретроспективу. Ватикан-17, здешний Ватикан, начался почти тысячу лет назад, когда сюда, на Харизму, прибыла группа роботов с Земли. На Земле роботы никакой религии не исповедовали, вернее, им не было позволено исповедовать никакой религии. Думаю, сейчас в этом плане наметились кое-какие перемены. Роботы могут быть приняты в лоно религии — не везде, но на некоторых планетах. Тысячу лет назад такого не было и в помине. Роботы были изгоями по отношению к любому вероисповеданию. Чтобы стать прозелитом в любой вере, у новообращаемого должна быть душа или некий ее эквивалент. У роботов души не было, или считалось, что ее нет, и они были лишены возможности приобретения какого бы то ни было религиозного опыта. Хорошо ли вы знакомы с роботами, доктор?

— Практически совсем не знаком, мистер Экайер. За всю жизнь я, пожалуй, видел их всего дюжину, а разговаривал — даже считать не стоит, хватит пальцев на одной руке. Я родом с планеты, где было совсем немного роботов. В том медицинском колледже, где я учился, было несколько роботов, но люди с ними мало общались. Близко знаком я ни с одним из них не был. И не ощущал потребности...

— Так, как вы, на мой вопрос ответили бы девяносто процентов людей. Людей не интересуют роботы, если они не связаны с ними в жизни. Вероятно, они считают их механизмами, машинами, подобием человека. Могу совершенно определенно заявить вам, что они представляют собой нечто гораздо большее. За последние тысячи лет роботы эволюционировали, они стали существами, которые могут обходиться без людей. Однако в процессе эволюции они ни на минуту не забывали, кто их создатели, и они вовсе не отрицают того факта, что они существа искусственного происхождения, как бы сильно ни казалось обратное. Короче, они до сих пор ощущают некую нерасторжимую связь с людьми. Я мог бы ночь напролет рассказывать вам, что я думаю о роботах и что собой представляют здешние роботы. Сюда они прилетели, потому что им не был позволен никакой религиозный опыт, потому что они были вычеркнуты из этой части жизни людей, которая как раз и представляла предмет их непреодолимого влечения. Нужно очень хорошо знать роботов, чтобы понять, откуда у них такая тяга к вере, к религии. Может быть, это всего-навсего попытка компенсации комплекса неполноценности, желание приблизиться к человеку, насколько возможно, во всем. Робот лишен многого, чем обладают люди,— огромное число ограничений заложено в него по определению. Робот не может плакать, робот не умеет смеяться. У него нет полового влечения, хотя он умеет производить на свет других роботов. По крайней мере наши роботы конструируют собратьев и делают это с такой тонкостью и совершенством, до которых, пожалуй, не додумались бы люди. Здесь, на Харизме, родилось новое поколение роботов, новая раса, я бы сказал. Но я, пожалуй, отвлекся...

— Объяснение тяги к религии как компенсации комплекса неполноценности я вполне могу принять,— сказал Теннисон.— Религия могла быть для роботов тайной, которую они хотели разделить с человечеством.

— Верно,— согласился Экайер.— Я мог бы многое вам порассказать об этом, но главное сейчас то, что тысячу лет назад группа роботов прибыла сюда, на эту планету, и создала здесь свою собственную религию. Когда-нибудь, если вам будет интересно, мы можем вернуться к этой теме.

— Конечно, очень интересно. Если у вас найдется время.

— Итак, роботы прибыли сюда,— продолжал Экайер,— и основали свой Ватикан. В основу они положили религию людей, которая была для них очень привлекательна, но не только и не столько самим вероучением. Скорее, думаю, их восхищали ее догматы, ее структура, организация, иерархия, долгая традиция. В нашем Ватикане вы встретите многое — литургию и другие ритуалы древнего Ватикана, это нечто вроде модели, хотя мне кажется, что у роботов не было намерений слепо принимать земное католичество. Роботы никогда не притворялись и не утверждали, что их религия — земное вероисповедание, украденное и перенесенное на самый край Галактики. Наверное, если бы кто-то удосужился провести скрупулезный богословский анализ, то назвал бы эту религию синтетической: ведь роботы усвоили многие аспекты инопланетных религий или того, что называют инопланетными религиями...

— То есть фактически,— сказал Теннисон,— роботы сконструировали собственную религию, позаимствовав в процессе ее создания все то, что им понравилось?

— Вот именно. Возникла вера роботов — вера, как на нее ни посмотри. Все зависит от того, как вы лично для себя определяете религию.

— Мистер Экайер... вы уж меня простите, может быть, у вас есть какой-то титул или звание? А то я все «мистер» да «мистер»...

— «Мистер» — вполне достаточно. Зовут меня Пол. Зовите меня по имени, если хотите, мне будет только приятно. А титула у меня никакого нет. Я к религии никакого отношения не имею.

— Я как раз хотел спросить вас, как вы связаны со всем этим.

— Я — главный координатор того, что принято именовать Поисковой Программой.

— Простите, но мне это ни о чем не говорит.

— О Программе вы тут мало что услышите. Но это — часть Проекта «Ватикан». Порой мне, честно говоря, кажется, что весь Ватикан сейчас — не более чем прикрытие для осуществления Поисковой Программы. Только... прошу вас, если вам случится беседовать со святыми отцами, не рассказывайте им о моей точке зрения. Многие из них продолжают очень ревностно относиться к религии.

— Знаете, честно говоря, я просто обескуражен.

— На самом деле все предельно просто,— улыбнулся Экайер.— Я бы сказал, даже логично. Идея Папы, верховного владыки, стоящего во главе церкви, имеет огромное, определяющее значение для основателей религии. Но где было найти Папу? Им казалось, что сделать обычного робота Папой было бы святотатством. Человека сделать Папой они тоже не могли, даже если бы вздумали рукоположить его,— когда они прибыли сюда, такой возможности у них не было. Человек — существо, живущее, по меркам роботов, слишком недолго, чтобы стать во главе их церкви, члены которой теоретически могут жить вечно. Если за ними, конечно, как следует следить, ухаживать. И это было то существенное ограничение, из-за которого человек в роли Папы их никак не устроил бы. Идеальный Папа, по их представлениям, должен быть бессмертным и всезнающим, непогрешимым, гораздо более непогрешимым, чем Папа-человек. И они принялись конструировать Папу...

— Конструировать... Папу? Не понял.

— Да. Компьютерного Папу.

— Боже милосердный! — воскликнул Теннисон.

— Да-да, и ничего удивительного, доктор Теннисон. Они конструируют его до сих пор. День за днем, год за годом. Уже несколько столетий подряд. Практически ежедневно Папу питают новой информацией, и с каждым годом он становится все более непогрешимым...

— Невозможно поверить... Это просто...

— Вам и не нужно в это верить. Я лично не верю. Хватит того, что в это верят роботы. Это их вера, если на то пошло. Но если посидеть и спокойно поразмыслить, то все сказанное мной обретет глубокий смысл.

— Наверное. Да, вы правы, Пол. Их вера зиждется на немедленных — то есть «непогрешимых» ответах Папы. Да, если подумать, получается, что смысл есть. А данные, информация, как я понимаю, обеспечивается Поисковой Программой?

Экайер кивнул.

— Верно. Но прошу вас, не обращайте внимания на то, что я так прагматичен в своем рассказе, и не записывайте меня с ходу в безбожники. Может быть, я и не совсем верующий человек, но есть вещи, в которые я верю.

— Я оставлю свое мнение при себе, если позволите. Насчет информации... Каким образом ваша Поисковая Программа осуществляет ее поиск? Вы здесь, на краю Галактики, а данные, за которыми вы охотитесь, разбросаны по всей Вселенной!

— У нас работают люди, называемые Слушателями. Не слишком хорошее определение, но мы их так привыкли называть.

— Экстрасенсы, что ли?

— Да. Но совершенно особого рода. Мы прочесываем Галактику, чтобы отыскать таких, какие нам подходят. У нас есть вербовщики, и работают они тихо и незаметно. Роботы разработали методы, позволяющие нашим Слушателям работать просто на фантастическом уровне. Их естественные способности, благодаря этим методам, усиливаются во много раз.

— Ваши Слушатели люди?

— Да. Все до единого. По крайней мере, пока. Мы пытались работать с инопланетянами, но ничего не вышло. Может быть, когда-нибудь получится. Один из аспектов Программы как раз этому посвящен. Не исключено, что инопланетяне могли бы нас снабдить такой информацией, которая людям просто недоступна.

— И все данные, которые вы добываете, поступают в Папу?

— Большая часть. В последнее время мы стали более избирательно подходить к отбору полученной информации. Мы не вводим в Папу всю без исключения необработанную информацию. Но все полученные данные хранятся в файлах. Все данные записываются, я хотел сказать: на магнитные ленты, но это не совсем магнитные ленты. Так или иначе все данные хранятся. Мы собрали такой информационный банк, которым гордилась бы Галактика, если бы узнала о нем.

— Но вы не хотите, чтобы об этом узнали.

— Доктор Теннисон, мы бы не хотели, чтобы Галактика вмешивалась в нашу работу.

— Мэри — Слушательница. Она думает, что нашла Рай.

— Верно.

— Ну а вы, наполовину верующий, что об этом думаете?

— Я не склонен это оспаривать. Мэри — одна из лучших Слушателей. Если не самая лучшая.

— Но... Рай?!

— Послушайте и постарайтесь понять. Мы знаем и отдаем себе отчет, что имеем дело не только с физическим пространством. Давайте, я вам один пример приведу. У нас есть один Слушатель, который уже несколько лет подряд путешествует в прошлое. Но не только в прошлое и не просто в прошлое, а, по всей вероятности, в свое собственное прошлое. Почему он выбрал такое направление для поиска, мы не знаем, да и сам он не знает. Настанет время, и мы это выясним. Похоже, он следует по линии своих предков все дальше и дальше в глубь веков, разыскивает сородичей по плоти и крови. Шаг за шагом, тысячелетие за тысячелетием. Вчера, к примеру, он был трилобитом.

— Трилобитом?

— Древняя форма земной жизни, вымершая почти триста миллионов лет назад.

— Но... человек и... трилобит!

— Зародышевая плазма, доктор. Источник всего живого. Стоит немного уйти назад, и...

— Пожалуй, я понял,— медленно проговорил потрясенный Теннисон.

— Согласитесь, это потрясающе,— улыбнулся Экайер.

— Одно мне непонятно,— признался Теннисон.— Вот вы мне все это рассказываете. И в то же время не хотите, чтобы об этом знали. Когда я покину Харизму...

— Если покинете.

— То есть?

— Мы надеемся, что вы останетесь. Мы можем сделать вам очень выгодное предложение. Детали можно попозже обсудить.

— Но я могу отказаться.

— Сюда прилетает один-единственный корабль. Отсюда вы можете попасть только на Гастру.

— А вы абсолютно уверены, что на Гастру я возвращаться не хочу?

— У меня сложилось такое впечатление. Если вы действительно захотите улететь, сомневаюсь, что мы станем вас удерживать. Но могли бы, если бы захотели. Одно слово капитану, и он вам объявит, что у него на корабле не осталось свободных мест. Но я думаю, разумнее было бы дать вам спокойно улететь. Даже если бы вы кому-то пересказали все, о чем мы с вами беседовали, вряд ли бы вам поверили. Сочли бы очередной космической байкой.

— А вы, похоже, здорово в себе уверены.

— Абсолютно,— сказал Экайер.

Глава 10

КОГДА ТЕННИСОН ПРОСНУЛСЯ, было еще темно. Потеряв счет времени, он лежал в мягкой, уютной, обволакивающей тишине и тьме — не спал уже, но до конца не проснулся, плохо понимая, что с ним произошло. На какое-то мгновение ему даже показалось, что он еще на Гастре. В комнате было темно, но откуда-то проникала тонкая полоска света, и, когда глаза немного привыкли к мраку, он смог разглядеть очертания предметов. Кровать была мягкая, удобная. Чувство благостной дремоты охватило его целиком, ему захотелось еще поспать, понежиться в теплых объятиях сна... Но неожиданно он понял, что что-то не так, что он не на Гастре и не на корабле. Корабль! Он рывком сел в кровати. Сон как рукой сняло. Он все вспомнил. Корабль, Джилл, Харизма...

Харизма, Боже праведный! Он сразу все вспомнил.

Руки и ноги, казалось, онемели. Он не мог пошевелиться.

«Мэри нашла Рай!»

Он понял, что свет идет из-под двери, за которой гостиная. Полоска света колебалась, становилась то шире, то уже, исчезала совсем и появлялась вновь. «Это свет камина,— догадался он.— Дрова, наверное, уже давно догорели, это последние угли вспыхивают прощальным пламенем сквозь слой серого пепла...»

В темном углу комнаты шевельнулась тень, отделилась от остальных теней.

— Вы проснулись, сэр? — прозвучал дребезжащий голос.

— Да... проснулся вроде бы,— отозвался Теннисон плохо слушавшимися губами,— а ты... или вы, кто такой?

— Я Губерт,— ответила тень.— Я — ваш денщик и буду вам прислуживать.

— Я знаю, что такое денщик,— сказал Теннисон.— Это слово мне встречалось, когда я кое-что читал по истории Древней Земли. Что-то такое, связанное с британскими военными. Слово было такое странное, что осталось в моей памяти.

— Потрясающе, сэр,— сказал Губерт.— Я вас поздравляю. Никто не знает, что это такое.

Денщик вышел из комнаты. В дверном проеме его можно было разглядеть получше. Странная, угловатая, человекоподобная фигура — сочетание силы и уверенности.

— Не пугайтесь, сэр,— сказал он, обернувшись.— Я робот, но я не причиню вам вреда. Единственная моя цель — вам прислуживать. Включить свет? Вы готовы?

— Да... готов. Пожалуйста, включи свет.

На столике, стоявшем у дальней стены гостиной, зажглась лампа. Гостиная как гостиная, все как вчера: солидная, крепкая мебель, сияние металлических кнопок на обивке, мягкий блеск старого дерева, картины на стенах.

Теннисон отбросил одеяло и обнаружил, что раздет догола. Свесил ноги с кровати и встал на ковер. Потянулся к стулу, на который ночью бросил одежду. Одежды не было. Поднял руку, откинул со лба волосы, потер щеки и почувствовал, что оброс щетиной.

— Ваш гардероб пока не прибыл,— пояснил Губерт.— Но мне удалось раздобыть для вас смену одежды. Ванна вон там, завтрак готов.

— Сначала ванну,— сказал Теннисон решительно.— Душ у вас тут есть?

— Есть и ванна, и душ. Если желаете, я приготовлю ванну.

— Не стоит. Обойдусь душем. Это быстрее. А мне надо спешить. Есть работа. Что слышно о Мэри?

— Поскольку я предполагал, что вам это будет интересно,— продребезжал Губерт,— я навестил ее примерно час назад. Сестра сказала, что дела идут на лад и протеин-Х ей помогает. В ванной, сэр, вы найдете полотенца, зубную щетку и принадлежности для бритья. Когда вымоетесь, я дам вам одежду.

— Благодарю,— сказал Теннисон.— Да ты просто профессионал. Тебе часто приходится выполнять такую работу?

— Я — денщик мистера Экайера, сэр. Нас у него двое. Так что он меня вам одолжил.

Выйдя из ванной, Теннисон обнаружил, что кровать аккуратно прибрана и на ней стопкой сложена его одежда.

Робот Губерт, которого он теперь мог разглядеть как следует, был очень похож на человека — идеализированного такого, с иголочки. У него была лысая голова, и полированная металлическая поверхность не оставляла никаких сомнений в том, что она именно металлическая, но вся фигура робота была выполнена исключительно декоративно, даже иллюзия была, что он одет.

— Желаете позавтракать? — поинтересовался робот.

— Нет, пока только кофе. Позавтракаю попозже. Погляжу, как там Мэри, и вернусь.

— Кофе будет подан в гостиной,— сообщил робот.— Перед камином. Сейчас разведу огонь получше.

Глава 11

ОБОЙДЯ ЗДАНИЕ КЛИНИКИ, Теннисон обнаружил, что позади него находится сад. Всходило солнце, и горы, подступавшие к Ватикану с запада, казались еще ближе, чем были на самом деле. Громадная стена, синева которой менялась от основания к вершинам: внизу горы были темно-синие, почти черные, а вершины искрились алмазным блеском в первых лучах утреннего солнца. Сад поразил Теннисона аккуратностью и ухоженностью. Сейчас, в эти первые утренние часы, здесь царили тишина и нежность. По саду разбегались в разные стороны вымощенные гравием дорожки, обрамленные ровно подстриженными кустиками и изящно составленными композициями цветов на клумбах. Многие кустарники и цветы цвели или отцветали. Разглядывая растения, Теннисон с трудом вспоминал названия. Вдалеке, по правую сторону, он различил три фигуры в коричневых балахонах, которые медленно, как бы в глубоком раздумье, двигались по дорожке, склонив поблескивающие в лучах солнца головы, опустив на грудь стальные подбородки. Прохлада ночи постепенно уступала теплу лучей утреннего солнца. В саду было так спокойно и красиво, что Теннисон поймал себя на мысли: «Мне тут нравится». На том месте, где пересекались сразу три дорожки, он обнаружил каменную скамью и присел на нее, чтобы полюбоваться на синюю стену гор.

Он сидел, смотрел и сам себе удивлялся — такого ощущения он не испытывал долгие годы: покой, удовлетворение своим трудом. У Мэри дела шли неплохо, возможно, она была на пути к полному выздоровлению, хотя наверняка судить было еще, пожалуй, рано. Но лихорадка отступала, пульс становился все лучше, одышка пошла на убыль. Может быть, ему показалось, но однажды он заметил кратковременный проблеск сознания во взгляде Мэри. Она была очень стара, конечно, но в ее изможденном, жалком теле он чувствовал волю и силы сражаться за жизнь.

«Наверное,— думал он,— ей есть за что бороться». Она нашла Рай, так сказал Экайер. Пусть это — полная бессмыслица. Но если она так думает, это может быть для нее смыслом возвращения к жизни: желание узнать о Рае побольше. По крайней мере то, что рассказал ночью Экайер, приобретало какой-то смысл: жизнь Мэри должна быть спасена, чтобы она могла побольше узнать о Рае.

«Логики в этом нет никакой,— продолжал он беседу с самим собой.— Может быть, это какой-то местный анекдот, привычная шутка ватиканская, а может, и не ватиканская, а хорошая исключительно в кругу тех, кто занят работой в Поисковой Программе».

Хотя... нет, не похоже, чтобы Экайер шутил, рассказывая об этом. Он сказал Экайеру, и сейчас, сидя здесь, в саду на скамейке, снова повторял себе то же самое: Рай, Царствие Небесное — это нечто такое, что существуй оно даже на самом деле, «найдено» в прямом смысле слова быть никак не могло. «Царствие Небесное — это состояние души» — так он сказал Экайеру, и тот не нашел что возразить. Однако было очевидно, что Экайер, человек неглупый и имевший собственное мнение, не совсем разделявший веру Ватикана, почему-то все-таки полагал, что Рай может быть обнаружен.

«Бессмыслица, чушь,— твердил про себя Теннисон.— Ни капли логики. И все же,— думал он,— это, по всей вероятности, не исключительное проявление бессмыслицы, а закономерный итог целых столетий царствования бессмыслицы».

Логики не было никакой, а ведь робот всегда, во все времена был знаменит именно логикой. Само понятие роботехники напрямую основано на логике. Экайер сказал, что роботы трудились над самоусовершенствованием, эволюционировали. Трудно поверить, что процесс эволюции мог привести к снижению уровня логики — краеугольного камня в создании роботов.

«Чего-то я не понимаю,— думал он.— Есть во всей этой кажущейся нелогичности нечто такое, какой-то фактор, а может, и не один, которые мне неизвестны. Ватикан, судя по всему,— крепкий орешек, так сразу не расколешь».

Десять столетий беззаветного труда вложено в него, и труд продолжается: уникальная попытка создать непогрешимого Папу, исследование, направленное на поиск всех составляющих, из которых, как из кирпичиков, должно быть воздвигнуто могучее здание универсальной религии.

«Да,— думал он,— слишком резво взялся я судить обо всем этом. Пожалуй, жизни одного человека не хватит, чтобы обнаружить хотя бы намек на какую-то точность и справедливость. Придется думать, смотреть, слушать, спрашивать, где можно, пытаться почувствовать, что тут происходит, познакомиться с теми, кто тут работает».

Размышляя подобным образом, он вдруг изумленно поймал себя на том, что принял решение, хотя никакого решения вроде бы принимать не собирался. Если он решил смотреть, слушать, спрашивать, какой из этого вывод? Один-единственный: он решил остаться здесь.

«Ну а почему бы и нет?» — спросил он самого себя. Путь с этой планеты был только на Гастру, а в обозримом будущем именно туда ему хотелось попасть меньше всего. Здесь же было совсем неплохо, по крайней мере пока. Оставшись тут, он обретал возможность заняться своим прямым делом, и работа обещала быть ему по силам: следить за здоровьем людей, работавших в Ватикане. Ну, может быть, иногда нужно будет помочь кому-то из поселка. Жилье ему предоставили совсем неплохое, к нему приставлен робот-слуга, скорее всего, его тут ждут встречи с интересными людьми. Когда он бежал с Гастры, он думал только о том, чтобы найти убежище, а здесь нашел такое убежище, о котором даже мечтать не мог. Место, конечно, странное, но со временем можно привыкнуть. Не хуже Гастры, по крайней мере.

Он сидел на скамье и лениво водил носком туфли по гравию дорожки.

«Да,— думал он,— решение я принял гораздо быстрее, чем ожидал».

Пожалуй, он еще вчера ночью согласился бы на предложение Экайера, не прояви тот такую настойчивость и не намекни, что у Ватикана есть средства, с помощью которых его могут заставить тут задержаться. И с чего это Экайеру вдруг понадобилось угрожать ему?

«Ну, ладно,— решил Теннисон,— угроза это или нет, но остаться стоит. Деваться-то все равно некуда».

Он поднялся со скамейки и пошел дальше, в глубь сада.

«Погуляю еще немного и вернусь,— решил он,— а Губерт пока завтрак приготовит».

Но дело, конечно, не в том, чтобы потянуть время до завтрака, и он это отлично понимал. Просто пройдет еще немного времени, и все здесь, в саду, изменится — солнце поднимется повыше и все станет другим. Исчезнет это мягкое, нежное очарование, чудо раннего утра — исчезнет и не вернется, то есть, может, и вернется для кого-то другого, но не для него. Здесь, именно здесь, к нему пришло верное решение. Без мучений и душевных метаний, без сожаления он решил, что должен остаться здесь.

Впереди дорожка круто поворачивала, и на углу, на самом повороте, красовались заросли невысоких кустов с алыми цветами. Свернув по дорожке, Теннисон остановился как вкопанный. Около кустов присел, работая садовыми ножницами, робот. Алые цветы изумительной красоты были усыпаны алмазными капельками утренней росы. Драгоценными бриллиантами сверкали они на красном бархате лепестков.

Робот взглянул на него снизу вверх.

— Доброе утро, сэр,— поприветствовал он Теннисона.— Вы, вероятно, врач, который прибыл вчера вечером?

— Да, именно так,— сказал Теннисон.— А ты откуда знаешь?

Робот покачал головой.

— Не я один,— сообщил он.— Все уже про вас слышали. Тут это дело обычное. Стоит чему-нибудь произойти, и все сразу знают.

— Понятно,— кивнул Теннисон.— А скажи-ка мне, это, случайно, не розы?

— Вы не ошиблись,— ответил робот.— Это цветы с Древней Земли. У нас их тут, как видите, немного, и мы их очень бережем. Они очень редкие. Вы их узнали — наверное, видели раньше?

— Однажды,— признался Теннисон.— Очень, очень давно.

— Вы, конечно, знаете,— сказал робот, пощелкивая ножницами,— что мы и сами с Земли. Связи с планетой-праматерью давно прерваны, но мы старательно сберегаем все, что нам осталось в наследство. А вы, сэр, когда-нибудь бывали на Земле?

— Нет,— признался Теннисон.— Ни разу. Не многие люди там бывали.

— Ясно,— кивнул робот.— Это я просто так спросил.

Он щелкнул ножницами, срезал один цветок с длинным, ровным стеблем и протянул его Теннисону.

— Примите, сэр, от меня на память этот кусочек Древней Земли.

Глава 12

ЕНОХ, КАРДИНАЛ ФЕОДОСИЙ, был такого маленького роста, что, казалось, еще чуть-чуть, и его совсем не станет видно под лиловой мантией, в которую он был облачен. Он бы выглядел совсем как человек, если бы его лицо под алой митрой не отливало стальным блеском. Только этот отблеск и выдавал в нем робота.

«Хотя,— сказала себе Джилл Робертс,— “выдавал” — не то слово. Ни кардинал Феодосий, ни остальные его собратья вовсе не старались подделываться под людей. Пожалуй,— решила она,— они даже гордятся тем, что роботы». Если судить по тому, чего они добились, чего достигли здесь, на Харизме,— им было чем гордиться.

Робот-послушник, который провел ее в кабинет кардинала, закрыл за ней дверь и встал там, заслонив дверной проем широченной спиной, расставив ноги и заложив руки за спину. В кабинете было темно, единственная свеча мерцала на столе, за которым восседал кардинал.

«Почему свеча? — удивилась Джилл.— Зачем она понадобилась, когда есть электрическое освещение? Показуха,— решила она.— Столько здесь показушного, витринного».

Алые, расшитые золотом занавеси свисали со стен. Если тут и были окна, они скрыты тяжелыми портьерами. Пол был покрыт ковром, в полумраке невозможно различить его цвет. Может быть, он тоже был красный, хотя в тусклом свете свечи казался черным.

«Нет, не может быть, чтобы ковер был черный,— решила Джилл.— Кому придет в голову стелить черный ковер?»

Вдоль стен была расставлена какая-то мебель, но какая именно, было неясно — призрачные тени, похожие на притаившихся перед прыжком чудовищ.

Джилл медленно пошла вперед, к столу кардинала, стараясь соблюдать этикет, с которым ее с утра ознакомили. Ей следовало подойти, опуститься на колени, поцеловать кольцо на протянутой руке кардинала, не вставать с колен, пока он не позволит, а затем стоять, пока он не разрешит сесть. Обращаться к кардиналу следовало «Ваше Преосвященство», но после первого обмена любезностями его можно было именовать просто «Преосвященный». Что-то ей еще передали, но теперь у нее все вылетело из головы.

«Но я справлюсь,— уговаривала она себя,— бывали у меня в жизни переделки и похуже. Ну, подумаешь, нарушу немножко этикет, что такого ужасного может случиться? Не убьют же, в конце концов. Самое большее — сочтут глупой бабой, у которой ничего дурного на уме нет».

Она шла медленно, надеясь, что в таком ее шествии есть некая торжественность, но и это вызывало у нее сомнения. Кардинал запросто мог решить, что она так медленно идет, потому что у нее дрожат коленки. Но она вовсе не дрожала. Бояться робота, пусть даже кардинала, на самом краю Галактики — еще чего не хватало! Кардинал сидел не шевелясь, ждал, пока она подойдет, наверное, разглядывал ее.

Джилл остановилась примерно в трех футах от кресла кардинала. Опустилась на колени. Кардинал протянул ей руку, знаком велел ей встать, и она поднялась с колен.

— Мисс Робертс,— сказал кардинал низким и глубоким голосом.

— Ваше Преосвященство.

— Прошу вас садиться.

Он указал на стул по другую сторону стола.

— Благодарю,— ответила Джилл и села на указанное место.

Мгновение в кабинете царила тишина, затем кардинал проговорил:

— Вероятно, из вежливости я должен поинтересоваться, как вы долетели и было ли приятным ваше путешествие. Но поскольку я хорошо знаю, на каком корабле вы добирались, я понимаю, что путешествие приятным быть не могло. Смею выразить надежду, что оно не было таким уж плохим?

— Не слишком плохим, Ваше Преосвященство. Капитан — очень любезный человек. Он делал все, что мог.

Кардинал склонился к столу, взял несколько сколотых вместе листков бумаги.

— Мисс Робертс,— сказал кардинал,— вы очень настойчивы. Мы получили от вас несколько писем.

— Да, Ваше Преосвященство. На которые мне не ответили.

— Мы сделали это,— объяснил кардинал,— намеренно. Мы не имеем обыкновения отвечать на письма. В особенности на такие, как ваши.

— Мне следует сделать вывод, что мое присутствие здесь нежелательно?

«Ну, вот,— вспомнила она,— вот и ошибка — забыла назвать его “Преосвященным”».

Было непонятно, заметил ли это кардинал, но замечания не сделал.

— Не знаю,— сказал он,— как бы вам объяснить нашу тактику, чтобы не показаться невежливым.

— Не стесняйтесь, Ваше Преосвященство, будьте невежливым. Я должна знать правду.

— Мы не испытываем желания,— ответил кардинал,— чтобы о нашем существовании и том, чем мы занимаемся, стало широко известно.

— Но вы могли бы, Преосвященный, сообщить мне об этом раньше, до того, как я отправилась в путешествие. Я бы прислушалась к голосу разума, поняла ваше желание, вашу позицию. Но вы, вероятно, рассчитывали, что, игнорируя мои письма, не отвечая на них, вы сумеете разочаровать меня в моих намерениях?

— Мы на это надеялись, мисс Робертс.

— Как видите, ваш психологический трюк не удался, Ваше Преосвященство. Честное признание своей позиции помогло бы вам лучше.

Кардинал вздохнул.

— Это упрек?

— Не думаю,— ответила Джилл.— Обычно я стараюсь ни в чем не упрекать высокопоставленных лиц. Никогда не была большой любительницей вступать в споры. Но мне все-таки кажется, что я заслуживала лучшего обращения. В своих письмах я была откровенна. Я писала вам о том, что мне хотелось бы сделать, что я надеялась сделать. Вы бы могли, Ваше Преосвященство, прямо и честно ответить, что мое присутствие тут нежелательно.

— Да, мы могли так поступить,— согласился кардинал.— Это действительно было бы более честно по отношению к вам и более порядочно с нашей стороны. Но... мы полагали, что такой ответ вызовет нежелательный интерес, еще больший интерес к тому, чем мы здесь занимаемся. Отказ принять вас мог означать, что наша работа носит некий секретный характер, а так оно и есть. Вместо того чтобы отбить у вас охоту лететь сюда, мы таким образом создали бы впечатление, что все происходящее здесь еще более важно и таинственно, чем вы предполагали. Да, мы работаем с минимальной оглаской и крайне заинтересованы в том, чтобы все оставалось так, как есть. Мы трудимся уже десять столетий и за это время добились некоторых результатов, но все же продвинулись не так далеко, как надеялись. Для достижения цели могут понадобиться еще многие тысячелетия, и, чтобы выполнить намеченное, мы должны трудиться без помех. Мы не хотим, чтобы про нас узнала вся Галактика.

— Ваше Преосвященство, но каждый год к вам прибывает великое множество паломников!

— Это верно. Но это капля в море по сравнению с той оглаской, которая произошла бы, если бы о нас написал журналист с вашей репутацией и квалификацией. Паломники прибывают с разных планет, многие из них — приверженцы тайных культов — и что-то где-то о нас слыхали. Но именно потому, что культы у них тайные, а паломники, исповедующие их, разбросаны по многочисленным планетам и мало кто из них прилетает к нам большими группами с какой-либо одной планеты, можно с уверенностью заявить, что паломничество не носит такого массового характера, как может показаться на первый взгляд. Знания о нас рассеяны, как сами паломники. Мы никого не посвящаем в нашу веру, мы не проповедуем, не осуществляем никакой миссионерской деятельности в Галактике. У нас, собственно, и нет никакого благовестия пока, чтобы его проповедовать. Когда-нибудь настанет время, и мы обретем благовестие, но пока, как я вам сказал, его у нас нет. Однако мы не можем, не имеем права захлопнуть двери перед теми, кто ищет встречи с нами. Мы должны сделать для них все, что можем. Кроме того, честность обязывает меня признаться, что мы рады их пожертвованиям, поскольку нас никто не финансирует...

— Позвольте мне написать о вашей работе, Преосвященный, и вы получите финансирование. У вас появится любая необходимая вам поддержка.

Кардинал сделал отрицательный жест.

— Такая поддержка,— сказал он печально,— обойдется нам слишком дорого. Нам еще очень многое предстоит сделать, и мы должны следовать по избранному пути сами, и так, как мы желаем. Вслед за помощью из Галактики на нас неизбежно обрушилось бы давление, а это помешало бы нашей работе. Как бы мы ни преуспели, мы обязаны делать вид, что успехи наши невелики. Любая шумиха, любая реклама сработают против нас. Мы должны быть преданы своей мечте — созданию универсальной религии, а на все остальное просто не имеем права тратить время. Огласка уничтожит нашу цель. Вы понимаете?

— Стараюсь понять, Ваше Преосвященство,— ответила Джилл.— Но, право же, неужели для того, чтобы добиться цели, стоит окружать себя такой тайной?

— Мисс Робертс, именно этого мы и добиваемся. Если бы мы не скрывались, нам бы очень мешали. Нашлись бы, наверное, не только такие, кто действовал бы из добрых побуждений, но и те, кто желал бы повредить нам. Даже сейчас...

Об оборвал себя на полуслове и не мигая посмотрел на Джилл.

— Даже сейчас, Преосвященный,— повторила Джилл.

— Попробуйте представить себе,— сказал он,— что даже сейчас мы обладаем кое-чем, что могло бы быть использовано на пользу Галактике, но пока никому ни при каких обстоятельствах не может быть передано, до тех пор, пока мы не убедимся, что знаем об этом абсолютно все. Существуют силы, я в этом абсолютно уверен, которые мечтали бы похитить у нас то, чем мы обладаем, украсть наши знания для своих корыстных целей, в то время как их совершенно не будет интересовать целостная картина познания, к которой мы так стремимся. Мы боимся не за себя — мы боимся за всю Галактику, может быть за всю Вселенную. Наша структура должна оставаться неприкосновенной. Когда работа будет завершена, мы обретем неделимые, целостные знания, основанные на логике, которую никому не удастся опровергнуть, которая будет очевидна для любого, кто прикоснется к ней. Это Знание, эту Истину нельзя будет растащить по кусочкам и вынести на продажу с лотка. А опасность подобного разворовывания мы осознавали с самого начала. Все эти годы ощущение опасности не покидало нас. Даже сейчас мы боимся этого, даже сейчас, когда трудимся в строжайшей тайне, мы не без основания подозреваем, что кто-то крадет знания, отщипывает по кусочку, как мышка отщипывает крошки от большого куска сыра. Мы не знаем, кто это делает, как ему или им это удается, не знаем даже, какова цель этого мелкого воровства, но мы уверены, что кто-то этим занимается. Конечно, с этим можно было бы и смириться, но если мы раскроемся для всей Галактики, если вы о нас напишете...

— Вы хотите, чтобы я уехала,— грустно сказала Джилл.— Вы хотите, чтобы я повернулась и ушла...

— Мы старались быть откровенными с вами,— сказал кардинал.— Я попытался все вам объяснить. Убеждая вас, я, вероятно, наговорил много лишнего. Мы вообще могли отказаться от встречи с вами, но мы понимаем, что у вас нет намерений навредить нам, что вы, по всей вероятности, даже не задумывались, какие последствия могут повлечь за собой ваши действия. Мы искренне сожалеем о неприятностях и издержках, которые вы понесли. Нам хотелось, чтобы вы не прилетали сюда, но раз уж так вышло, мы чувствуем себя обязанными оказать вам некоторые любезности. Хотя вам, наверное, кажется, что мы принимаем вас не слишком тепло. Мы надеемся, что вы подумаете о том, что я вам рассказал, мисс Робертс. По всей вероятности, вы остановились в Доме Людей?

— Да,— ответила Джилл.

— Пожалуйста,— сказал кардинал,— не откажитесь быть нашей гостьей. Вам будет предоставлен номер, и вы можете оставаться в Ватикане сколько захотите. Естественно, мы возместим все расходы, связанные с вашим перелетом сюда. И выплатим что-то вроде командировочных за каждый день вашего пребывания здесь. Окажите нам такую любезность: будьте нашей гостьей, и у вас будет время подумать над тем, что я вам рассказал.

— Ваше приглашение — большая честь для меня, Преосвященный,— сказала Джилл.— Но я не собираюсь так сразу отказываться от задуманного. Уверена, что мы еще раз встретимся и поговорим.

— Да, мы сможем еще поговорить. Но думаю, что это ничего не даст. У нас слишком разные взгляды, мисс Робертс.

— Но, может быть, вы могли бы мне рассказать о каких-то аспектах вашей работы, которые можно поведать миру без опаски. Не всю историю, конечно, но...

— Мисс Робертс, у меня к вам другое предложение.

— Другое, Ваше Преосвященство?

— Да. Не хотели бы вы поработать для нас? Мы можем предложить вам неплохое место.

— Место? Я не ищу работу.

— Не торопитесь отказываться, мисс Робертс. Позвольте я кое-что вам объясню. Уже многие годы мы говорим о том, что было бы крайне желательно написать общую, авторизованную историю Ватикана-17, исключительно для внутреннего пользования. В течение столетий мы копили данные, которые должны войти в историю,— фиксировали все события с того самого дня, когда высадились на этой планете, писали отчеты о нашей работе, обо всех успехах и неудачах. Все это лежит здесь и ждет изучения и обобщения, но так уж вышло, что мы сами никогда этим не занимались. С одной стороны, руки не доходили, а с другой — у нас не было человека или робота, кому была бы по плечу такая работа. Но теперь...

— Теперь, Преосвященный, вы думаете, что я могла бы написать для вас вашу тысячелетнюю историю. Детально, подробно, насколько я понимаю. Сколько же это будет страниц рукописи? Как вы себе представляете, сколько времени на это уйдет? Одна жизнь, две? Сколько вы мне за это заплатите?

— Мы заплатим хорошо, не сомневайтесь,— ответил кардинал.— Больше, гораздо больше, чем вы зарабатываете, порхая по всей Галактике и разыскивая темы для книг и статей. У вас будут оптимальные условия для работы. Любая помощь. Удобное жилище. Торопить вас никто не будет.

— Заманчиво,— сказала Джилл.

— А пока как минимум примите наше гостеприимство. Вам покажут свободные комнаты. Выберите те, которые вам больше понравятся. В Дом Людей вам возвращаться нужды нет. Мы можем забрать ваш багаж и перенести сюда.

— Мне нужно подумать, Ваше Преосвященство.

— Прекрасно, вот здесь и подумайте. Наши комнаты гораздо удобнее...

«Боже милостивый,— думала Джилл.— Все данные здесь, все, о чем я мечтала! Все лежит, разложенное по ячейкам памяти, и ждет своего часа!»

— Вы не ответили,— сказал кардинал.

— Ваше предложение очень мило,— ответила Джилл.— Вашим гостеприимством, я, пожалуй, воспользуюсь. Что же до остального, я должна подумать.

— Думайте сколько вам угодно. Мы не будем торопить вас с ответом. Об этом можно поговорить позднее. Но позволю себе еще раз настоятельно напомнить, что ваша помощь очень, очень нам нужна. История должна быть написана. Но для того, чтобы написать ее, нужен особый талант —человеческий талант, которым здесь, пожалуй, никто похвастаться не может. Здесь, на Харизме, с талантами не густо. Планета слишком далека и примитивна, чтобы привлекать людей. Выйдите на улицу ночью, поглядите на небо, и вы увидите, как мало на нем звезд. Галактика — не более чем далекая туманность. Но в этом есть определенные преимущества. Простор для деятельности, новизна. Первозданность, которой не сыщешь на других планетах. И горы. Для наших людей, мисс Робертс, горы — постоянный источник высочайшего наслаждения.

— Не сомневаюсь, Ваше Преосвященство,— ответила Джилл.

Глава 13

— ЭТО,— ОБЪЯСНИЛ ЭКАЙЕР Теннисону,— наш депозитарий. Здесь в виде файлов хранятся индексированные, готовые к просмотру записи и отчеты о работе, проделанной в рамках Поисковой Программы.

Помещение было очень большое. Окна отсутствовали. Бледные потолочные светильники рядами уходили вдаль. Ряды картотечных шкафов тянулись от пола до потолка ровными линиями насколько хватало глаз.

Теннисон шел за Экайером вдоль одной из таких линий. Его проводник уверенно двигался вперед, легко касаясь рукой поверхности шкафов. Теннисон, озираясь по сторонам, плелся за ним, чувствуя себя крохотной песчинкой среди этих громадин. Ему казалось, что шкафы вот-вот сдвинутся и раздавят его.

Экайер остановился и вытащил один из ящичков. Поискал или сделал вид, что ищет, среди множества маленьких хрустальных кубиков, лежавших в ящике.

— Ага, вот он,— сказал он, взяв один кубик.— Я решил взять наугад.

Он передал кубик Теннисону. Ничего особенного — прозрачный кубический кристалл, сторона которого составляла примерно четыре дюйма. Экайер задвинул ящик на место.

— А теперь,— сказал он,— если не возражаете, я хотел бы показать его вам.

— Показать?

— Да, вы могли бы посмотреть, что тут записано. А записано здесь наблюдение одного из Слушателей —

то, что он видел, чувствовал, переживал. То есть вы как будто станете этим Слушателем.

Экайер смотрел на Теннисона в упор.

— Ничего страшного, уверяю вас. Больно не будет. Никакой опасности.

— Вы хотите сказать, что меня можно каким-то образом подсоединить к этому кубику?

Экайер кивнул.

— Это очень просто.

— Но зачем? — спросил Теннисон, недоумевая.— Зачем вам это?

— Затем, что я могу еще хоть трое суток распространяться о нашей работе, но толком так ничего и не сумею вам объяснить. Но если вы проведете несколько минут за просмотром кристалла...

— Это мне понятно,— кивнул Теннисон.— Но почему вы предлагаете это мне, человеку совершенно постороннему?

— Пока — постороннему, вы правы. Но мне очень хотелось бы, чтобы вы остались здесь и стали нашим сотрудником. Вы нужны нам, Джейсон. Можете вы это понять?

— Вообще-то я уже решил остаться,— признался Теннисон.— Сидел сегодня на скамейке в вашем прекрасном саду и сам не заметил, как принял решение.

— Ну вот и чудесно,— улыбнулся Экайер.— Вот и замечательно. Но что же вы молчали? Почему сразу не сказали мне?

— Потому что вы меня продолжали соблазнять,— улыбнулся Теннисон,— а мне было интересно наблюдать, как вы это делаете.

— Красиво, нечего сказать,— хмыкнул Экайер.— Но я не в обиде. Не могу вам передать, как я счастлив. Ну так как насчет кристалла?

— Я немного волнуюсь, но... если вам кажется, что это необходимо, я согласен.

— Думаю, необходимо. Для меня очень важно, да, думаю, и для вас, чтобы вы поняли, чем мы занимаемся.

— Чтобы мне стало понятнее про Рай?

— Да, и не только это. Похоже, вы до сих пор настроены в этом отношении скептически.

— Да. А вы — нет?

— Не знаю,— вздохнул Экайер.— Не уверен. Все внутри меня кричит: «Нет!», и все же...

— Ладно,— сказал Теннисон.— Валяйте, давайте посмотрим ваш кристалл.

— О'кей. Прошу сюда.

Он вывел Теннисона из прохода между шкафами и привел в небольшую комнату, стены которой до потолка были уставлены всевозможным оборудованием.

— Садитесь вот в это кресло,— сказал Экайер.— Не волнуйтесь. Расслабьтесь, ни о чем плохом не думайте.

К креслу был подсоединен странной формы шлем. Теннисон поглядел на него с некоторым недоверием.

— Садитесь, садитесь, Джейсон,— поторопил Экайер.— Я надену на вас шлем, вложу кристалл вот в эту выемку и...

— Ладно,— вздохнул Теннисон.— Придется поверить вам на слово.

Теннисон осторожно уселся в кресло, Экайер аккуратно опустил шлем ему на голову, немного повозился, получше прилаживая его.

— Все в порядке? — услышал Теннисон его голос.

— Да, только ничего не вижу.

— Пока вы ничего видеть и не должны. Дышится нормально? Не трудно дышать?

— Нет, все нормально.

— Отлично. Начинаем.

Еще мгновение было темно, потом возник свет — призрачный, зеленоватый. Казалось, все пропитано теплой влагой. Теннисон удивленно вздохнул, но потом все стало просто и хорошо...

Вода была теплая, а ил — мягкий. Его животик был до отказа набит пищей. Никакая опасность ему не угрожала. Радостный и довольный жизнью, он зарывался поглубже в нежный, бархатистый ил. Настало мгновение, когда больше зарыться не удавалось, но он старательно шевелил ножками. Когда стало ясно, что дальнейшие старания напрасны, он оставил попытки и почувствовал себя в безопасности; он успокоился. Ему было хорошо. Слой ила над ним — все, что было нужно. Неважно, глубоко ли он зарылся, важно, что он был скрыт от глаз. Теперь ни один хищник не обнаружит его и не съест.

«Хорошо-то как,— думал он.— Двигаться не надо, нельзя двигаться... а то нападут и съедят».

У него было все, что нужно для жизни. Он ел, пока не пресытился, пока пища не утратила своей привлекательности. Ему было тепло, он был в безопасности. Он мог не шевелиться.

«Но все-таки,— думал он,— незадолго до того, как я перестал шевелиться, двигать лапками, была какая-то тревога. Что за тревога?» — спросил себя он.

До сих пор он не задавал себе никаких вопросов! До сих пор для него даже не существовало такого понятия — «вопрос»! Он был, существовал — и все. Его никогда не интересовало, что он такое.

Он беспокойно пошевелился, недовольный тем, что откуда ни возьмись появился этот вопрос и потревожил его покой. Но не это было самое худшее: что-то еще тревожило его. Ему вдруг показалось, что он — уже и не он вовсе, будто не ему пришел в голову вопрос, будто он возник не внутри него самого, а исходил откуда-то извне. А откуда? Вокруг ничего не было — только тепло неглубокого моря, нежность придонного ила, сознание того, что никакая страшная тень не висит над ним, что его никто не видит, что его не тронет страшный хищник, питающийся трилобитами...

«Боже мой! — внезапно с ужасом подумал он.— Я — трилобит!!!»

После этих слов сгустился непроницаемый мрак, но тут же рассеялся. Теннисон сидел в кресле, а перед ним со шлемом в руках стоял Экайер. Джейсон с силой выдохнул и посмотрел на Экайера.

— Пол, вы сказали, что взяли кристалл наугад. Но это не так.

Экайер улыбнулся.

— Ну, допустим, не наугад. Помните, я рассказывал вам об одном Слушателе?

— Да, о человеке, который был трилобитом. Но это оказалось настолько реально!

— Друг мой,— торжественно сказал Экайер.— Вы можете быть совершенно уверены, что это было не кино. Не развлекательный трюк. Все это время вы *были* трилобитом.

Глава 14

ВЕРНУВШИСЬ К СЕБЕ, Теннисон увидел Джилл, сидевшую в кресле у камина. Теннисон кинулся к ней.

— Джилл, ты здесь! Как хорошо! А я уже волновался за тебя, хотел разыскивать.

— Губерт готовит обед,— сообщила она.— Я сказала ему, что, наверное, останусь обедать. У тебя все в порядке?

Он наклонился, поцеловал ее и уселся рядом.

— У меня все прекрасно. А у тебя как дела?

Она поморщилась.

— Не очень. Они не хотят, чтобы я писала о них. Вместо этого мне предлагают работу.

— Ты согласилась?

— Нет. Не уверена, что соглашусь. Я слышала, ты решил остаться. Это правда?

— На время, по крайней мере. Чтобы пересидеть, переждать, совсем неплохое пристанище.

Она указала на одинокую розу, стоявшую в вазе на кофейном столике.

— Где ты раздобыл эту прелесть?

— Садовник подарил. Сегодня утром я тут сад нашел. Мне бы хотелось тебе его показать.

— Они предложили мне комнаты,— сообщила Джилл.— Сегодня утром я переехала. Через четыре двери от тебя. Робот, который помогал мне перебираться, сказал мне, что ты здесь. У тебя найдется что-нибудь выпить?

— Наверное, найдется. Только давай сначала я тебе сад покажу.

— Давай.

— Тебе понравится, вот увидишь!

Когда они вышли в сад, она спросила:

— Ну и чем ты так восторгался? Сад как сад. Что случилось?

— Сад тут ни при чем,— ответил Джейсон.— Просто мне кажется, что у Губерта ушки на макушке. Только скажи или сделай что-нибудь, и это моментально известно всем и каждому. Не могу поручиться, что в саду нас не подслушивают, но все-таки тут безопаснее. А поговорить есть о чем.

— Это у тебя от Гастры осталось,— сказала Джилл.— Плащ и шпага.

Он пожал плечами.

— Может, ты и права.

— Итак, ты воспользовался шансом остаться здесь. Ну что ж, ничего дурного я в этом не вижу.

— Дурного, может быть, ничего и нет,— согласился он.— Но странно. Все очень странно. Тут есть одна женщина... та самая, которую меня позвали лечить. Она утверждает, что нашла Рай.

— Рай?

— Вот именно. Рай. Понимаешь, у них тут целая программа. Люди мысленно перемещаются в другие места и добывают данные, которые затем вводятся в Папу. Хотя... мне кажется, что это делается не только для того, чтобы загружать информацию в Папу. Судя по тому, что мне вчера ночью рассказал Экайер, между Ватиканом и теми, кто занят Поисковой Программой, существуют кое-какие расхождения во взглядах.

— Рай...— нахмурилась Джилл.— То есть самый настоящий Рай, библейский? С золотыми лестницами, трубящими трубами и парящими ангелами?

— Что-то в этом роде.

— Но, Джейсон, это невозможно!

— Наверное, невозможно, но Мэри думает, что нашла его. Экайер в это почти верит.

— Значит, твой Экайер глуп.

— Нет, он не глуп,— возразил Теннисон.— Джилл, скажи, они тебе угрожали?

— Угрожали?

— Да, угрожали или нет? Экайер мне довольно прозрачно намекнул, что мне могут не позволить покинуть планету.

— Нет. Мне никто ничего такого не говорил. Я беседовала с кардиналом, представляешь? Лиловая мантия, алая митра. Одна свечка на весь кабинет — очень торжественно! Погоди, постой-ка... Так ты поэтому остаешься? Потому что они пригрозили, что не дадут тебе улететь?

— Нет, не совсем так. Они могли бы отпустить нас. Но угроза остается. Этим местом правит Ватикан, а как Ватикан скажет, так и будет. Это слова Экайера. Но я остаюсь потому, что так хочу,— пока. Пока мне лететь некуда. Кроме всего прочего, здесь очень неплохо. И потом, должен честно признаться: я сильно заинтригован...

— Я тоже,— кивнула Джилл.— Кардинал и слышать не хотел, чтобы я написала о них книгу или статью. Он ни слова не сказал о том, что они не позволят мне улететь. Честно говоря, я рассчитывала только на то, что он меня просто вышвырнет. А он мне работу предложил!

— Стальной коготь в бархатной перчатке...

— Вроде того. Вообще, довольно-таки симпатичный робот. Ох, чуть не сказала «симпатичный старичок». Довольно милый, но упрямый. Я пыталась поспорить с ним, но без толку.

— Ну а работа?

— Они хотят, чтобы я написала для них историю Ватикана, ни много ни мало. Кардинал божится, что у них тут некому этим заняться, утверждает, что робота такому обучить невозможно. Ты только представь: у них есть полное описание всего, что тут происходило с того самого момента, как сюда прибыл первый корабль. Все лежит и ждет обработки. Я, конечно, сказала «нет». Ну, то есть... если припомнить, я не отказалась наотрез. Да, вроде бы я сказала, что я должна подумать. Но, наверное, у него все-таки создалось впечатление, что я сказала «нет».

— Ну а на самом-то деле?

— Джейсон, честно, я не знаю! Подумай только! Вся их история! Лежит, дожидается, когда кто-то ее изучит и напишет. Все эти годы она была здесь, и никто к ней пальцем не притронулся.

— Но что в этом хорошего, если ты все равно не сможешь ничего отсюда вывезти?

— Вот именно. Бессмысленно. Джейсон, я похожа на мошенника?

— Ну... да, пожалуй, похожа.

— Я не смогу жить дальше, если не добьюсь своего.

— Джилл, тут что-то не так. Сначала они не разрешают тебе писать о них, а потом преподносят всю свою историю на блюдечке с голубой каемочкой. Либо они действительно хотят, чтобы история была написана, либо при любых обстоятельствах уверены, что им удастся не выпустить тебя отсюда.

— Если так,— заявила Джилл,— они много на себя берут! Не слишком ли они в себе уверены?

— Не слишком. Ровно настолько, насколько надо. Так мне и Экайер ночью сказал. Абсолютно уверены.

— Джейсон, мы, наверное, пара идиотов. Занесло нас сюда, это надо же! Конечно, если Ватикан так волнует утечка информации, единственный способ убедиться, что информация не уйдет за пределы планеты,— не дать никому отсюда выбраться.

— А паломники? Паломники прилетают и улетают.

— Кардинал мне это более или менее объяснил. Паломники, похоже, не в счет. Они с разных планет, приверженцы тайных культов, мало кем уважаемые. Их россказни никто всерьез не принимает, даже соотечественники. Религиозный дурман, одним словом.

— А Ватикану есть что прятать,— задумчиво проговорил Теннисон.— Паломники, к примеру, наверняка ничего не знают о Поисковой Программе Экайера.

А Программа, пожалуй, будет поважнее самого Ватикана. Исследователи тянут знания из Галактики, из всей Вселенной, отовсюду — из пространства и времени, а может быть, у них и дальше руки доходят — за пределы пространства и времени. Если, конечно, такие места есть. Если есть хоть одно такое место...

— Может быть, Рай как раз такое место? Если вообще Рай можно назвать местом.

— Главное,— покачав головой, задумчиво проговорил Теннисон,— что больше нигде ничего подобного нет. В рамках Поисковой Программы накоплены целые мили файлов с информацией, собранной за многие столетия. Все это здесь. Что они собираются со всем этим делать?

— Но... может быть, действительно скармливают Папе?

— Какому Папе, вот вопрос,— пожал плечами Теннисон.— Надо еще понять, что за Папа такой. Нет, думаю, не вся информация уходит туда. Экайер мне так и сказал, что не вся. И еще он мне кое-что сказал. Сейчас постараюсь вспомнить поточнее... Ну, будто постепенно Ватикан стал своеобразным прикрытием для выполнения Поисковой Программы. Да, вроде бы вот так он и сказал. И еще попросил, чтобы я об этом никому из Ватикана не проболтался. Дал понять, что кое-кто из старожилов здешних может быть недоволен.

— Да, у Ватикана свои заботы,— проговорила Джилл.— Кардинал мне тоже кое-что рассказал. Выглядело так, будто он мне жаловался, хотя это вряд ли. Но... он и, похоже, еще некоторые кардиналы уверены, что у них кто-то потихоньку ворует информацию. «Мелкое воровство» — именно так он сказал. А больше всего его беспокоит, что они даже не догадываются, кто или что этим занимается...

Глава 15

ЕНОХ, КАРДИНАЛ ФЕОДОСИЙ, разыскал своего ближайшего помощника — Сесила, кардинала Робертса.

— Преосвященный,— сказал он,— мне кажется, нам с вами есть о чем побеседовать.

— Вы озабочены, Преосвященный,— ответил Робертс.— Что происходит?

— Прибыли двое новеньких. Люди, мужчина и женщина.

— Что вам о них известно?

— О мужчине — ничего. Экайер назначил его на должность врача Ватикана. Похоже, он бежал сюда, спасаясь от возмездия.

— А вы с Экайером об этом говорили, Преосвященный?

— Нет, не говорил. В последнее время с Экайером вообще стало невозможно разговаривать.

— Да, знаю,— кивнул Робертс.— Такое впечатление, будто он возомнил, что его Поисковая Программа — наше главное дело. Если хотите знать мое мнение, Преосвященный, то я считаю, что он чересчур возгордился. Много на себя берет.

Феодосий вздохнул.

— Да, друг мой... Как бы мы ни восхищались людьми, попадаются среди них такие, с которыми порой очень трудно ладить.

— Ну а женщина, Преосвященный?

— Я беседовал с ней утром. Она — писательница. Вы только представьте себе: писательница! Это она написала нам все эти письма. Я вам рассказывал про письма?

— Да, как будто рассказывали.

— И она хочет написать о нас.

— Написать о нас?

— Да. Это же было во всех письмах. Вы их читали или нет?

— Читал, конечно. Но у меня это как-то вылетело из головы. Это, безусловно, невозможно. Просто наглость!

— Да. Наглость,— подтвердил Феодосий.

— Вы ей сказали, что это невозможно? —спросил Робертс.

— Да, но она настаивала на своем. Она очень упрямая женщина. В конце концов я предложил ей работу.

— Простите меня, Преосвященный, но у нас здесь нет никакой работы!

— Работа есть,— возразил Феодосий.— Все эти годы мы говорили, что было бы хорошо, если бы кто-то взялся написать историю Ватикана. Мы мечтали о том, чтобы она оказалась на бумаге, чтобы любой мог читать и радоваться. Мы даже говорили, что хорошо было бы создать робота нового типа, который смог бы написать нашу историю. Но... похоже, роботы не приспособлены для того, чтобы писать что-то такое... художественное. Да, пожалуй, робота, который умел бы писать книги, нам не удастся сконструировать. А тут вдруг такой подарок судьбы — она прилетела сама, добровольно и может написать то, что нам нужно.

— Господи милосердный, и что же она вам ответила?

— У меня такое впечатление, что она без ума от моего предложения. Но я не об этом с вами хотел поговорить.

— Нет? А я думал, что именно об этом — о новых людях, мужчине и женщине.

— О, конечно, и о них тоже, но не только о них. В последние годы в нашу жизнь вторглись три человека...

— Три? Кто же третий?

— Третий —Декер. Кто он такой? Что нам о нем известно?

— Согласен,— кивнул Робертс.— Знаем мы о нем немного. Нам неизвестно, как он сюда попал. Он не прибыл на «Страннике», а я не знаю другого способа попасть сюда человеку. Но может быть, вы, Преосвященный, знаете о нем больше? Вы ведь с ним говорили?

— Несколько лет назад,— кивнул Феодосий.— Вскоре после того, как он тут объявился. Я переоделся простым монахом и навестил его, стараясь изобразить обычное гостеприимство. Разыграл такого, знаете, тихого, скромного, но любопытного монашка. Я подумал, что с монахом он будет более откровенен, чем с кардиналом. Но я ровным счетом ничего не узнал. Ничего он мне не сказал. Человек он довольно симпатичный, но неразговорчивый, замкнутый. А теперь эти двое — мужчина и женщина. Скажите, Преосвященный, зачем нам нужен врач-человек? Мы могли бы за сравнительно недолгий срок обучить кого-то из наших роботов лечить людей, и он был бы таким же знающим и умелым, как любой из докторов-людей. А может, и получше, поскольку у нас есть доступ к самым последним достижениям медицинской науки.

— Да,— вздохнул Робертс,— это я понимаю. Мы часто об этом беседовали. Периодически нам приходится искать врача для людей со стороны. Это весьма прискорбно. Нам не нужны посторонние. Старый доктор, который умер — это для людей, к сожалению, неизбежно,— был совсем, совсем неплох. Хотя, как вы, наверное, помните, поначалу мы в нем сомневались. А тот, кто заменил его, был просто невыносим. Люди в городке и в Ватикане, за исключением Слушателей, которых мы набираем немного,— все коренные жители, потомки тех, кто живет тут уже несколько столетий. Их нам бояться нечего. Они — почти одно целое с нами. А вот те, кто прибыл со стороны, представляют собой реальную опасность. Они не привыкли к нам, а мы — к ним.

— И все-таки,— покачал головой Феодосий,— даже наши люди, потомки тех, кто здесь живет уже несколько столетий, и те вряд ли согласятся лечиться у врача-робота. Это огорчает меня, Преосвященный. Это указывает на глубокую социальную пропасть, которая до сих пор существует между людьми и роботами. Я так надеялся, что за столько лет эта пропасть исчезнет. Конечно, между роботами и людьми есть различия, но...

— Я склонен полагать, Преосвященный друг мой,— сказал Робертс,— что подсознательно люди боятся нас, поскольку от нас, если можно так выразиться, до сих пор пахнет машинами. А спроси их об этом прямо, они, конечно же, начнут бить себя в грудь и утверждать, что ничего такого не думают, и сами будут верить, что говорят чистую правду, но это не так — я уверен. Что касается робота-врача, то, согласен, мы могли бы предложить им такого, но сомневаюсь, что это стоит делать. Здесь, на Харизме, мы могли бы обойтись с людьми по-разному. Могли бы, к примеру, завалить их предметами роскоши, но тогда им могло бы показаться, что мы преклоняемся перед ними, и они возгордились бы. Можно было сделать из них нечто вроде маленьких домашних зверушек — пристально следить за каждым их шагом, предупреждать все их желания, оберегать от любой опасности. Но этого нам делать не следует. Мы не имеем права оказывать на них какое бы то ни было давление. Мы должны позволить им идти своей дорогой и сохранять чувство собственного достоинства.

— В итоге мы столкнулись с дилеммой,— констатировал Феодосий.— Мы сражаемся сами с собой. Нам все время мешает то уважение, то безотчетное поклонение, которое мы испытываем перед людьми. Это ответ на их отношение к нам, и мы никак не можем от этого избавиться. Конечно, речь прежде всего о вас и обо мне, о таких, как мы. Мы созданы людьми. Мы стоим к ним слишком близко. Некоторые из роботов второго и третьего поколений могли бы избавиться от этого поклонения перед людьми. А мы пытаемся убаюкать себя, твердя, что мы нечто иное, чем продолжение рода человеческого. Да, нам хочется так думать — как можем мы думать иначе, если столько лет повторяем это наизусть? Но горькая, ужасная правда состоит в том, что мы — продукт, создание рук человеческих.

— Преосвященный,— мягко проговорил Робертс,— вы излишне строги к себе и ко всем нам. Мы, может быть, действительно, как вы выразились, продукты, но мы так упорно трудились последнее тысячелетие, и наши труды не пропали даром — смею утверждать, мы поднялись над уровнем продуктов! Да, наше отношение к людям не дает нам покоя до сих пор. Но если вы задумаетесь, то поймете, что муки наши беспричинны. В течение столетий мы искали универсальный принцип, который мог бы быть применен ко всем — не только к людям и роботам, но ко всякому разумному существу, хоть с проблеском сознания. Преосвященный, мы оплатили свой долг. Мы заработали право быть самими собой.

— Но почему же меня так беспокоят эти трое? Не возникло ли у меня то отношение, которое испытывает ребенок по отношению к строгому отцу? Придет, посмотрит на мои шалости и накажет...

— Все мы, Преосвященный, не вы один,— сказал Робертс,— согнуты, придавлены комплексом неполноценности. Это, увы, наш крест, и приходится его нести. Дайте нам еще несколько тысячелетий, и мы избавимся от него.

— Как верно вы говорите, Преосвященный, как верно... По трезвом размышлении я нахожу внутри себя столько вины, столько грехов — о, это невозможно выразить словами! Порой бывают времена, простите меня, Преосвященный, когда мне приходится испытывать вину за то, что мы стали создавать Его Святейшество. Я говорю с самим собой и спрашиваю себя: не святотатство ли это? Ведь на самом деле — Его Святейшество всего-навсего один из нас, никакой не святой, а просто-напросто машина, еще один значительно усовершенствованный робот, кибернетическая тень, которой мы слепо поклоняемся...

— Ваше Преосвященство! — в ужасе воскликнул Робертс.— Надеюсь, вы больше никому не высказали этих еретических мыслей? Как старый друг, я могу отпустить вам этот грех, но...

— Клянусь всем святым, я никогда никому не говорил об этом,— сказал Феодосий.— Только вам, старому товарищу. Я бы и сейчас не сказал, если бы не стечение обстоятельств. Видение Рая, бывшее одной из наших Слушательниц...

— Да, очень плохо,— согласился Робертс.— На братию это подействовало гораздо сильнее, чем я ожидал. Я надеялся, что слух пройдет и о нем скоро позабудут. Слушательница Мэри, как я слышал, была на пороге смерти. Умерла бы — и всей этой глупости пришел бы конец. Но этот врач...

Глава 16

МЭРИ ПОПРАВЛЯЛАСЬ. Температура снижалась, одышка почти исчезла. Взгляд ее становился все более осмысленным, и она уже узнавала тех, кто ухаживал за ней, могла сидеть в постели.

Те, кто знал Мэри раньше, не могли не заметить разительных перемен в ее поведении. Она стала карикатурно величественной — этакая престарелая, потрепанная гранд-дама. Ворчала на Теннисона, помыкала сестрами, игнорировала предписания.

— Это все из-за Рая, я уверен,— высказал как-то предположение Экайер.— Она теперь считает, что стала лучше, выше других Слушателей. Конечно, она и была одной из лучших. Многие годы она добывала для нас ценнейшую информацию. Но такой важной ни она, ни кто другой еще не разыскивали никогда. И как это ни парадоксально, я опасаюсь, что эта находка поставит на ней крест как на Слушательнице. Быть хорошим Слушателем означает преданность делу, искренность и скромность. Сама задача Слушания достигается через глубокое смирение. Слушатель призван смирять себя, укрощать свою гордыню, должен стараться свести на нет собственное «я». Очень жаль, что клоны Мэри...

— Да, насчет клонов,— кивнул Теннисон.— Ты уже как-то говорил мне про клоны, но коротко. Хочешь сказать, что вы ухитрились создать других Мэри?

— Примерно так,— согласился Экайер.— Когда нам попадается выдающийся по своим способностям Слушатель, мы прибегаем к клонированию. Это недавнее достижение. Смею предположить, что биоинженерной лаборатории Ватикана удалось в этом плане опередить всю Галактику. Точные, четкие повторения избранного субъекта — до сих пор не наблюдалось никаких аберраций. Хороших Слушателей найти очень трудно. Такую Слушательницу *потерять* мы просто не имеем права и должны дублировать ее. У нас уже есть три ее клона, но пока это маленькие дети. Они растут. Но даже когда они вырастут, у нас нет гарантии, что хотя бы один из них найдет путь к Раю. Мы можем надеяться, что у них будет для этого больше возможностей, чем у других Слушателей, которые с Мэри кровными узами не связаны. Да, ее дубли будут прекрасными Слушателями, но насчет Рая мы все равно не можем быть уверенными.

— Значит, Мэри — ваша единственная надежда?

— Именно так,— покачал головой Экайер.— Самое печальное, что она это знает. Вот почему она стала такая важная.

— Могу я тут чем-нибудь помочь? Сделать что-нибудь такое, чтобы подкорректировать это состояние?

— Не трогай ее, Джейсон,— посоветовал Экайер.— Обращай на нее поменьше внимания. Чем больше ты будешь с ней носиться, тем больше она будет нос задирать.

Джилл решила остаться и написать историю Ватикана.

— Ничего страшного,— объяснила она Теннисону, прогуливаясь с ним под руку по саду.— Ну, представь: следующий корабль прилетит сюда с Гастры не раньше чем через пять недель. Только через пять недель можно будет подумать о том, чтобы убраться отсюда. За пять недель, если буду сидеть сложа руки и ничего не делать, я тут с ума сойду! Я не умею ничего не делать.

— Ну, знаешь... могла бы, к примеру, на горы любоваться. Они такие красивые. Все время меняют цвет. Я никогда не устаю смотреть на них.

— Ну и смотри,— пожала она плечами.— А я к этим красотам совершенно равнодушна.

— А ты не боишься втянуться в работу? Вдруг в истории Ватикана тебе будет так интересно копаться, что ты просто не сможешь оторваться? Если Ватикан вообще позволит тебе оторваться... Может настать момент, когда ты будешь знать слишком много, чтобы они позволили тебе уйти.

— Рискну,— твердо сказала Джилл.— Рискну. Знаешь, я раньше и не в таких переделках бывала, но всегда успевала улизнуть в последний момент. Господи, тут же все, о чем я только могла мечтать,— вся информация! Полный, детальный отчет...

Она с головой ушла в работу. Выпадали дни, когда Теннисон вообще не видел ее. Появлялась она только к обеду и рассказывала, рассказывала...

— Просто передать тебе не могу, до чего интересно,— восхищалась она, наспех глотая еду.— Столько всего... Все, абсолютно все, что они планировали, думали, делали.

— Я тебе говорил, что втянешься,— предостерегал ее Джейсон.— Смотри, так ты никогда отсюда не улетишь. Станешь этаким книжным червячком, увязнешь в работе.

— Не бойся, не увязну,— твердо заявляла Джилл, вытирая губы салфеткой.— Где-то внутри меня никуда не делась прежняя Джилл Робертс — бесшабашная, свободная как ветер журналистка, возмутительница Галактики, ищущая сюжеты по всему свету. Настанет время... но ладно, хватит об этом. Что это мы все про меня да про меня. У тебя как дела, Джейсон?

— Я привыкаю.

— И счастлив?

— Счастлив? Трудно сказать. Что такое счастье? Удовлетворен — да. Доволен маленькими профессиональными успехами, но их мало, совсем мало. Знаешь, я никогда не был врачом-фанатиком, которому только и надо, что добиваться немыслимых высот в работе, чтобы его непрерывно похваливали. Неужели недостаточно просто делать добро ближнему? Пока те случаи, с которыми сталкиваюсь по работе, позволяют чувствовать, что я на своем месте. Пока, повторяю, пока это все, что мне нужно. С Экайером мы уже на «ты», и с остальными я неплохо лажу.

— Ну, а как поживает эта дама, что нашла Рай?

— Как поживает? Будь я проклят, если знаю. Физически она почти здорова.

— Однако я чувствую, есть какое-то «но».

— Она очень переменилась. Гордая стала — страшное дело! Мы все — пыль у нее под ногами. Я не психолог, конечно, но мне кажется, с ней не все в порядке.

— Это можно понять, Джейсон. Представь, попробуй представить, что для нее значит Рай! Нашла она его на самом деле или нет, все равно это для нее жутко важно. Может быть, впервые в жизни с ней произошло что-то по-настоящему значительное.

— Она-то сама уверена, что нашла Рай.

— Как и половина Ватикана.

— Половина? Сомневаюсь. Я бы сказал: весь Ватикан.

— Не думаю. Мне прямо ничего не говорят, но я слышу кое-какие разговоры. Понять трудно, но не все здесь безумно счастливы, что Рай найден.

— В голове не укладывается! Рай кого-то не устраивает? Уж в Ватикане-то должны быть просто на седьмом небе от счастья!

— В Ватикане не все так просто, как нам кажется, Джейсон. Это все из-за терминологии — «Ватикан», «Папа», «кардиналы» и все такое прочее. Легко подумать, что тут все насквозь христианское. Нет, это не так. Тут всего понамешано помимо христианства. Я пока еще не разобралась окончательно, но чувствую, что все тут очень сложно. Давным-давно, вероятно, когда эти бедняги только обосновались здесь, в основе их мировоззрения и было только христианство. Но роботы за долгие годы обнаружили столько всего, что теперь это уже далеко не классическое христианство. И потом есть еще кое-что...

Она поколебалась мгновение. Теннисон молча ждал, когда Джилл заговорит вновь.

— Видишь ли, в Ватикане существует два типа роботов, две, так сказать, группировки, между которыми четкого разграничения нет. Есть старые роботы, которые прибыли с Земли. Эти до сих пор чувствуют влечение к людям, хотят быть похожими на них. Связь между людьми и роботами для них неоспорима. Совсем другое дело — молодежь, то есть роботы, которых создали уже здесь, на Харизме,— собрали, родили, сконструировали — называй как хочешь,— главное, что их сделали не люди, а другие роботы. Эти как-то по-своему враждуют — нет, не с людьми, конечно, упаси Бог, но с самим отношением к людям, свойственным старым роботам. Эти стальные юнцы мечтают порвать связь с человечеством. О да, они попрежнему осознают, что роботы в долгу перед человечеством, но хотят порвать эту связь, отделиться, доказать, что они сами что-то из себя представляют. Рай, который нашла Мэри, вызывает у них протест, поскольку само это понятие связано с человеческими представлениями. Мэри — человек, и она нашла христианский, человеческий Рай...

— Не совсем логично,— вмешался Теннисон.— Не все же люди — христиане. Я вот, к примеру, не могу сказать, христианин я или нет, да и ты, думаю, тоже. Может быть, наши предки были христианами, хотя никто не мешал им быть иудеями, или мусульманами, или...

— Но согласись, все-таки многие из нас — потомственные христиане, независимо от того, придерживаемся мы христианских обычаев или нет. Во многих из нас до сих пор силен христианский тип мышления. До сих пор мы, не задумываясь, употребляем слова, отражающие краеугольные понятия христианства — «ад», «Христос», «Господь», «Спаситель». Как легко и свободно они у нас с языка слетают!

Теннисон согласно кивнул.

— Да, можно допустить, что роботы всех нас считают христианами, хотя бы в душе. И не сказал бы, что это так уж плохо — быть христианином.

— Конечно нет, Джейсон. Просто когда люди начали покидать Землю, они многое растеряли на пути, многое забыли о самих себе. Многие теперь просто не знают, кто они такие — без роду, без племени.

Какое-то время они сидели молча, потом Джилл тихо и нежно проговорила:

— Джейсон... а ты уже совсем не замечаешь моего ужасного лица. Не спорь, не замечаешь. Ты — первый мужчина в моей жизни, который сумел не обращать внимания на это жуткое пятно.

— Джилл, милая,— растроганно сказал Джейсон.— Почему же я должен замечать его?

— Потому что оно меня обезображивает. Я — уродина.

— Ты — красавица, Джилл,— возразил Теннисон.— В тебе так много красоты — и внешней, и внутренней, что о такой малости легко позабыть. И ты совершенно права — я больше ничего не вижу.

Джилл прижалась к нему, он крепко ее обнял, погладил по голове.

— Держи меня крепче, Джейсон,— шептала она.— Мне это так нужно, так важно...

Это был единственный вечер. Чаще всего они и вечерами не виделись. Джилл долгими часами сидела над историей Ватикана, вытягивала из отчетов разрозненные данные, собирала их, старалась в них разобраться и не уставала поражаться фанатизму, с которым роботы веками добивались цели.

«Это — не религия,— говорила она себе.— Нет, не религия».

Порой она начинала сомневаться и убеждалась в обратном — нет, все-таки религия. Она работала, думала, и неотвязный вопрос «что такое религия?» все время преследовал ее.

Иногда ее навещал кардинал Феодосий — он приходил, тихонько усаживался на табуретку рядом с ней — такой маленький, закутанный в огромную мантию, похожий на стальную мумию.

— Вам нужна помощь? — интересовался он.— Если нужна, мы дадим вам еще помощников.

— Вы так добры ко мне, Ваше Преосвященство,— благодарила Джилл.— У меня вполне достаточно помощников.

И это было правдой. Ей помогали двое роботов, которые, казалось, не меньше ее самой были заинтересованы работой. Порой над письменным столом склонялись сразу три головы — два робота и женщина пытались решить какой-нибудь чересчур запутанный вопрос, расшифровать какую-нибудь строчку в записях, обсуждали тончайший богословский аспект толкования религии, стараясь точнее изложить, как мыслили, как верили те, кто записал свои мысли столетия назад.

Во время одного из визитов кардинал объявил:

— Вы становитесь одной из нас, мисс Робертс.

— Вы мне льстите, Ваше Преосвященство,— попыталась отшутиться Джилл.

— Я не знаю, что вы подумали, но я не это имел в виду,— возразил кардинал.— Я имел в виду ваши взгляды на вещи, столь очевидный энтузиазм в работе, вашу преданность фактам, истине.

— Если говорить об истине, Ваше Преосвященство, то тут ничего нового — истине я была верна всегда.

— Дело не столько в истине,— уточнил кардинал,— сколько в понимании. Я верю, что вы начинаете понимать, какова цель вашей работы здесь.

Джилл отодвинула в сторону кипу бумаг, над которыми работала, и покачала головой:

— Нет, Ваше Преосвященство, вы ошибаетесь, мне не все понятно. Может быть, вы будете так любезны и объясните мне кое-что. И главный пробел в моем понимании — это то, что вас заставило покинуть Землю. Официально считается, что это произошло потому, что вас не принимали в лоно ни одной церкви, потому, что вы были лишены возможности исповедовать какую бы то ни было религию. Это вам скажет в Ватикане любой робот, и скажет так, будто это религиозный догмат. Но здесь, в записях, я не нахожу четких подтверждений...

— Все, что происходило до прибытия сюда,— объяснил кардинал,— в отчетах не отражено. Не было нужды записывать то, что и так всем известно. Все мы знаем, почему прибыли сюда.

Джилл промолчала, хотя хотела спросить еще. Она побаивалась спорить с кардиналом, даже с кардиналом-роботом.

И он либо не заметил, что она хотела еще о чем-то спросить его, либо уверился, что достаточно полно ответил на вопрос. Больше ни о чем он в этот раз не говорил. Немного посидел сгорбившись на табуретке, потом молча поднялся, поклонился и ушел.

Дни Теннисона тоже были заполнены до отказа. Он ходил по Ватикану — наблюдал, разговаривал, знакомился и болтал с роботами. Он познакомился и с некоторыми из Слушателей. Особенно близко он сошелся с Генри, тем самым, что был трилобитом.

— Так вы, значит, смотрели мой кристалл с трилобитом? — обрадовался Генри.— Ну-ка, ну-ка, расскажите, какое же у вас было впечатление?

— Я был совершенно ошеломлен,— признался Теннисон.

— Я тоже,— сказал Генри.— С тех пор я еще ни разу не работал как Слушатель. Боюсь, честно вам признаюсь. Пытаюсь убедить себя, что дальше трилобита мне не выбраться. Трилобит — это ведь так близко к сотворению мира. Еще шаг... и человеку придется столкнуться, точнее, стать кусочком безмозглой протоплазмы, ничего не ощущающей, кроме голода и опасности. Фактически и трилобит недалеко ушел в этом смысле. Но тут вмешалось мое собственное сознание, и трилобит осознал себя. А потом... пойди я дальше назад, я бы запросто мог увязнуть в промозглой массе живого холодца. Неплохой вариант для человека окончить дни свои, а? — хихикнул Генри.

— Но вы могли бы попробовать что-нибудь еще.

— Вы не понимаете. Да, конечно, я мог бы попробовать что-нибудь еще. Многие Слушатели отправляются в какие-то особые места и времена. Иногда им это удается, иногда — нет. Никогда нельзя быть уверенным. Слушание — занятие очень непростое. Многое в нем не зависит от собственного желания. Взять, к примеру, Мэри. Думаю, она еще раз попытается попасть в Рай, а Мэри — превосходная Слушательница, и у нее это может получиться скорее, чем у кого-то другого. Но даже она ни в чем не может быть уверена. Никто никогда ни в чем не может быть уверен. Я ведь сам вовсе не стремился отправиться по линии зародышевой плазмы. Просто так вышло.

— Но почему вы не хотите больше слушать? Вряд ли вы...

— Доктор Теннисон,— нахмурился Генри,— я же сказал, что не знаю, почему меня занесло на этот путь с самого начала, почему я отправился именно в прошлое. Но я знаю точно, что после первых путешествий у меня возникло впечатление, будто я лечу вниз на безотказном парашюте. И боюсь, этот парашют до сих пор на месте, ждет меня. Поначалу я не был против. Это, пожалуй, даже забавно в каком-то роде. Очень интересно. Я побывал в роли всяких первобытных людей — это было замечательно! Страшновато бывало, не скрою — все время приходилось бояться за свою жизнь. Да, мистер Теннисон, доложу я вам, наши далекие предки не слишком большими фигурами были в свое время. Куски мяса среди кусков мяса, только и всего. Хищникам совершенно безразлично, нас жрать или кого-то еще. Белки и жиры — вот и все, что мы собой представляли. Половину времени я только и делал, что убегал от кого-нибудь. А остальное время добывал себе пищу — доедал какую-нибудь мерзкую падаль, оставленную крупными кошками и другими хищниками, иногда питался грызунами, которых мне удавалось убить, фруктами, корнями, насекомыми. Иной раз просто не по себе делается, как вспомню, что я там ел, заглатывая целиком, сырое... но ведь счастлив был, что хоть это добыл на пропитание. Но тогда меня это нисколько не смущало. Да что там греха таить — у вас, прошу прощения, желудок крепкий, доктор? — ну так вот, знаете, до сих пор иногда... увижу гнилушку и с трудом удерживаюсь, чтобы не перевернуть ее и не посмотреть, нет ли под ней белых, жирных личинок. Они извиваются, пытаются уползти, но я им не даю — крепко хватаю и отправляю в рот. Их так приятно глотать! На вкус они немного сладковатые... И вот просыпаюсь, весь в поту от страха, под ложечкой сосет. Но за исключением таких моментов было совсем неплохо. Страшно — да, но знаете, сам по себе страх — очень интересное ощущение. Так приятно, когда удавалось удрать и показать нос большой кошке, которая гналась за тобой, да не поймала, и теперь ее можно подразнить. Вот потеха так потеха!

И других забот нет, кроме как набить живот да разыскать местечко, чтобы спрятаться да поспать. Ну, еще, конечно, поиск самки и все такое прочее...

Я бы вот что еще рассказать хотел, доктор. Мне довелось побывать... в общем, это было самое лучшее из того, кем мне довелось побывать. Это был не человек и не предок человека, даже ничего близкого. Это было нечто вроде ящерицы, но я точно не знаю, и никто не знает. Экайер много времени потратил, все старался выяснить, что это такое, да так и не узнал. Он даже кое-какие книжки заказал, думал, там что-нибудь найдет, но...— и Генри развел руками.— А меня это вовсе не волновало — мне-то что. Можно, конечно, предположить, что это было нечто вроде связующего звена — какой-то праящер, от которого для палеонтологов не осталось даже косточки, чтобы раскапывать да раздумывать. Я думаю, и Экайер тоже так думает, что это существо жило в триасовый период. Я сказал «ящерица»? Нет, это, конечно, никакая не ящерица, просто слова другого подобрать не могу. Она не слишком большая была, но очень шустрая — самая шустрая из всех существ, которые жили в то время. А уж злющая... Она ненавидела всех и вся, со всеми дралась, ела все, что движется. Все, что попадалось, разрывала в клочья. Я до этого и представить себе не мог, что такое настоящая жестокость и какое наслаждение она дает... Кровожадная такая жестокость! — Генри скрипнул зубами и сжал кулаки.— Монстр, настоящий монстр, доктор, поверьте. Трилобитом я был совсем мало, этой ящерицей довольно долго пробыл. Сколько именно — точно не знаю, чувство времени исчезает, когда переселяешься в другое существо. Может быть, я там так долго и оставался, потому что нравилось. Вы бы попросили Экайера, пусть он вам разыщет этот кристалл с ящерицей. Вам понравится, вот увидите!

— Ну... не знаю...— поежился Теннисон.— Может, и попрошу как-нибудь.

Кристалл с ящерицей он смотреть не стал. Там было множество других. Экайер был готов показать ему что угодно. Он распорядился, чтобы робот-депозитор, ответственный за хранение файлов, давал Теннисону на просмотр все, что тот пожелает. Робот предоставил в распоряжение Теннисона длиннющий каталог.

«Непонятно все-таки,— не переставал удивляться Теннисон.— Человек я здесь посторонний, а передо мной — все их сокровища. Как будто я сотрудник, участвующий в выполнении Программы».

...А в Ватикане все двери были распахнуты перед Джилл. И это было так непохоже на то, что сказал ей кардинал при первой встрече — что Ватикан прямо-таки дрожит над историей и до сих пор боится, что кто-то хоть немного о них разузнает.

«Ответ,— думала Джилл,— совсем простой: Ватикан уверен, что ни за что на свете не позволит тому, кто хоть что-то узнает о них, покинуть Харизму».

А может быть, расчет был на то, что и Теннисон, и Джилл, будучи посвящены в тайны Ватикана, станут его горячими приверженцами. Ватикан — кучка фанатиков, оторванных даже от ближайших секторов Галактики, отдаленных настолько, что ни у кого не могло возникнуть искушения улететь туда. Эта преданность, эта изоляция могли, по их расчетам, возвеличить Ватикан в глазах новичков. Стоит только объяснить непосвященным, сколь велики цели и задачи Ватикана, и все станет на свои места — у них исчезнут все желания, кроме одного: посвятить всю жизнь без остатка ему — смиренной жертве собственного всепоглощающего эгоцентризма. Только объяснить — и всю жизнь отдадут за Ватикан...

Теннисон замотал головой. Нет, не то, не так... В этом логики было явно маловато. Если бы они захотели, могли бы отправить его и Джилл укладывать вещички, пока «Странник» не отбыл на Гастру. Конечно, они уже тогда могли бы что-нибудь узнать о Ватикане, но уж не столько, сколько узнали теперь. Да, Джилл могла бы написать о том, как ее выгнали с Харизмы, но на фоне бесконечных крестовых походов, скандалов и перебранок, раздирающих Галактику, что толку было бы от этой статьи? Ерунда, круги на воде от крошечного камушка, брошенного в бескрайний океан.

Но может быть, тогда все совсем просто? Может быть, они оба здесь действительно нужны? Да, здесь нужен врач для людей. И не исключено, что Ватикан действительно заинтересован в написании истории. Правдой было и то, что Ватикану очень трудно найти специалистов на стороне, так трудно, что как только парочка профессионалов оказалась на Харизме, на них прямо-таки набросились с предложениями остаться. Но почему-то Теннисона такой ответ не устраивал. Было непонятно, почему они с Джилл так бесценны, так необходимы Ватикану. Вновь и вновь к нему возвращалась мысль о том, что Ватикан не хочет позволить им уйти...

Один из просмотренных им кристаллов очень удивил Джейсона. Он находился внутри сознания одного из обитателей странного мира, именно внутри сознания, но пережитое им было за границами человеческого понимания. Он видел,— хотя, трезво размышляя, не мог с уверенностью сказать даже самому себе, что именно «видел»,— так вот, он побывал в мире графиков и уравнений, то есть ему показалось, что это были графики и уравнения, однако знаки и символы, из которых они были составлены, не имели ничего общего с принятыми в мире людей. Все было так, будто он находился внутри некой трехмерной школьной доски, а значки и символы окружали его, заполняли все пространство вокруг. На какое-то мгновение ему показалось, что он сам или то существо, которым он был там, было уравнением.

Он мучительно искал ответа, объяснения, пытался осторожно, мягко ощупать сознание, в которое проник, но ответа не получил. Либо это загадочное существо не догадывалось о его присутствии, либо... Самому существу, по всей вероятности, было понятно то, что оно видит, наверное, оно даже каким-то образом общалось, взаимодействовало с другими графиками и уравнениями. Но даже если это было так, Теннисон все равно ничего не понял. Мучился — и тонул в океане непонимания, неизвестности.

Но не оставлял попыток понять: он оставался в этом мире, стараясь ухватиться хоть за какой-то оттенок смысла, чтобы оттолкнуться от этого и начать хоть что-то понимать... Но все было без толку. Когда запись на кристалле окончилась и Теннисон вернулся в привычный мир, он знал ровно столько, сколько до начала просмотра.

Не двигаясь, он сидел в просмотровом кресле.

— Нечто совсем особенное, не правда ли? — наклонился к нему робот-депозитор.

Теннисон протер глаза руками. До сих пор перед глазами мелькали значки и символы.

— Угу,— кивнул он.— А что это было?

— Сэр, мы сами не знаем.

— Зачем тогда нужно было находить это, давать мне смотреть?

— Может, Ватикан знает,— предположил робот.— В Ватикане много знают. Они умеют понимать такие вещи.

— Ну что ж, искренне надеюсь,— вздохнул Теннисон, поднимаясь с кресла.— На сегодня с меня хватит. Завтра можно зайти?

— Ну конечно, сэр. Заходите завтра. В любое удобное для вас время.

Назавтра он попал в осеннюю страну...

Ничего особенного — место как место. На этот раз было такое впечатление, что он свободен и не проник ни в чье сознание — просто сам был там, сам по себе. Вспоминая потом о своем путешествии, он не мог судить со всей ответственностью, действительно ли он где-то побывал, но ощущение реальности пережитого не покидало его. Теннисон мог поклясться, что слышал потрескивание и шорох сухих сучьев и опавшей листвы под ногами, вдыхал терпкий, как вино, запах осенних костров, перезрелых яблок, последних, случайных, задержавшихся на голых ветвях, ощущал прикосновение первых заморозков к жухлой листве. Слышал — или ему казалось, что слышал,— хруст желтой стерни под ногами, мягкий стук орешков, падавших на землю, внезапный, далекий посвист крыльев улетавшей на юг стаи невидимых птиц, нежные, свежие трели крошечного ручейка, несущего на своей поверхности тяжкий груз опавших листьев. А еще были цвета — в этом он был просто уверен — золотые монетки листьев орешника, лимонная желтизна осин, красные как кровь сахарные клены, шоколадно-коричневые дубы... Над всем этим царило горько-сладкое ощущение осени, великолепие умирающего года, когда окончены все труды и провозглашено начало времени покоя и отдыха.

Ему было легко и покойно, он с радостью и готовностью погрузился в этот мир. Взбирался на холмы, спускался с них, шел берегом извилистого ручейка, останавливался и любовался багрянцем и золотом осенних лесов, поражался тому, как великолепен контраст желтизны деревьев и синевы небес. Удивительный покой сходил в его сердце. Краткий покой, наступающий в душе в самом конце жаркого лета, порядок и равновесие, царящие в ней, покуда ее не скуют холода близкой зимы. Время отдохновения, размышлений, залечивания старых ран и забывания о них и о тех превратностях судьбы, которые нанесли душе эти раны...

Потом, вспоминая об осенней стране, он сказал себе, что это — его собственный Рай. Не высоченные сверкающие башни, не величественная широкая лестница, не пение торжественных фанфар — не то, что привиделось Мэри, но это был настоящий Рай — спокойный, мирный осенний день, клонившийся к вечеру, опустившийся на землю, уставшую от изнурительного зноя лета, от долгого пути по пыльным дорогам.

Погруженный в собственные впечатления, он ушел в тот день из депозитария, обменявшись лишь самыми формальными фразами с роботом-депозитором. Вернувшись к себе, он попытался мысленно вернуться в осеннюю страну, но, увы, добился только того, что ощутил всю эфемерность, призрачность ее существования...

В этот вечер он сказал Джилл:

— Знаешь, у меня такое чувство, будто я ненадолго вернулся на свою родную планету, в свое детство и раннюю юность. Моя родная планета похожа на Землю. Я сам об этом судить не могу, поскольку на Земле никогда не бывал, но мне всегда говорили, что она потрясающе похожа на Землю. Ее в свое время заселили выходцы из Англии, и называлась она Педдингтон — ее назвали в честь города, если «тон» — это «town», что означает «город». Похоже, так оно и есть. Обитатели Педдингтона никогда и не задумывались, что тут что-то не так. У англичан туго с чувством юмора. Там много говорили о Древней Земле, о той Земле, на которой была Англия, хотя позднее мне стало казаться, что это скорее была Северная Америка, а не Англия. В детстве меня страшно интересовала Англия — я кучу книжек прочел и по истории, и легенд всяких и преданий. В нашей городской библиотеке целый отдел был...

— Кстати, о книгах,— прервала его Джилл.— Давно хотела сказать тебе, да все как-то из головы вылетает. В библиотеке Ватикана полным-полно книг — земных книг, которые сюда привезли прямо оттуда. Настоящие книги, не магнитофонные записи, не дискеты. Обложки, листы — все честь по чести. Думаю, можно договориться, чтобы ты мог прийти и почитать там все, что тебе будет интересно.

— Да, пожалуй, стоит как-нибудь выбрать денек — прийти, покопаться в книжках,— согласился Теннисон.— Так вот, я тебе про Педдингтон начал рассказывать. Очень похоже на Землю. Люди там все говорили, до чего же им повезло, что они нашли такую похожую планету. «Обитаемых планет много,— говорили они,— но далеко не все они похожи на Землю». А там, на Педдингтоне, многие деревья и растения были именно такие, какие росли на Древней Земле. И времена года там такие же. Там было такое потрясающее время — бабье лето... Деревья расцвечены всеми оттенками красок, дали подернуты дымкой... Я почти забыл об этом, а сегодня вот увидел это снова. Или мне показалось. Я вдыхал ароматы осени, жил в ней, слышал ее.

— Ты грустный сегодня, Джейсон. Не думай об этом. Пошли спать.

— Этот математический мир,— сказал Теннисон Экайеру.— Я там ничего не понял. Скажи, Пол, тот Слушатель, что нашел его, возвращался туда?

— И не раз,— ответил Экайер.

— Ну и?..

— Не удалось уловить никакого смысла. То есть — никакого.

— И часто такое случается?

— Нет, что касается математического мира, не часто. Слушатели редко видят одно и то же. Во Вселенной, где что угодно может статистически произойти минимум однажды и максимум однажды, слишком мало шансов для повторов. Это происходит, но не часто. Случаются необъяснимые наблюдения, у которых ни начала, ни конца.

— Что за смысл тогда? Какая из этого выгода?

— Может быть, для Ватикана и есть какая-то выгода.

— Хочешь сказать, что вы все передаете в Ватикан?

— Естественно. Для этого, собственно, все и делается. Для Ватикана. У них есть право просматривать абсолютно все. Они просматривают кристаллы, а потом возвращают нам для хранения. Иногда они отправляются по следам Слушателей, иногда нет. У них для этого есть свои способы.

— Но для того, чтобы понять что-то в мире уравнений, кто-то должен отправиться туда лично, реально и посмотреть на все собственными глазами, а не глазами тамошних аборигенов. Я в этом уверен.

— Ну, я могу тебе сказать только одно: у Ватикана есть возможности посещать те места, которые мы обнаруживаем.

— Ты хочешь сказать, что они туда попадают физически?

— Конечно, именно физически. Я думал, ты это уже понял.

— Что ты! Даже не догадывался! Мне этого никто не говорил. Значит, это не всегда подглядывание через замочную скважину?

— Иногда поболее того. Иногда — нет. Иногда приходится довольствоваться подглядыванием.

— А почему же тогда Ватикану не отправиться в Рай и не разузнать там все как следует? Я думаю...

— Наверное, они не могут, потому что не знают, где это. У них нет координат.

— Не понял. А что, Слушатели умеют определять координаты?

— Нет, этого они не умеют. Но для этого есть другие способы. Народ Ватикана в таких делах многого добился. Один из самых примитивных способов — это ориентация по картине звездного неба.

— А на кристалле, где есть запись о Рае, такой картины нет? Не должно быть, если это действительно Рай. Рай не должен иметь ничего общего с такими понятиями, как время и пространство. Ну а если Ватикан всетаки найдет координаты, они отправятся туда? Пошлют кого-нибудь в Рай?

— Клянусь, не знаю,— ответил Экайер.— Не могу даже догадываться.

«Полный тупик»,— подумал Теннисон. Видение Рая было настолько неразрывно связано с философией, тонкостями богословия, элементом чуда, что все власти предержащие должны быть напуганы до смерти. Он вспомнил, что говорила ему Джилл о различиях во взглядах роботов в Ватикане.

— Рай,— сказал Теннисон,— означает вечную жизнь, жизнь после смерти. Можешь мне ответить, нашли ли ваши Слушатели хоть какие-нибудь доказательства того, что такая жизнь существует, хоть бы какие-то признаки жизни после смерти?

— Не знаю, Джейсон. Не уверен. Честное благородное слово, не знаю. Нет возможности...

— Что значит «не уверен»?

— Понимаешь, существует много разных форм жизни. Вселенная просто-таки кишит всевозможными формами жизни — биологической и всякой другой. Среди небиологических форм жизни полным-полно разновидностей...

— Ну да,— кивнул Теннисон,— роботы, к примеру.

— При чем тут роботы, черт возьми? Ну да, извини, конечно, роботы — одна из разновидностей небиологической жизни. Произведенная, искусственная форма небиологической жизни. Но существуют природные формы небиологической жизни, понимаешь? В области созвездия Орион, например, существует пылевое облако. Небольшое скопление пыли и газа. Отсюда его трудно разглядеть даже в самый мощный телескоп. Смешение магнитных полей, газов высокой плотности, мощнейшая ионизация, тяжелые облака космической пыли. И там есть что-то живое. Может, сам газ, сама пыль. А может — и что-то еще. Можно почувствовать ритм жизни, ее пульс, и... оно разговаривает! Нет, разговором это с большой натяжкой можно назвать — «коммуникация» подойдет лучше. Уловить это можно, но понять — увы! Может быть, те формы жизни, которые там обитают, что-то пытаются сказать нам, а может быть, говорят между собой...

— Но какое отношение это имеет к жизни после смерти?

— А я разве сказал, что это имеет отношение к жизни после смерти?

— Да нет,— вздохнул Теннисон,— не говорил как будто.

Иногда Теннисон, прихватив с собой немного еды и бутылочку вина, перебросив через плечо термос с кофе, отправлялся бродить по окрестностям — ходил по узким, извилистым тропкам, взбирался на невысокие холмы. И всегда перед его глазами были горы — синие и лиловые, они возвышались над окрестностями, всегда волшебные, всегда таинственные, изборожденные причудливыми тенями, сползавшими по склонам, сверкающие белизной заснеженных пиков. Долгие часы Теннисон мог сидеть, глядя на горы, устроившись на невысоких пригорках, и никогда не мог наглядеться. Загадка гор, их необъяснимая притягательность оставались нераскрытыми, сколько на них ни смотри.

Он уходил далеко от Ватикана, порой плутал, шел не по той дороге, которой ушел из дому, но в конце концов всегда находил тропинку, которая выводила его домой. Он радостно топал по ней, поднимая башмаками маленькие облачка пыли, спину его грели лучи теплого солнца, а в памяти хранилось величавое спокойствие гор. Проходило несколько дней, и он вновь отправлялся на прогулку, порой менял направление, но горы видели его всюду и следили за ним.

Однажды после полудня, возвращаясь в Ватикан по одной из нешироких дорог, он услышал позади шум мотора. Оглянувшись, он увидел сильно помятый автомобиль, за рулем которого сидел мужчина. Теннисон был удивлен не на шутку — впервые за время его одиноких вылазок ему кто-то встретился, не говоря уже об автомобиле. Он отступил с дороги в сторону, чтобы пропустить машину, но автомобиль остановился. Водитель поинтересовался:

— Вы такой любитель ходить пешком, что даже не хотите, чтобы вас подвезли немного?

У незнакомца было простое, честное, открытое лицо, умные голубые глаза.

— С удовольствием проедусь,— улыбнулся Теннисон.

— Надо понимать,— сказал мужчина, когда Джейсон уселся рядом,— вы — новый доктор из Ватикана? Теннисон, если не ошибаюсь?

— Верно,— не без удивления ответил Теннисон.— А вы?

— Я Декер. Томас Декер — к вашим услугам, сэр.

— А я тут брожу уже столько дней,— признался Теннисон,— и, представляете, вы — первый, кого я встретил.

— И ничего удивительного. Только со мной вы и могли встретиться. Остальные-то по домам сидят, у каминов греются. Даже неинтересно им выйти да посмотреть, что за порогом делается. Смотрят на горы каждый Божий день и только горы видят. А вот вы видите больше, чем просто горы, а, доктор?

— Гораздо больше,— не стал отрицать Теннисон.

— Ну а как насчет того, чтобы увидеть еще больше? У меня сейчас такое настроение, что я вполне мог бы для вас экскурсию провести.

— Получайте клиента,— улыбнулся Теннисон.— Никаких возражений.

— Ну что ж... Батарея заряжена, хватит на несколько часов. Предлагаю для начала взглянуть на фермы.

— Фермы?

— Ну конечно, фермы. Что это вы так удивились? Вы же хлеб едите, правда? Мясо, молоко, яйца?

— Ну, естественно.

— И как вы думаете, откуда это все берется, если не с ферм?

— Как-то, признаться, в голову не приходило.

— Эти роботы, они все продумали,— объяснил Декер.— Они должны кормить своих людей, поэтому некоторые из них стали фермерами. Нужно электричество — они построили плотину и поставили электростанцию. Они пользуются и солнечной энергией, но не слишком широко. Однако такая возможность есть, и, если понадобится, они ее используют, не сомневайтесь. У них есть и ветряк, но он работает редко — нет большой потребности. Раньше он был очень нужен, когда его только построили. Но это было давно, много веков назад.— Прищелкнув языком, он продолжал: — Уж в чем, в чем, а в безделье роботов не упрекнешь. Ну вот взять хоть лесопилку для примера. Там у них стоит примитивный паровой двигатель — как вы думаете, на чем он работает? На щепках и опилках.

— Полное самообеспечение. Круговорот,— заключил Теннисон.

— А куда деваться. Приходится. Жизнь заставляет. Они ведь предоставлены сами себе. Такой вещи, как импорт, практически не существует, то есть он есть, но крайне ограничен. Небольшие грузы, которые время от времени доставляет «Странник». Доставка влетает в копеечку. Роботы ввели строжайший режим экономии, потребности ограничены до минимума. Ведь если вам нужно немного, то и денег нужно немного, согласитесь. А денег у роботов мало. То, что они выкачивают из паломников,— и есть все их средства. У них существует небольшой отряд лесозаготовителей — эти весь год только тем и занимаются, что собирают сучья и хворост для каминов и очагов, которые тут есть у всех. Постоянная потребность — постоянное обеспечение. Все рассчитано до мелочей. У них есть мельница, чтобы молоть зерно —

пшеницу и другие злаки. Не было случая, чтобы хлеба не хватило, еще и запасы делают на случай неурожая. Хотя до сих пор, насколько мне известно, неурожаев тут не было. Все примитивно до чертиков, но все работает, а это — самое важное.

Теперь они ехали по более широкой дороге, чем та, на которой Теннисон повстречал Декера. Дорога пошла под уклон и спустилась в долину, покрытую желтыми полями. Акры поспевающей пшеницы золотым морем колыхались под порывами легкого ветерка.

— Скоро сбор урожая,— сообщил Теннисону Декер.— Даже ватиканская братия оторвется от своих священных обязанностей и выйдет на поля, чтобы собрать урожай. Кардиналы подвернут края лиловых мантий, чтобы не запылились. Монахи прибегут в своих коричневых балахонах — пользы от них только раз в году. Ходят с серпами, жнут вручную, ползают по полю, как муравьи. У них есть машина — сборщик соломы — замечательно работает, все собирает, ничего не остается. Есть паровая косилка, и для нее они заранее запасают дрова.

Между полями пшеницы попадались пастбища, заросшие сочной, зеленой травой, там паслись коровы, лошади, овцы и козы. В загонах похрюкивали довольные, толстые свиньи. В небольших вольерах озабоченно кудахтали куры.

Декер указал в сторону горизонта.

— А там,— сказал он,— поля кукурузы, чтобы скот кормить. А вот это небольшое поле впереди — там рожь. Я же вам говорю — они все продумали. За холмами — отсюда не видать — у них есть пасека, и там целая куча ульев. А вот где-то тут должен быть... ага, вот, мы как раз подъезжаем — тут сахарный тростник — для тех пирожных, что вы потом будете есть за утренним кофе.

— Совсем как на моей родной планете,— сказал Теннисон.— Я родился на аграрной планете.

Они проезжали огороды, сады — яблони, груши, абрикосы, персики — все деревья клонились под тяжестью плодов.

— А вот вам и вишневый сад,— показал Декер.— Ранние сорта. И все до вишенки собирается.

— Да...— протянул Теннисон.— Потрясающе. Вы правы, у них все продумано.

Декер весело усмехнулся:

— Ну, скажем так: у них было полно времени, чтобы все продумать. Тысяча лет, а может, и побольше того. Но все это им не понадобилось бы, не будь им нужны люди. А люди им были нужны. Не знаю, когда они привезли сюда первых людей. Мне кажется, лет через сто после того, как сами тут обосновались.

...Когда они возвращались, солнце почти село.

— Спасибо вам огромное за экскурсию,— поблагодарил Теннисон.— Честное слово, я себе такого не представлял.

— Ну а как вам в Ватикане, если не секрет?

— Недурно. Привыкаю помаленьку. То, что видел, пока нравится.

— Знаете что-нибудь про эту болтовню насчет Рая?

— Да так... время от времени кое-что слышу. Пока не могу понять, в чем тут дело. Есть одна женщина, которая думает, будто нашла Рай.

— Так-таки нашла?

— Не знаю,— пожал плечами Теннисон.— Лично я склонен сомневаться.

— Вы правы,— кивнул Декер.— Слухи тут все время гуляют. Не Рай, так что-нибудь другое.

В это мгновение Теннисон заметил вспышку света над правым плечом Декера. Отвел взгляд и снова взглянул на то же место — над плечом Декера сверкало крошечное облачко искристой пыли. Теннисон непроизвольно поднял руку, протер глаза — сияние исчезло.

— Что, в глаз что-то попало? — спросил Декер.

— Да нет, ерунда. Пылинка, наверное. Уже все прошло.

— Может, хотите, чтобы я посмотрел? Или все в порядке?

— Нет, спасибо. Все нормально.

Декер вел машину по серпантину дороги, поднимавшейся на нагорье, где был расположен Ватикан. Горы в лучах закатного солнца казались фиолетовыми.

— Вас у клиники высадить? — спросил Декер.— Или где-нибудь в другом месте?

— У клиники, если вам не трудно,— попросил Теннисон.— Еще раз спасибо за прогулку. Было просто замечательно.

— Я иногда выбираюсь в горы,— сообщил Декер.— Порой на несколько дней ухожу. Если у вас найдется время, не хотите ли как-нибудь прогуляться со мной?

— Был бы счастлив, Декер.

— Давайте на «ты». Зовите меня Том.

— Хорошо, Том. Меня зовут Джейсон. Думаю, мне удастся выкроить пару дней как-нибудь.

— Конечно, только чтобы прогулка на нарушила твоего рабочего режима. Думаю, тебе понравится.

— Я просто уверен, что мне понравится.

— Ну, значит, на том и порешили.

Декер высадил Теннисона у клиники. Джейсон немного постоял у крыльца, глядя, как исчезает вдали громыхающая колымага. Когда машина скрылась за поворотом, он повернулся и собрался было отправиться к себе, но совершенно неожиданно для самого себя вдруг передумал и пошел в сад — тот самый, который обнаружил в первый день своего пребывания в Ватикане.

Сумерки ласковой пеленой окутывали сад, здесь царили нежность и странный, терпкий аромат поздних цветов. Сад был похож на тускло освещенную театральную сцену на фоне темно-лилового занавеса отвесных гор. Оглядывая сад, Теннисон понял, почему его потянуло сюда: это было самое подходящее место, где можно было попрощаться с уходящим прекрасным днем. Самое интересное — пока он не пришел сюда, он не понимал, как прекрасен был этот день.

«Не Декер ли,— подумал он,— сделал этот день таким замечательным?»

Но тут же прогнал эту мысль. Дело было, конечно, не в Декере. Кто такой Декер? Просто новый знакомый — человек, который никак не связан с Ватиканом и поэтому немного непохожий на тех, с кем ему приходилось встречаться до сих пор. Но все-таки в нем было что-то такое, чего Теннисон пока понять не мог.

По вымощенной гравием дорожке к Теннисону подкатился робот.

— Добрый вечер, сэр,— проговорил он.

— Добрый вечер и тебе,— ответил Теннисон.— Прости, сразу не узнал тебя. Ты — садовник. Как поживают розы?

— Неплохо, неплохо,— ответил робот.— Большинство уже отцветает, но еще есть несколько бутонов. Через пару дней будут цветы. Чайные розы, очень красивые. Приходите полюбоваться на них.

— Непременно,— пообещал Теннисон.

Робот двинулся вперед в сторону калитки, но вдруг резко обернулся.

— Новости слыхали, сэр?

— Не уверен. О каких новостях ты говоришь?

— О, сэр, значит, не слыхали! Слушательницу Мэри собираются канонизировать.

— Канонизировать? То есть... объявить святой?

— Именно,— подтвердил робот.— Ватикан так думает...

— Но, прости, людей не канонизируют, пока они живы! Проходит какое-то время после смерти, пока...

— Я про это ничего не знаю, сэр. Но та, что нашла Рай...

— Погоди-ка, садовник, постой минутку. Где ты об этом слышал? Кто об этом говорит?

— Ну, вся община в Ватикане. Она будет нашей первой святой. Все считают, что это просто превосходная идея. Наша первая святая, сэр. До сих пор у нас не было святых, а теперь будет своя святая, и...

— Ну а кардиналы? А Его Святейшество что думает по этому поводу?

— Не знаю, сэр. Мне таких вещей знать не положено. Мое дело маленькое. Но все говорят. Вот я и подумал, что вам будет интересно.

В знак прощания робот поднял руку, в которой были зажаты садовые ножницы, и удалился по дорожке, ведущей к калитке, а Теннисон остался в саду один-одинешенек.

Легкий ветерок обдал его лицо ароматом вечерних цветов и вывел из задумчивости.

— Боже милостивый,— сказал Теннисон вслух, обращаясь к самому себе,— теперь с ней совсем сладу не будет!

Глава 17

НАСТАЛА НОЧЬ. В библиотеке погасили свет. Единственная лампа горела над столом Джилл. Двое ее помощников уже ушли — один по церковным делам, а второй — за сандвичами и стаканом молока для Джилл.

Джилл отодвинула в сторону стопку бумаг — записи, над которыми она работала,— и, откинувшись на спинку стула, заложила руки за голову. Посидела так, потом руками обняла плечи и поежилась.

«Где же это может быть и как это может быть? — думала она.— Что это за места такие — за пределами времени и пространства?»

Она всеми силами пыталась сконцентрировать свои познания о подобных вещах, но ей было совершенно не от чего оттолкнуться, не за что ухватиться, а в здешних записях не было ничего такого, что могло бы облегчить эту задачу. Одно было ясно — иногда роботы отправлялись в путешествия за пределы пространственно-временного континуума на кораблях собственной конструкции, приводимых в движение энергией мысли, силой разума. Она не была в этом уверена, но из записей следовало именно это.

«Господи Боже,— покачала головой Джилл,— ну и угораздило же меня влезть во все это! И как только я позволила, чтобы меня в это втянули?»

Теперь было ясно, она ни за что не сможет отказаться от этой работы, не захлопнет раскрытую на середине книгу. Она обязана узнать — а узнать надо так много... А ведь Джейсон ее именно об этом предупреждал — следовало прислушаться к его словам. «Ты втянешься,— говорил он,— и не сможешь оторваться».

Работала она настолько добросовестно, что даже неутомимые помощники пытались отговорить ее от такой скрупулезности. Один из роботов посоветовал ей прочитать все записи от начала до конца, не углубляясь в мелочи. Но она была убеждена, что без этих самых мелочей ей не удастся составить общую картину.

«Подходят ли для таких мест понятия “где” и “когда”? —думала Джилл.— Может, там другое “где” и “когда”? Нет, это неправильно. Это за пределами разума, за границей понимания. Может быть,— гадала Джилл,— эти места —где-то в районе завихрений магнитных бурь, и там обитают небиологические существа —не только живые, но и разумные, хотя даже представить себе такой разум было просто невозможно».

«Невозможно»,— твердила она себе, но вынуждена была признать, что такие формы жизни существовали и в пределах знакомых пространственно-временных понятий, как бы непостижимо ни было само их существование для человеческого понимания.

«Внутри пространства и времени,— рассуждала Джилл,— должны действовать физические законы, такие, какие действуют в известной нам части Вселенной,— должны существовать энергия и материя, причина и следствие, бытие и небытие... но внутри этих параметров есть место для интеллекта и мышления, которые запросто могут идти на несколько шагов впереди биологического интеллекта и биологического мышления. Это можно принять теоретически, но невозможно понять умом, представить воочию».

Самое ужасное, что она никак не могла представить себе существования чего-либо за пределами пространства и времени —страны «Нигде-никогда», которая могла преспокойно жить-поживать, не испытывая никакой нужды в пространственно-временных рамках, не повинуясь твердой руке физических законов, определяемых этими рамками.

«Мир, в котором царствует энергия мысли,— размышляла Джилл, строя догадки,— да ведь и “энергия” — понятие, которое тут никак не годится». И именно в такие миры порой отбывали роботы на своих кораблях, управляемых силой разума, путешествовали не только по обитаемой Вселенной, но даже трудно себе представить где.

Что до остальных моментов истории Ватикана — все выглядело довольно-таки просто и было изложено во всех подробностях: прибытие на Харизму, первые дни освоения планеты, строительство самого Ватикана, разработка проекта и создание до сегодняшнего дня электронного Папы, прибытие людей, начало работы в рамках Поисковой Программы, создание и усовершенствование новых типов роботов.

Было такое впечатление, что роботы самым тщательным образом продумали все еще до того, как покинули Землю. Еще там, еще тогда они знали, что им нужно,— отдаленная планета, на которую вряд ли залетят случайные путешественники, где никто не будет им мешать осуществлять задуманное. Единственное условие: планета, которую они искали, должна быть пригодной и для жизни людей, ведь сами роботы могли существовать практически на любой планете, и если бы не люди, им было бы намного проще отыскать базу для своей деятельности. Но роботы и не помышляли приниматься за осуществление проекта без помощи людей. Прямых указаний на это Джилл в записях не обнаруживала, но верила, что роботы не представляли своей работы без людей. Проверенное веками сотрудничество, партнерство с людьми существовало до сих пор, а в те далекие дни, когда Ватикан только-только зарождался, оно было и того прочнее.

А вот сколько у роботов было кораблей, на которых они прибыли, и как они раздобыли на Земле оборудование для них, этого в записях Джилл не нашла. По самой точной ее оценке кораблей должно было быть никак не больше трех. Было сделано несколько челночных рейсов на Землю и обратно, последним из них доставили материалы и оборудование, еще не собранные ко времени первой высадки. Последним рейсом прибыли и люди, чьи потомки до сих пор жили на планете. Впоследствии корабли были разобраны на части и использованы в качестве утильсырья. Но когда это сделали, было неясно.

«Скорее всего,— предположила Джилл,— не раньше, чем были построены новые корабли, управляемые разумом, если они действительно были таковыми».

На первый взгляд могло показаться, что роботы сделали гораздо больше, чем можно было успеть за тысячу лет,— могло показаться, если забыть о том, что роботы не нуждаются ни в отдыхе, ни в сне. Они могли работать круглые сутки напролет в течение недель, месяцев, лет. Они никогда и ничем не болели. Им не нужны были ни отпуска, ни развлечения. Им не нужно было тратить время на еду и перекуры.

А создание роботов нового поколения и их модернизация — это же было намного проще, чем эволюция биологических форм жизни! Естественная биологическая эволюция — это смерть старых поколений и рождение новых, необходимость генетических мутаций в процессе длительного, медленного процесса адаптации. А роботам для появления новых видов нужно только разработать новые модели и механизмы и воплотить то, что существовало на чертежах.

За спиной Джилл послышались шаги, она обернулась. Это был Аза с молоком и сандвичами.

Он аккуратно поставил поднос на стол и бесшумно отошел в сторону.

— Чем еще я могу помочь вам, мисс?

— Ничего не нужно,— улыбнулась Джилл.— Отдохни. Посиди со мной. Поболтаем?

— Я не нуждаюсь в отдыхе,— возразил робот.— И сидеть мне вовсе не обязательно.

— Но в этом же нет ничего противозаконного.

— Противозаконного — нет, мисс.

— Даже кардиналы сидят,— убеждала она робота.— Когда Его Преосвященство, Феодосий, навещает меня, он всегда садится на эту табуретку и разговаривает со мной.

— Если желаете,— сказал Аза и опустился на табуретку.

Джилл взяла с подноса сандвич и откусила кусочек. Сандвич был с необычайно вкусным ростбифом. Отхлебнув молока, она спросила:

— Аза, ты не мог бы рассказать мне о себе? Ты появился на Земле?

— Нет, мисс, не на Земле.

— Значит, здесь?

— Да, здесь. Я — робот третьего поколения.

— Понятно. И сколько же здесь может быть поколений?

— Трудно сказать. Это как считать, мисс. Кто говорит — пять, а кто — и все семь.

— Так много?

— Так много. Может, и больше.

— А ты бывал когда-нибудь в тех местах, которые находили Слушатели?

— Дважды, мисс. Я совершил два путешествия.

— А за пределами пространства и времени бывал?

— Один раз.

— А ты не мог бы мне рассказать, на что это похоже?

— Не могу, мисс. Невозможно рассказать. Просто — другое место. Совсем не так, как здесь.

Глава 18

ТЕННИСОНУ СНИЛСЯ математический мир. На этот раз одно из уравнений показалось ему знакомым. Да нет, не одно, а больше...

Первое, как ему почудилось, было Экайером. График и внешне неуловимо напоминал Экайера, и уравнение, которое он изображал, несло в себе что-то экайеровское, но что именно — он понять не мог. Может быть, дело в цвете — в графике преобладали серый и розовый цвета, а именно они почему-то ассоциировались с Экайером.

«Нет, цвета тут ни при чем,— думал Теннисон во сне.— Скорее всего, дело именно в тех компонентах, в тех символах, которые слагают уравнения, в зримых очертаниях графиков».

Теннисон мучился, тяжело дышал, покрывался потом, напрягался изо всех сил, пытаясь решить уравнения, но это оказалось не под силу, ведь он не знал ни условий, ни значения знаков и символов.

Он неохотно, с трудом отошел от того уравнения, что показалось ему Экайером. «Нужно посмотреть с другого места,— решил он.— Отвести взгляд и посмотреть снова — вдруг тогда все станет ясно?»

Ему обязательно, во что бы то ни стало надо узнать, Экайер ли это.

Окружающее виделось Теннисону в дымке, очертания графиков расплывались, воздух — если это был воздух — колебался, дрожал.

«Если хоть что-нибудь тут стояло на месте, я бы смог все как следует разглядеть»,— страдал Теннисон. Вся беда была в том, что вроде бы и не менялось ничего, но во всем ощущалась такая зыбкость, такая изменчивость — того гляди, все растает.

Он исполнил свое намерение — отвел взгляд в сторону и снова взглянул на то же самое место в надежде, что застанет график врасплох.

«Экайер» исчез! Пропали серый и розовый цвета. Теперь на этом месте возникли совершенно другой график и другая цепочка уравнений. Они горели ярко-лиловым и золотым цветами.

Глядя на этот график, Теннисон окаменел. Мурашки побежали по спине. В ужасе он закричал:

— Мэри! Мэри! Мэри!

Пытаясь стряхнуть оцепенение, мучительно напрягая последние силы, он попытался вырваться оттуда, где находился. Но бежать было некуда, и какая-то неведомая, невидимая сила держала его, не давая уйти.

— Нет! Нет! Нет! — кричал он, а кто-то шептал ему:

— Ну-ну-ну...— И ласковые руки гладили его...

Открыв глаза, он обнаружил, что кругом темно,— и это было странно, ведь глаза его были открыты.

Знакомый голос произнес:

— Нет-нет, Губерт, все в порядке. Просто ему снился страшный сон.

— Джилл...— слабым голосом выговорил Теннисон.

— Да, милый. Все хорошо. Я с тобой. Ты вернулся...

Он лежал на кровати. Над ним склонилась Джилл, а в дверном проеме застыл Губерт.

— Я сегодня задержалась допоздна,— объяснила Джилл.— Думала, ты уже спишь, но на всякий случай постучала, и Губерт впустил меня. Я хотела повидаться с тобой. Мне так много нужно сказать тебе, Джейсон.

— Я был в математическом мире,— сказал Теннисон.— Опять он мне приснился. Джилл, я видел Экайера — он был серо-розовый, а когда я на секунду отвел взгляд...

— Ты кричал что-то про Мэри. Там была Мэри? Райская Мэри?

Он кивнул и попытался сесть, все еще не в силах окончательно прогнать кошмарное видение.

— Мэри была лиловая и золотая,— сказал Джейсон.— И это было ужасно!

Глава 19

ДВЕНАДЦАТЬ ЛЕТ Декер не возвращался к катеру — да, двенадцать лет назад он ушел отсюда насовсем, а катер остался лежать в небольшом, заросшем густой травой ущелье между отвесными скалами. За годы все вокруг сильно заросло, но не настолько, чтобы катера совсем не стало видно. По всей вероятности, не только Декер, но и никто сюда не наведывался все эти годы, потому что катер лежал так, как запомнил Декер. Он сам удивился, что легко удалось разыскать катер, не заблудиться в бесчисленных отрогах и выйти куда нужно.

— Ты здесь, Шептун? — спросил Декер.

Можно было и не спрашивать, но все-таки...

— Да, Декер, я здесь. И глухоман здесь. Он много дней подряд наблюдал за нами.

— На что мы ему сдались?

— А он просто любопытный. Интересно ему. Ты интересен и вообще люди. И мне ты интересен. Зачем ты вернулся к своему началу?

— Это не мое начало,— ответил Декер.— Начало мое не здесь, оно было далеко отсюда.

— Ну, тогда... к своему началу на этой планете.

— Скажем так. Знаешь, что это такое там лежит?

— Ты мне говорил. Спасательный катер. Устройство, которое пронесло тебя в целости и сохранности через пространство, пока не отыскало планету, на которой ты был бы в безопасности, где ты мог бы выжить. А больше ты мне никогда ничего не рассказывал. Мне, самому близкому другу...

— Ты — мой самый близкий друг?

— Если не я, назови другого.

— Увы, ты прав,— признался Декер.— Ну, слушай. Выйдя из анабиоза, я даже не представлял, куда меня занесло. Поначалу мне показалось, что это необитаемая, девственная планета, что здесь нет никакой, даже самой примитивной цивилизации. Я начал ее познавать, исследовать. За временем я не следил, но, наверное, многие недели бродил по округе и не видел ничего, кроме дикой природы, и должен тебе сказать, что это мне было по душе. Я решил, что я один-одинешенек на всей планете. Но как-то раз, на много дней отойдя от катера, я вышел на высокий горный гребень и увидел Ватикан — белоснежные, строгие здания вдали. И я понял, что не одинок, что здесь живут разумные существа, хотя тогда я даже не догадывался, кто они такие.

— Но ты не побежал туда сломя голову?

— Откуда ты знаешь, Шептун?

— Я догадываюсь, потому что я знаю тебя, Декер. Я знаю, что ты за человек,— сам по себе, замкнутый, никто тебе не нужен, никому не желаешь ничего про себя рассказывать. Отшельник. Одиночка.

— Все-то ты знаешь,— вздохнул Декер.— Несносное создание.

— От такого слышу,— сказал Шептун.— А еще гордый очень. Ох и гордый... А почему ты такой гордый, Декер?

— Если бы я знал. По-моему, я всегда такой был.

А глухоман притаился в зарослях на взгорье, на самом краю усеянного валунами плато, и смотрел на них сверху вниз. Только сейчас Декер отчетливо ощутил его присутствие. Догадываться о том, что глухоман неподалеку, он стал еще до того, как об этом объявил Шептун.

— А глухоман-то все не уходит,— сказал он Шептуну.

— Не обращай внимания,— посоветовал Шептун.— Он просто хочет смотреть на нас — и смотрит. Думает, мы не знаем, что он здесь.

Декер пожал плечами и задумался. Он вспомнил о том дне, когда впервые увидел Харизму и Ватикан, увидел и понял, что он не один на необитаемой планете. В тот день он вернулся к катеру, собрал кое-какие пожитки — инструменты, посуду — все самое необходимое — и отправился в сторону поселка, только раз остановившись, чтобы бросить взгляд на катер, лежавший в травянистом ущелье,— последний, прощальный взгляд.

Добравшись до поселка, он выбрал место на окраине и, никому ничего не говоря, принялся за постройку хижины. Валил деревья нужного размера, сдирал кору, прикатывал бревна на место постройки. Набрал камней, чтобы сложить печку и очаг, сходил в поселок и купил в небольшой лавчонке стекла для окон. Законопатил щели между бревнами мхом и глиной. Набрал дров про запас и хвороста, сложил поленницу. Вскопал и разрыхлил землю под сад и огород и еще раз наведался в поселок, чтобы купить семян и саженцев. Посадил деревья, засеял огород. Все время потом он жил тем, что давал ему собственный клочок земли. Правда, иногда он охотился, но только чтобы прокормиться. Пока в саду и огороде ничего не созрело, он разыскивал в лесу дикие растения и пересаживал на грядки. Ловил рыбу в ближайшем ручье.

Поначалу его навещали любопытствующие обитатели поселка; казалось, вопросы так и вертятся у них на языке. Как-то заглянул монах из Ватикана — робот в коричневом балахоне, самый симпатичный из всех роботов, которых Декеру когда-либо доводилось встречать. Но почему-то Декеру показалось, что он не простой монах. Все, кто навещал Декера в первые дни, считали своим долгом наболтать ему как можно больше про Харизму и надавать советов. Декер наматывал на ус все, что ему рассказывали, а советы большей частью пропускал мимо ушей. Выболтав последние новости и не преминув дать самые полезные рекомендации, всякий норовил узнать побольше о хозяине. Декер не грубил, а попросту отмалчивался — делал вид, что не слышит вопросов,— и посетители уходили несолоно хлебавши. Кое-кто отваживался навестить его еще раз, но результат был тот же. В конце концов все махнули на него рукой.

Что, собственно, было совсем неплохо. Ему только того и надо было — чтобы все оставили его в покое. Порой, правда, он испытывал угрызения совести оттого, что так обходился со своими соседями, но всякий раз он приходил к выводу, что иначе нельзя и это — лучший выход из положения. Лучше ничего не говорить, пусть думают что хотят, нечего давать пищу для размышлений и рассказывать свою историю. Они могли сплетничать в свое удовольствие много лет.

«Почему ты вернулся к своему началу? — спросил его Шептун.— Почему вернулся к своему началу на этой планете?»

«А на самом деле, почему?» — теперь он спрашивал себя. На этот вопрос у него не было ответа. Просто потянуло сюда, и все.

«Эх, Декер, Декер,— пожурил он себя мысленно,— совсем ты из ума выжил, если уж сам про себя ничего не знаешь...»

— Декер,— прервал Шептун его раздумья,— знаешь, а этот Теннисон мне понравился.

— Да, он симпатяга.

— Он ведь увидел меня,— сообщил Шептун.— Уверен, он меня увидел. А таких, кто меня может видеть, мало. Это, знаешь, надо способности иметь, чтобы меня увидеть.

— Он тебя увидел? А откуда ты знаешь? А мне почему не сказал ничего?

— Я молчал, потому что сам не был уверен. Но я долго думал и вот теперь знаю точно. Он меня увидел и сначала не поверил своим глазам. Протирал глаза, думал, что с ними что-то не то. Ты что, не помнишь? Ты же сам спросил у него, не попало ли ему что-то в глаз. А он сказал, что, наверное, пыль. А ты еще раз спросил, может, нужно глаз промыть, а он сказал, что не надо, что все в порядке. Ну, вспомнил?

— Да, теперь вспомнил, когда ты рассказал.

— Ну вот. Я и сам кое-что увидел. Но только мельком. Пока точно не знаю что.

— Ты не говорил с ним? Не пытался заговорить?

— Нет, говорить не пытался. Но знаешь, он человек непростой, необычный. Это точно.

— Ну ладно,— сказал Декер.— Мы с ним еще увидимся. Вот и разглядишь получше, что это в нем такое необычное.

Глухоман ушел. Он больше не прятался в зарослях среди валунов. Декер перестал ощущать его присутствие.

— Давай-ка спустимся пониже,— предложил Декер Шептуну.— Поглядим, как там катер.

Глава 20

ЧЕРЕЗ ПОЛЧАСА после того, как Джилл ушла в библиотеку, явился Экайер. Губерт впустил его и, явно недовольный, удалился в кухню, где сердито гремел посудой. По всей вероятности, Губерта раздражало, что люди так долго просиживают за столом.

— Что-то ты рано сегодня,— отметил Теннисон.— Присаживайся, выпей чашечку кофе.

— Кофе выпью,— согласился Экайер,— но, имей в виду, рассиживаться нам с тобой особо некогда.

— Ну у меня-то времени много,— возразил Теннисон.— В клинику еще рано...

— Не так уж много, как ты думаешь. Нас с тобой удостоили великой чести. Нас благословили.

Теннисон удивленно взглянул на Экайера.

— Благословили на аудиенцию с Его Святейшеством.

— Ого!

— И это все, что ты можешь сказать?

— А что я, по-твоему, должен сделать? Упасть замертво? Встать по стойке «смирно»? Пасть на колени в священном трепете?

— Ну, не знаю... Мог бы, по крайней мере, выказать хоть какое-то уважение,— хмыкнул Экайер.— Это, знаешь ли, не шутки — удостоиться такой аудиенции.

— Прошу прощения. А я так сразу не догадался. А в чем дело?

— Точно не знаю. Но предполагаю, что это из-за случая с Мэри. Ну, из-за Рая. Феодосий и Робертс пойдут с нами.

— Это кардиналы, что ли?

— Да, кардиналы.

— Странно,— пожал плечами Теннисон.— Ну, почему Папа желает видеть тебя — это мне, скажем, более или менее понятно. Если речь действительно пойдет о Рае, то ты в этом, как говорится, по уши. А я-то тут при чем?

— Мэри — твоя пациентка. Может быть, он хочет узнать какие-то медицинские подробности. А может, дело вовсе и не в Рае. Может, ему просто хочется с тобой познакомиться. Человек ты новый, а обычно новый член Ватикана всегда бывает представлен Папе. Вполне естественно, что он желает взглянуть на нового ватиканского врача. Наверняка это давно планировалось, просто время сейчас такое, напряженное.

— Подозреваю, что тут всегда время напряженное.

— В общем, да. Но иногда бывает напряженнее обычного.

Пол и Джейсон пили кофе. Губерт продолжал греметь посудой изо всех сил. Наконец Экайер не выдержал и крикнул:

— Губерт!

— Да, сэр? — отозвался робот.

— Прекрати там греметь. Имеем мы право спокойно посидеть, кофе попить? Ты что, в самом деле?

— Ну конечно, сэр,— сказал Губерт. Шум затих.

— Совсем разболтался,— пробурчал Экайер.— И ведь я сам его избаловал на свою голову. Просто не знаю, что делать.

— Пол, я хотел спросить тебя кое о чем.

— Спрашивай, только быстро.

— Видел я кристалл один, такой... математический... уравнения там, графики... Я вроде бы тебе говорил. Ты сам-то его смотрел?

— Ну... да, как будто смотрел. Только давно. Он ведь был записан несколько лет назад.

— Ты говорил, что этот Слушатель возвращался туда несколько раз, но так ничего особенного не узнал.

— Да, к сожалению,— подтвердил Экайер.— А что, ты этим увлекся?

Теннисон кивнул и поставил на столик пустую чашку.

— Что-то в этом есть. А ухватить никак не удается. Только подумаешь: вот вроде бы начал что-то понимать — ан нет, все пропадает. Может быть, если бы я умел лучше манипулировать своим сознанием, а так... просто полным идиотом себя чувствую.

— Что — так-таки ни малейшей идеи, что бы это могло быть такое?

— Никакой. Чертовщина просто. Нет, это не бессмыслица, говорю же, что-то есть, но что? Я пытался себе представить, что только мог, но это ни с чем не ассоциируется, ничего не напоминает.

— Ты только не волнуйся,— посоветовал Экайер.— Я тебе мог бы кое-что и позанятней показать. Что ты, ей-богу, зациклился на этом кристалле? Все хранилище к твоим услугам, в любое время, когда пожелаешь.

— У меня, честно говоря, других дел хватало. Но вообще, положа руку на сердце, я стал побаиваться собственных впечатлений. И так, видишь, математический мир мне уже сниться начал. А осеннюю страну я просто забыть не могу. Тоскую по ней, тянет еще раз посмотреть. Но что-то меня удерживает — сам не знаю почему...

Экайер решительно допил кофе.

— Пора,— сказал он.— Пошли, навестим Папу.

Глава 21

ПАПА ОКАЗАЛСЯ всего-навсего грубо выполненным портретом — человеческим лицом, нарисованным на металлической пластине, укрепленной на голой каменной стене. Теннисону это лицо показалось похожим на фотографию человека из девятнадцатого столетия — давным-давно он видел ее в книге, найденной в библиотеке. А еще, как ни странно, резкие, угловатые линии, которыми был выполнен набросок, наводили на мысль о головоломке, которую складывают из отдельных кусочков. Лицо не производило впечатления живости, цельности, все время приходилось ловить себя на том, что рассматриваешь отдельные части, а лица целиком не видишь. Да, это был небрежный набросок, самый примитивный рисунок; символичность, приблизительность его ничем не была прикрыта — видимо, ему и не пытались придать никакого величия, могущественности. А может быть, наоборот — за счет внешней простоты пытались сообщить лицу большую выразительность?

Маленькая приемная, в которой они сидели, тоже была весьма скромной — это была всего-навсего ниша, вытесанная в скальной породе, из которой сложен горный кряж — основание Ватикана. Четыре голые каменные стены, а посередине одной из них — металлическая пластина, знак Папы. Чтобы попасть сюда, Теннисон и его спутники спустились по множеству лестниц и галерей, выбитых в твердом граните. Не было никаких сомнений — Папа-компьютер упрятан в самом сердце горы.

«Не исключено,— подумал Теннисон,— что существуют и другие приемные и там тоже выставлены такие лики Папы, а может быть, есть помещения и побольше, и лики побольше, ведь наверняка бывают случаи, когда вся ватиканская община должна собираться вместе, и представать перед Его Святейшеством. Мульти-Папа,— думал Теннисон,— многоликий и вездесущий».

Папа заговорил. Голос у него был негромкий, одновременно мягкий и холодный. Абсолютно непохожий на голос человека, но и на голос робота тоже. Роботы никогда не разговаривали с человеческими интонациями, но порой в их речи проскальзывали слова, которые они произносили, вкладывая в них что-то смутно напоминающее человеческую теплоту. Этот же голос был начисто лишен каких бы то ни было эмоций, никакого тепла в нем не было и в помине. Ни человек, ни робот... но все-таки не такой механический голос, которого можно было ожидать от машины. Он произносил слова с поразительной четкостью, и мысль, стоявшая за словами, была такая же четкая и безупречная — машинная, компьютерная, электронная мысль.

— Доктор Теннисон,— сказал Папа.— Расскажите мне о Слушательнице Мэри. Каково, по вашему мнению, ее психическое состояние?

— Я тут мало чем могу быть полезен, Ваше Святейшество,— ответил Теннисон.— О ее физическом состоянии — пожалуйста, могу рассказать. Я не психиатр.

— Тогда какой от вас толк? — сказал Папа.— Был бы у нас врач-робот, о чем мы неоднократно говорили, он бы разобрался в состоянии ее психики.

— Тогда,— сказал Теннисон,— создайте такого врача.

— Вам известно, Ваше Святейшество,— вступил в беседу кардинал Феодосий,— что люди в Ватикане не стали бы доверять врачу-роботу. Как вы справедливо отметили, мы уже не раз обсуждали этот вопрос...

— Это не имеет отношения к делу,— возразил Папа.— Вы придираетесь к моему замечанию, чтобы уйти от поставленного вопроса. Вы что скажете, Экайер? Вы как-то исследовали ее психику?

— Нет, Ваше Святейшество,— ответил Экайер.— Ее психику мы не исследовали. Я, Ваше Святейшество, тем более не имею опыта в исследовании человеческой психики. Все, что я могу,— это описать поведение Слушательницы Мэри. До сих пор все то время, что она у нас работала, она отличалась мягким, добрым характером, была предана работе. Но с тех пор, как она нашла Рай или думает, что нашла его, она сильно переменилась. Она страшно заважничала, возгордилась, и с ней стало трудно общаться.

— И вас это нисколько не удивляет? Поразительно. Мне это представляется совершенно немыслимым, абсолютно нелогичным. Если она действительно нашла Рай, как утверждает, то было бы гораздо логичнее, если бы после такого события в ее жизни она стала еще более преданной и смиренной. Гордыня, о которой вы тут рассказываете, не к лицу истинной христианке. Надеюсь, вам это известно.

— Ваше Святейшество, что касается меня,— ответил Экайер,— то я сам не вправе называть себя истинным христианином. Вы мне льстите.

— А Слушательница Мэри? Она христианка?

— Ваше Святейшество, я в этом не уверен. Как бы то ни было, вы должны понимать, что Поисковая Программа не имеет ничего общего с вопросами богословия.

— Странно. А зря. Стоило бы вам уделять этому побольше внимания.

— Ваше Святейшество,— вмешался кардинал Феодосий.— Вы сегодня настроены предвзято. Позволю себе заметить, что такое отношение не делает вам чести. Вы недооцениваете деятельность руководителя Поисковой Программы, нашего друга и соратника. Многие годы он оказывал нам неоценимую помощь.

— Преосвященный,— забеспокоился кардинал Робертс.— Не кажется ли вам, что вы много себе позволяете?

— Нет, не кажется,— упрямо проговорил Феодосий.— Совещание у нас неофициальное, и нужно с уважением выслушивать мнение каждого. Все вопросы следует обсуждать откровенно и спокойно.

— До сих пор никто из присутствующих,— сказал Папа,— и не пытался обсудить никаких вопросов. Обнаружение Рая или предполагаемое его обнаружение создало ситуацию, которая выходит из-под контроля. Известно ли кому-нибудь из присутствующих, что в общине все сильнее распространяется стремление канонизировать Слушательницу Мэри, провозгласить ее святой? До сих пор мы еще никого не канонизировали, а если бы и собирались это сделать, должны были бы дождаться, пока кандидат на канонизацию спокойно отойдет в мир иной.

— Ваше Святейшество,— вмешался кардинал Робертс.— Мы все прекрасно знаем то, о чем вы говорите. Все мы осознаем всю серьезность создавшейся ситуации, всю таящуюся в ней опасность. Идея канонизации, на первый взгляд, представляется совершенно невозможной, но на данном этапе было бы неразумным открыто вмешаться и выступить против настроения масс. Мы не можем обойти стороной тот факт, что многие, пожалуй большинство молодежи, младшей братии Ватикана, несмотря на то что минуло столько лет, все еще увлечены той простотой, той великой надеждой, которую обещает христианская вера.

— О чем вы, кардинал? О каком обещании, о какой надежде? — вопросил Папа.— Это полная бессмыслица. Ни один робот, каким бы верующим ни был, безусловно, не может питать никаких надежд на загробную жизнь. Зачем ему такие надежды? У него не может возникнуть такой потребности, если только он будет как следует о себе заботиться и содержать себя в исправности.

— Пожалуй, это наша вина,— вмешался Феодосий.— Многие из наших послушников — фермеры, садовники, лесозаготовители, рабочие, даже многие из монахов — исключительно простодушны. Для них главная идея христианства, пусть даже в несколько извращенном виде, являет собой могущественный стимул. Они многого в христианстве не понимают, это правда, но на Земле, много веков назад, массы людей, утверждавших, что они — христиане, понимали еще меньше. Наши люди и роботы не знают того, что знаем мы, более посвященные, но мы никогда и никому не пытались ничего объяснить. Нам известно, что жизнь и разум могут существовать в самых разнообразных формах, как в биологических, так и в небиологических; самые непостижимые виды разума обнаруживаем мы за пределами пространства и времени. Мы знаем, что существует другая вселенная, а может быть, и третья, и четвертая, хотя пока не можем утверждать этого. Мы только догадываемся о том, что существует некий универсальный Принцип, гораздо более сложный, чем тот, что правит в пространственно-временной Вселенной. Следовательно, мы вправе предположить, что, если Рай и существует, это ни в коем случае не символический христианский Рай, не «Земля избранных», не «Остров счастливой охоты» — как бы это ни называлось в других вероисповеданиях. Не может это быть настолько упрощенно и материально, как широкая золотая лестница и гордо парящие ангелы...

— Все это верно,— сказал Робертс,— но проблему посвящения в эти знания нашей братии мы не раз обсуждали и всякий раз сходились на том, что всего целиком сообщать им не стоит. Просто страшно себе представить, какие кривотолки, какие безумные интерпретации повлекло бы за собой раскрытие им даже отдельных фрагментов того, что нам известно! Да, мы создали элиту внутри Ватикана, узкий круг посвященных. И только эта элита имеет доступ к знанию во всей его полноте. Может быть, это и ошибка, заблуждение, но я думаю, что такая тактика оправдана опасностью раскрытия всех фактов. Раскрой мы карты полностью — и мы неизбежно столкнемся с уймой ересей. Просто невозможно будет продолжать работу, если каждый робот будет убежден, что именно он и никто другой все уяснил правильно, и будет считать своей священной обязанностью убедить в этой правоте заблудших собратьев. Начнутся распри, раскол, которые окончательно разъединят нашу братию. Было бы разумнее — к этому выводу мы приходили всякий раз — оставить все как есть. Пусть остальные пребывают в относительном неведении, исповедуют приблизительное христианство.

— Болтовня! — резюмировал Папа ледяным, холодящим душу голосом.— Что это, как не досужая болтовня? И самое отвратительное, что вы развязали языки в присутствии двоих людей, которым совершенно необязательно слушать все это.

— Что касается меня, Ваше Святейшество,— возразил Экайер,— то многое из сказанного мне давно знакомо. И у меня на этот счет были и есть собственные сомнения и предположения. Что же до моего друга, доктора Теннисона...

— Да,— прервал его Папа, не дав закончить фразу,— вы что скажете, доктор Теннисон?

— За меня можете не беспокоиться, Ваше Святейшество,— ответил Теннисон.— Если вас волнует, не брошусь ли я сломя голову в единоличный крестовый поход, чтобы донести правду до остальных членов Ватикана, то могу вас заверить, что не испытываю ни малейшего желания. Я намерен остаться в стороне и не без интереса наблюдать за всем происходящим, не вмешиваясь.

— Насчет другой вселенной,— проговорил Робертс, обращаясь к Папе,— нет нужды опасаться, что слух об этом смогут распространить двое людей, которые недавно присоединились к нам. Они не улетят отсюда.

— Не знаю, не знаю,— хмыкнул Папа.— Есть еще человек Декер. Вообще неизвестно, откуда он взялся. Выяснил кто-нибудь из вас наконец, как он появился здесь?

— Нет, Ваше Святейшество, к сожалению, мы ничего пока об этом не знаем,— ответил кардинал Феодосий.

— Вот видите! Если один из людей сумел пробраться сюда так, что мы об этом не узнали, где гарантия, что он или кто-то другой не сумеет с таким же успехом ускользнуть? Люди — хитрый, изворотливый народец. Следует получше следить за ними.

— Они — наши собратья, Ваше Святейшество,— возразил Феодосий.— Они всегда были и навсегда останутся нашими собратьями. Существует нечто вроде негласного договора между роботами и людьми. Долгие годы мы шли с людьми плечом к плечу.

— Они эксплуатировали нас,— уточнил Папа.

— Они дали нам все, что у нас есть,— не согласился Феодосий.— Не будь людей, и роботов бы не было. Они создали нас по своему образу и подобию — больше никто во Вселенной, ни одна цивилизация не сделала ничего такого. Другие цивилизации создавали машины, но не роботов.

— И тем не менее,— вмешался Теннисон,— только что было сказано, что мы не можем улететь отсюда — ни я, ни женщина, моя спутница. Это что, и есть проявление братства, о котором вы так замечательно разглагольствуете? Хотя... я чего-то в этом роде и ожидал.

— Вы спасались бегством,— возразил Феодосий.— А мы предоставили вам убежище. Вправе ли вы требовать большего?

— Ну а Джилл?

— Джилл,— ответил Феодосий,— другое дело. Убежден, она сама не хочет покидать нас.

— Ну, если на то пошло, и у меня нет особого желания улетать отсюда. Но мне хотелось бы верить, что я буду иметь такую возможность, если желание возникнет.

— Доктор Теннисон,— жестко сказал Папа.— Мы не для того собрались, чтобы обсуждать, можно вам улететь или нельзя. Оставим это до другого раза.

— Договорились. Будьте уверены, я не премину к этому вернуться.

— Да-да, конечно,— сказал Экайер.— Надо будет обязательно еще поговорить об этом.

— А теперь,— предложил Папа,— давайте все-таки вернемся к тому, с чего начали, то есть к вопросу о Рае.

— У меня такое впечатление,— сказал Экайер,— что проблема не так уж сложна. Вопрос можно поставить так: существует Рай или не существует? Если не существует, то и разговаривать не о чем. Почему бы не отправить туда экспедицию и не убедиться? У Ватикана, насколько мне известно, есть возможность перемещаться куда угодно...

— Но координат ведь нет,— сказал Робертс.— Кристалл с записью наблюдения Слушательницы Мэри не содержит координат. Прежде чем отправиться в путь, нужно знать координаты.

— Мэри может сделать еще одно наблюдение,— предложил Теннисон.— И может быть, во время следующего наблюдения она сможет определить координаты.

Экайер покачал головой.

— Сомневаюсь, что она захочет проделать это еще раз. Мне кажется, она побаивается.

Глава 22

ДЕНЬ БЫЛ ТУМАННЫЙ. Полоса низких туч перерезала горы пополам. Земля, казалось, покрылась клочьями серой шерсти. Тропинка, по которой шагал Теннисон, пошла на подъем, а когда он взобрался повыше, туман немного рассеялся и он разглядел хижину на вершине холма. Наверняка это и было жилище Декера. Джейсон не был уверен, что застанет хозяина дома,— было вполне вероятно, что тот отправился на многодневную охоту. Теннисон на всякий случай решил, если Декера дома не будет, вернуться обратно в Ватикан. Настроение у него было самое что ни на есть прогулочное — так или иначе он собирался бродить до вечера.

Когда Теннисон почти поравнялся с домом, из-за угла показался Декер. Он тащил под мышкой охапку хвороста, но ухитрился помахать свободной рукой и прокричать приветствие, которое несколько приглушил сырой, плотный воздух.

Дверь была открыта. Теннисон переступил порог. Декер пошел ему навстречу. Подойдя, крепко пожал протянутую руку.

— Извини, что не встретил тебя,— улыбнулся он.— Хотелось побыстрее от дров отделаться. Тяжеловато, сам понимаешь. Ну, присаживайся к огню, грейся, а то прохладно сегодня.

Теннисон стянул с плеча рюкзак, сунул туда руку и вытащил бутылку.

— Вот, держи,— сказал он, подавая бутылку хозяину.— Думаю, не помешает?

— Помешает? Шутник! — обрадованно проговорил Декер, поднося бутылку поближе к свету.— Да ты просто спаситель! Я последнюю прикончил на той неделе. Чарли время от времени привозит мне парочку, да не с каждым рейсом. Я не в обиде — ему и самому, наверное, не хватает. Он ведь бутылочки-то, мягко говоря, прикарманивает, знаешь?

— Угу. Если Чарли — это капитан «Странника». Я не знаю его имени.

— Он самый,— подтвердил Декер.— А ты с ним хорошо познакомился?

— Можно сказать, вообще не познакомился. Так — болтали о том, о сем. Он мне рассказывал про Померанец.

— А... это планета его мечты. Дело понятное. У каждого есть любимая планета. А у тебя, Джейсон?

Теннисон пожал плечами.

— Я об этом как-то не задумывался.

— Ну, ладно, что это мы стоим? Ты давай проходи к огню, присаживайся. Хочешь — положи ноги на камень. Не бойся, ничего не сломаешь. Я сейчас к тебе присоединюсь, вот только стаканчики чистые найду. А вот льда нету, так что не обессудь.

— Да брось ты, какой лед в такую погоду?

Как ни странно, внутри хижина была просторнее, чем казалось снаружи. В одном из углов единственной комнаты была устроена кухня. Там стояла небольшая, сложенная из камня плита, над ней на стене были прибиты полки, уставленные нехитрой утварью. На плите пыхтел котелок с каким-то варевом. Около другой стены стояла деревянная кровать, над ней — полка с книгами. В углу, рядом с очагом, стоял стол, на нем лежало несколько обработанных и не до конца обработанных камней. Теннисон вспомнил, что капитан «Странника» что-то говорил насчет ювелирных занятий Декера.

Декер вернулся со стаканами. Вручив один из них Теннисону, он откупорил бутылку и налил виски гостю и себе. Откинувшись на спинку стула, сделал большой глоток.

— Господи, красота какая,— с наслаждением проговорил он немного погодя.— Успеваешь забыть, как это прекрасно. Всякий раз забываю.

Довольно долго они сидели молча, потягивали виски, глядели на огонь. Наконец Декер нарушил молчание и поинтересовался:

— Ну как делишки в Ватикане? Хоть на отшибе живу, но и до меня кое-какие слухи доходят. Но, похоже, вся округа прямо-таки кишит слухами. Просто не знаешь, чему верить. Я, на всякий случай, не верю ничему.

— Правильно делаешь. Может быть, в этом и есть высшая мудрость. Я-то живу в Ватикане — и то в половину всего, что слышу, верю с трудом. Надеюсь, когда обживусь, смогу лучше разбираться, чему верить, а чему нет. Кстати, вчера я имел счастье беседовать с Его Святейшеством.

— Да ну?

— Что ты этим хочешь сказать?

— Да так, просто вырвалось. Ну, и какое у тебя впечатление?

— Честно говоря, я разочарован,— ответил Теннисон.— Я ожидал большего. Нет, конечно, когда он отвечает на важные, глобальные вопросы, он — сама мудрость. А вот что касается повседневных мелочей, то тут он такой же профан, как все мы. Может, даже и побольше нас. Я был уверен, что мелочи, суета всякая, его совсем не занимают.

— Ты не насчет ли Рая?

— Прости, Том, а ты откуда про это знаешь?

— Слухи. Я же говорю тебе: тут слух на слухе сидит и слухом погоняет. «Рай, Рай»,— только об этом в поселке и говорят.

— В Ватикане то же самое. Мне кажется, что тут дело проще простого: либо Мэри нашла Рай, либо нашла место, которое приняла за Рай. Думаю, у Ватикана есть возможность слетать да поглядеть. Но они машут руками и твердят: «Нет координат!» Наверное, Мэри могла бы еще разок вернуться туда и попробовать узнать координаты. Но Экайер сомневается, что она на это согласится. Ему кажется, что она боится.

— А ты что думаешь?

Теннисон пожал плечами.

— Кому интересно мое мнение?

— И все-таки?

— Ну... я думаю, что Ватикан — официальный Ватикан — хочет умыть руки. Это не Мэри боится, а они. Нет, может быть, Мэри тоже боится, но Ватикан боится вместе с ней. Никто из главных не желает знать, что это такое и с чем его едят. И мне кажется, что больше всего они боятся самого Рая.

— Ты совершенно прав,— кивнул Декер.— Кардиналы и прочие тузы богословия уже целую тысячу лет бьются над массой проблем. Надо отдать им должное — они далеко не тупицы. Они натащили тонны информации со всей Вселенной — что бы мы ни считали Вселенной. Очень может быть, что это вовсе не то или не совсем то, о чем мы с тобой думаем. Все эти данные введены в Папу, а Его Святейшество, как всякий точный компьютер, занимался их корреляцией, сопоставлением и, не исключено, на сегодняшний день сопоставил до такой степени, что им уже кажется, что в общих чертах они уже ухватили нечто главное, глобальное. У них уже начала вырисовываться пускай несколько уязвимая, но довольно красивая картина. Самые разнообразные ее фрагменты большей частью неплохо стыкуются, но все равно в ней наверняка есть белые пятна и даже кое-какие противоречия. Но если сделать некоторые допуски в базовой теории, то противоречиями вполне можно пренебречь. Ватикан, скорее всего, питает надежды, что за следующую тысячу лет они сумеют все утрясти и привести в полное соответствие. И вдруг какая-то простая смертная отправляется в Рай, и этот Рай — догматический, христианский Рай — рушит на корню их замечательную, наполовину выстроенную теорию. Есть от чего руками замахать и напугаться — ведь это одно-единственное свидетельство запросто разрушит все то, чем они столько лет так упорно занимались!

— Я не уверен, что все так просто, как ты сказал,— возразил Теннисон.— То есть это правильно, но, похоже, не все. Может быть, что, помимо всего прочего, Ватикан боится повального, чистосердечного обращения низов к христианской вере. Обычные, рядовые роботы до сих пор испытывают к ней сильное влечение. Не следует забывать, что многие роботы здесь из первого поколения,— они сделаны на Земле и, следовательно, сильнее связаны с людьми, чем те, более современные, что появились на свет уже здесь после исхода с Земли. Христианство даже сейчас, через пять тысячелетий после Рождества Христова — вера, исповедуемая огромным количеством людей. Ватикан отнюдь не против того, чтобы большинство роботов продолжали, так сказать, поверхностно воспринимать христианскую веру, но если они в ней укрепятся, если воцарится фанатизм, это вызовет жуткое замешательство, беспорядки и нанесет ощутимый вред той работе, которую ведет Ватикан. Думаю, разговоры о Рае в этом плане — вполне веская причина для беспокойства.

— Несомненно, это так,— согласился Декер.— Но все-таки я просто уверен, что больше всего Ватикан страшится любого фактора, способного разрушить созданную им картину мира.

— А тебе не кажется,— спросил Теннисон,— что логичнее было бы проявить нормальное любопытство? Что толку зарывать головы в песок и надеяться, что, если они ничего не будут делать, Рай возьмет да испарится?

— Кто знает... Может быть, со временем они и предпримут что-нибудь практическое. Повторяю: они очень и очень неглупы. Сейчас они просто-напросто приходят в себя после шока. Дай время — и они снова обретут почву под ногами.

Он потянулся за бутылкой и приветственно поднял ее. Теннисон протянул свой пустой стакан. Налив виски, Декер подлил и себе и опустил бутылку на пол.

— Вообще, если задуматься, дело нешуточное,— проговорил Декер, отхлебнув виски.— Понятие, пронесенное через века, в муках, самой обычной формой жизни на заурядной планете под скромным солнцем, ставшее закономерным продолжением веры, ее кульминацией, только ею поддерживаемое и питаемое,— и вот теперь оно угрожает тысячелетним стараниям группы исключительно умных роботов! Нет, я не хочу сказать, что человек — самое глупое существо в Галактике, но все-таки и не самое умное. Разве возможно, Джейсон, чтобы человек только за счет горячего желания и искренней надежды отыскал бы истину, которая...

— Я не знаю,— признался Джейсон.— Думаю, никто не знает.

— А ведь мысль интригующая, согласись?

— Мысль пугающая,— уточнил Теннисон.

— Эх, жаль, что в Ватикане смотрят на вещи так однобоко, что они так беззаветно преданы своим попыткам отыскать истину в последней инстанции, универсальную веру для всей Вселенной... А ты хоть что-нибудь знаешь, до чего они уже докопались?

— Понятия не имею,— ответил Теннисон.

— А я почти уверен, что уже сейчас они знают ответы на массу вопросов, которые другим и в голову не приходили. Они наверняка уже очень глубоко забрались под кору вселенского Знания. Реши они уже сейчас воспользоваться тем, чем владеют, и они просто положат на лопатки всю Галактику! Слава Богу, они об этом и не помышляют. Они настолько заняты своими делами, что даже не задумываются о таких понятиях, как «слава» или «могущество».

Декер поставил стакан на каминный камень, встал и отправился в тот угол, где была кухня, приподнял крышку котелка и помешал варево.

В это мгновение в нескольких дюймах от крышки стола, на котором лежали камни, возникло маленькое облачко искристой пыли. Пылинки поблескивали в отсветах пламени очага. Теннисон резко выпрямился, рука, державшая стакан, дрогнула, и немного виски выплеснулось ему на колени. Он вспомнил, что в тот день, когда он познакомился с Декером, он видел точно такое же облачко пыли над правым плечом Декера. Тогда он отвернулся, а когда снова посмотрел, облачко уже исчезло. Теперь, как он ни жмурился и ни таращил глаза, облачко оставалось и никуда не исчезало. Висело над столом — черт знает что такое!

Декер вернулся к огню, взял стакан и уселся на стул.

— Как насчет того, чтобы поужинать со мной? — спросил он.— У меня нынче жаркое. Хватит на двоих, даже останется. Сейчас замешу тесто, испеку хлеб. Горячий, пальчики оближешь! Кофе, увы, кончился, а чай есть.

— Чай — это просто отлично!

— А потом заведу «старушку Бетси» и отвезу тебя домой. А то темно уже будет, неровен час — заблудишься. А хочешь — оставайся ночевать. Кровать я тебе уступлю, и лишнее одеяло найдется. А сам на полу устроюсь.

— Я бы с радостью, но мне обязательно нужно вернуться сегодня.

— Ну, нет так нет. Только скажи когда.

— Том,— осторожно проговорил Теннисон.— Знаешь, у меня поначалу было такое впечатление, что ты человек крайне необщительный. Мне говорили, будто ты вообще отшельник.

— Чарли небось?

— Да, наверное. Я больше ни с кем про тебя не говорил. И никого не спрашивал.

— А и спросил бы, тебе любой то же самое сказал бы.

— Мне и в голову не приходило кого-то спрашивать.

— Даже меня не спрашиваешь. Когда я сюда попал, как я здесь очутился? И почему?

— Ну, если на то пошло, ведь и я тебе о себе ни слова не сказал,— пожал плечами Теннисон.— Хотя мог бы. Правда, в моей истории ничего такого интересного нет.

— Поговаривают,— сказал Декер,— будто бы ты спасался бегством. По крайней мере, так болтают в деревне.

— Все точно,— подтвердил Теннисон.— Желаешь узнать подробности?

— Не имею ни малейшего желания. Давай-ка лучше я тебе подолью.

Оба умолкли и сидели, потягивая виски и глядя на огонь.

Декер поерзал на стуле.

— Если не возражаешь, я бы хотел еще немного о роботах поговорить. Понимаешь, чтобы правильнее понять точку зрения Ватикана, нужно, по-моему, задать себе вопрос: «Что такое робот?» Слишком часто мы все упрощаем и считаем робота механическим человеком, а ведь это далеко не так. И больше и меньше одновременно. Подозреваю, что роботы частенько считают себя чем-то вроде «немножко других людей», и тут они точно так же ошибаются, как мы. Странно, правда, что люди и роботы ошибаются одинаково?

Самый первый вопрос, который следовало бы себе задать: способен ли робот любить? Дружелюбие — да, чувство долга — да, логика — да. Но как быть с любовью? Способен ли робот питать искреннюю привязанность к кому-то или чему-то? У роботов нет семей, детей, никаких родственников по крови. Любовь — эмоция биологического порядка. Нам не следует ждать такой эмоции от робота, так же как роботу не стоит надеяться, что он может ее испытать. Ему некого любить, не о ком заботиться, некого защищать — ему даже о самом себе особо заботиться не надо. При минимальном ремонте он может существовать практически вечно. Для него не существует понятия старости, которой мы все так боимся. Ему не надо копить гроши на черный день, на похороны. Что же до личной жизни, каких-то близких отношений друг с другом, то об этом и говорить не приходится. И из-за всего этого в жизни робота возникает зияющая, ничем не заполненная дыра.

— Но, прости,— возразил Теннисон,— может быть, он сам вовсе и не помышляет, что с ним что-то не так. Ему-то откуда знать, что у него чего-то не хватает?

— Согласен, это было бы так, если бы роботы жили сами по себе, отдельно от биологических форм жизни. Но они так не живут и, подозреваю, не могут жить. Они привязаны к людям, их к людям тянет. И, наблюдая за людьми столько лет, они должны были хотя бы подсознательно почувствовать, чего они лишены.

— Вероятно, ты клонишь к тому, что, будучи лишенными возможности любить и ощутив ту самую пустоту, о которой ты сказал, они обратились к религии, надеясь верой заполнить эту пустоту. Но, прости меня, смысла в этом маловато. Ведь религия немыслима без любви.

— Ты забываешь,— сказал Декер,— что любовь — не единственное, на чем основана религия. Есть еще вера. Причем порой — вера прямо-таки слепая. А робот сконструирован так, что очень долгое время может существовать за счет именно слепой веры. У меня сильное подозрение, что если бы робот стал религиозным фанатиком, он посрамил бы многих людей.

— Но тогда другой вопрос,— проговорил Теннисон.— То, чем владеет Ватикан, то, к чему он стремится,— религия или нет? Почему-то мне часто кажется, что это не так.

— Может быть, поначалу это была религия,— предположил Декер.— И по сей день многие простые ватиканцы искренне верят, что главная их цель, которой они посвятили жизнь,— религия. Но направленность деятельности Ватикана с годами сильно изменилась. В этом я просто уверен. Сейчас они ведут поиски на уровне типов вселенных. Кардиналы, наверное, скажут, что они ищут вселенскую, универсальную истину. Что, если задуматься хорошенько, больше соответствует типу ментальности роботов, чем какая бы то ни было вера. Но если они достигнут чего-то в конце пути, по которому пошли, и это что-то, к их некоторому удивлению, окажется-таки истинным, универсальным, вселенским богословием, они и этому будут рады.

— Ну а если это окажется чем-то другим,— закончил его мысль Теннисон,— они тоже возражать не станут?

— Точно,— кивнул Декер.

А маленькое облачко алмазной пыли все еще висело над столом. Казалось, оно, как птица, пытается защитить, спасти камни, укрыть их крылом. Иногда облачко как будто поворачивалось, и пылинки поблескивали всеми цветами радуги в отблесках пламени, но большую часть времени оно неподвижно висело на одном и том же месте над столом.

На языке Теннисона вертелся вопрос, но он сдержался и промолчал. Декер наверняка сам прекрасно видел загадочное облачко и, судя по всему, понимал, что гость его тоже видит. Если и говорить об этом, то начать должен Декер. Декер молчал, значит, так тому и быть.

Декер заговорил, но совсем о другом:

— Прошу прощения, я опять про это. Про Рай. Ты видел запись?

— Это не совсем запись. Это такой кристалл. Кубик. Нет, не видел. Другие видел, а этот, где Рай, не видел. Знаешь, у меня даже как-то язык не повернулся попросить, чтобы мне его показали. Мне кажется, это что-то такое... очень личное, что ли.

— Слушай, ты же говорил, что Ватикан мог бы слетать и посмотреть.

— Ну да,— кивнул Теннисон.— Но координат нет.

— А я догадываюсь, где это может быть,— сказал Декер неожиданно и замолчал.

Теннисон весь напрягся. Декер молчал.

Наконец Теннисон не выдержал.

— Догадываешься? — спросил он шепотом.

— Да. Я знаю, где Рай.